Krie

Das Buch

In dunklen Zeiten geboren, im Bombenhagel aufgewachsen: Eine ganze deutsche Generation war noch im Kindesalter, als der Zweite Weltkrieg über sie hereinbrach. Zu jung, um an den Machenschaften des NS-Regimes beteiligt zu sein, wurde ihr die unbeschwerte Kindheit geraubt. Über ihre zum Teil traumatischen Erlebnisse zwischen 1939 und 1945 haben diese Männer und Frauen meist geschwiegen. In diesem Buch kommen sie zu Wort und erzählen: von den Erfahrungen im Bombenkeller und den Begräbnissen der Toten; von der Flucht aus dem Osten; von einer Kindheit ohne Vater; von der Kinderlandverschickung; von all den Erfahrungen, die uns heute unvorstellbar erscheinen und die doch viele Menschen geprägt haben, die maßgeblich am Aufbau der Bundesrepublik beteiligt waren. Das einfühlsame Porträt einer Generation, die über Jahrzehnte hinweg nur selten über ihr Schicksal gesprochen hat.

Die Autorin

Hilke Lorenz, Jahrgang 1962, hat Geschichte und Germanistik studiert. Seit 1993 leitet sie bei der Stuttgarter Wochenzeitung *Sonntag Aktuell* das Magazinressort. Für das vorliegende Buch hat sie zahlreiche Zeitzeugen befragt.

Von Hilke Lorenz sind in unserem Hause bisher erschienen:

Heimat aus dem Koffer – Vom Leben nach Flucht und Vertreibung
Weil der Krieg unsere Seelen frisst – Wie die blinden Flecken der Vergangenheit bis heute nachwirken

Hilke Lorenz

Kriegskinder

Das Schicksal einer Generation

List Taschenbuch

Besuchen Sie uns im Internet:
www.ullstein-taschenbuch.de

Ungekürzte Ausgabe im List Taschenbuch
List ist ein Verlag der Ullstein Buchverlage GmbH, Berlin
1. Auflage März 2005
6. Auflage 2014

Umschlaggestaltung und Konzeption: RME Roland Eschlbeck und Kornelia Rumberg (nach einer Vorlage von Hauptmann und Kompanie Werbeagentur, München – Zürich)
Titelabbildung: © Werner Bischof/Magnum/Agentur Focus
Satz: Franzis print & media GmbH, München
Papier: Munken Print von Arctic Paper Munkedals AB, Schweden
Druck und Bindearbeiten: CPI books GmbH, Leck
Printed in Germany
ISBN 978-3-548-60507-4

Für Lisa und Manfred,
die einander trotzdem gefunden haben.

Inhalt

Vorwort

Den Frieden zu bauen ist schwer. Das weiß ich nicht nur aus meiner Arbeit auf dem Balkan. Denn der Krieg zerstört Infrastruktur – auch die seelische. Es ist eine langwierige Arbeit, diese Wunden zu heilen und wieder Strukturen für das Weiterleben zu schaffen. Mit diesem Wissen aus meiner langjährigen politischen Arbeit und der eigenen Lebensgeschichte schreibe ich dieses Vorwort. Ich will dabei nicht verhehlen, dass es für mich erst problematisch erschien, über die Lebensentwürfe anderer, nicht so stark in Anspruch genommener Altersgenossen, glaubwürdig zu schreiben. Schließlich hatten sie doch nicht die gleichen Chancen wie ich. Gewiss würde ich meine Sachkunde nicht verneinen, und auch die spezifischen Erfahrungen mit einer belastenden Vergangenheit und einer schwierigen Gegenwart kann ich nicht leugnen. Doch genügt das wirklich, um über die Situation eines anderen sachgerecht und nicht nur gefühlsorientiert zu urteilen? Ich bin da nicht sicher. Deshalb sind die folgenden Zeilen als ein Versuch und nicht so sehr als eine Bekundung von Gewissheiten zu verstehen.

Berichte ich also zunächst von mir. Ich bin 1929 geboren, in einer Familie aufgewachsen, die bereits Anfang 1933 in die Fänge des NS-Regimes gelangte, weil Vater wie Mutter schon vor der Machtpreisgabe der Weimarer Republik gegen Hitler Front machten (»Wer Hitler wählt, wählt den Krieg«) und deshalb sofort den Repressionsmaßnahmen der nun »braunen Führung« unterlagen. Gefängnis, Zuchthaus, Konzentrationslager waren die Konsequenzen.

Viele Jahre wuchs ich deshalb ohne die unmittelbare Einflussnahme des Vaters und eine längere Zeit auch ohne das eigentlich selbstverständliche Miteinander mit der Mutter auf. Ich wurde von den Großeltern erzogen, ohne wirklich zu begreifen, warum ich bis zu meinem zehnten Lebensjahr ohne die Fürsorge der Eltern auskommen musste. Ich war trotz alledem gut behütet, litt keine sonderliche materielle Not, sondern erfuhr, wie alle Kinder in unserem Wohnviertel, die normalen Lebensbedingungen jener Zeit. Eng war es, bescheiden ging es zu, doch auch die anderen hatten kaum besondere materielle Freuden. Für Neid auf andere wegen ungleicher Voraussetzungen gab es keinen Raum.

Kurz war dann die Zeit, in der ich mit den Eltern zusammenleben konnte, denn bald brach der Krieg aus und er bedingte wegen der damit verbundenen Belastungen wiederum eine Eingrenzung der Zeit für das jetzt möglich gewordene gemeinsame Zusammensein. Zudem stellte sich weiterer Nachwuchs ein und die Kleinen verlangten ihr Recht.

Krieg, das bedeutete 1941 weg aus der von Bomben bedrohten Stadt, Kinderlandverschickung war das Ergebnis, und diese dauerte bei mir unter jeweils kürzeren Rückkehrpausen dann bis August 1944. Es war eine Zeit, in der ein Miteinander in der Familie mehr Gastspiel als wirkliche Gemeinsamkeit bedeutete. Und die dann folgende Zeit war überschüttet von Fliegeralarmen, Bunkeraufsuchen, Trümmerräumen, auch sechswöchiges »Schanzen« bei Wilhelmshaven war angeordnet, und schließlich ging es im März '45 zum Reichsarbeitsdienst, aus dem ich nach Kampfeinsatz und folgender englischer Gefangenschaft in Belgien Ende September '45 in die Heimat zurückkehrte. Wiederum stand meine Mutter jetzt allein vor der Aufgabe, den »Großen« und die beiden »Kleinen«, für das Leben vorzubereiten, denn mein Vater war als Angehöriger der Wehrmacht im September '44 in Finnland gefallen. Von einer geborgenen Kindheit kann man also hier kaum sprechen. Einige wenige Jahre im umhegten Familienverband sind die guten Zeiten meines Erwachsenwerdens, in der Regel aber war es ein schlichtes Durchstehen, nicht selten auf sich allein gestellt. Das alles prägte mich in besonderer Weise und führte viel frühzeitiger als bei anderen zu der Frage nach dem Warum und Weshalb. Wie kam es zu 1933? Warum kam es zu diesen jahrelangen Inhaftierungen? Wie haben Verwandtschaft und Bekannte darauf reagiert? Nicht zuletzt, wie einsam war meine Mutter in dieser Zeit? Und dann auch wie bei vielen anderen Familien die Fragen: »Wie wurde sie mit dem Verlust des Ehemannes fertig, und welche besonderen Probleme gab es aus ihrer Sicht für die gesicherte Erziehung der Kinder? Und warum hat sie über diese Zeit nicht sprechen wollen?

Fragen über Fragen, die bei anderen Kindern der Kriegszeit gewiss auch, wenn auch mit anderen Schwerpunkten aufkamen. Auch sie erlebten, dass die Erwachsenen der Kriegszeit von sich aus gar nicht oder nur selten über diese Zeit sprachen. War es bei den damals für die Familien Verantwortlichen nur der Wunsch, ihre eingekapselten Traumata der Zeiten von Not, Vertreibung und Schrecken nicht aufbrechen zu lassen, oder wollte man den Kindern Belastungen, Kenntnisse oder Erfahrungen ersparen, die das eigene Leben so bitter beeinflusst hatten? Darauf will der vorliegende Band Antworten geben. Individuelle Antworten, subjektive Antworten, aber in der Fülle der unterschiedlichen Reflexionen ergibt sich ein beeindruckendes Resümee. Wir können jetzt besser nachvollziehen, wie viel Prägendes lange nicht sichtbar war, vielleicht aber auch, warum die Großelterngeneration eher darüber zum Sprechen und Erzählen gebracht werden konnte, als diejenigen, die damals in Verantwortung für ihre Kinder handelten.

Auf der Suche nach Antworten müssen wir deshalb auf die damals allgegenwärtige Situation der Kinder in den Kriegszeiten von 1939–1945 zurückgreifen. Es gilt Gemeinsames und sehr Unterschiedliches aufzuzeigen, nicht zuletzt müssen auch die keinesfalls überall gleichen Lebens- und Gefahrensituationen der vom Krieg betroffenen Kinder gesehen werden.

In diesem Zusammenhang muss man von der Kinderlandverschickung (KLV) sprechen. Nachdem sich schon Ende 1940 herausstellte, dass die großsprecherische Versicherung der NS-Führung »es wird kein feindliches Flugzeug in den deutschen Luftraum eindringen können, um deutsche Wohngebiete zu gefährden« sich nicht bewahrheitete und die deutschen Luftangriffe auf englische Städte (»coventrieren«) nun mit steigender Wucht vergolten wurden, entwickelte man den Plan, die Schulkinder aus den als besonders gefährdet betrachteten Großstädten in Regionen des Deutschen Reiches zu verbringen, die von den Britischen Inseln mit den damaligen Flugzeugen nicht zu erreichen waren. Man widmete in Süd- und Ostdeutschland und dem so genannten »Protektorat Böhmen und Mähren« Hotels, Jugendherbergen und Erholungsheime um. Als geeignete Gebäude für einen mehrmonatigen Daueraufenthalt von Schulen bzw. Schulklassen zu Unterbringungs- und Schulzwecken wurden sie jetzt neuen Aufgaben zugeführt, in einigen Fällen nutzte man auch Privatunterkünfte mit Familienanschluss. Die Lehrerinnen und Lehrer mussten die Klassen – häufig ihre heimatlichen Schulklassen – begleiten, und für die außerschulische Erziehung und Betreuung wurde ihnen von der Hitlerjugend eine Führungskraft aus dem Reservoir der damaligen Staatsjugend als Lagermannschaftsführer beigegeben. Fern von der Familie, gemäß dem Prinzip: Jugend soll durch Jugend geführt werden, nunmehr ganzheitlich in der Schule wie im Lageralltag der NS-Ideologie preisgegeben, haben dann fast bis zum Kriegsende Hunderttausende von Jungen und Mädchen diese verordnete Trennung von der Familie in der Regel klaglos hingenommen. Für sie war es bei allem Heimweh doch auch ein Stück Abenteuer und Bewährung, so wie sie es verstanden (jedenfalls habe ich das damals so empfunden und ich war gewiss nicht der Einzige, der so fühlte). Den Sorgen der Eltern, vor allem der Mütter, ist bei Berichten über diese Zeit selten genug Raum gegeben worden. Es wurde im Allgemeinen als kriegsbedingtes Schicksal verbucht, über das nicht viel zu klagen war. Verdrängt wurde dabei aber gar zu häufig, dass zumindest die Jungen ab 14 Jahren immer stärker im Rahmen ihrer KLV-Zeit mit vormilitärischen Ausbildungen auf ihr Ziel, in absehbarer Zeit zum Wehrdienst einberufen zu werden, vorbereitet wurden.

Auch die anderen Heranwachsenden, die nicht in die Kinderlandverschickung kamen, wurden in den Versorgungs- und Unterstützungskreislauf der Staatsmacht einbezogen. Angefangen von Ernteeinsätzen von Jungen und Mädchen ab 14 Jahren, über das Sammeln von Altmaterial und Stanniol für die Kriegswirtschaft durch die Schulen, wobei die Lehrkräfte in die Aufsichts-, Kontroll- und Berichtspflicht genommen wurden, kommt es wegen der Verschlechterung der Kriegsjahre zu einem geraden Weg spezieller Einsätze. Bei den etwas älteren Mädchen zu Krankenhaushilfsdiensten, bei den Jungen in den Städten zu Luftwaffenhelfer- (später auch Marinehelfer-) Einsätzen, bei denen die Heranwachsenden Soldaten ersetzen mussten, die an die Front verlegt wurden, später folgte die »Volkssturmverwendung«. Der Anfang zur Realisierung der Einsätze von Kindersoldaten ist hier erkennbar; Kindersoldaten sind, anders als es heute gesehen wird, also kein besonderes Merkmal der Stammes- und Bürgerkriege in den Entwicklungsländern. Deutschland bot selbst problematische Beispiele. Allerdings will ich nicht verhehlen, dass die 16/17-Jährigen sich gewiss darüber empört hätten, als Kindersoldaten bezeichnet zu werden. Wir empfanden uns schon als erwachsen, erfahren und kampffähig. Ich selbst war doch schon mit sechzehn Jahren beim Kampfverband des Arbeitsdienstes und hätte gewiss eine solche Bezeichnung damals als ehrverletzend angesehen!

Die Tatsache, dass diese Entwicklungen alle im Lichte der Öffentlichkeit vonstatten gingen und kein spürbarer Widerstand gegen den Missbrauch dieser im Übergang vom Kindesalter zum Heranwachsenden aufkam, darf nicht über die Situation der Mütter hinwegtäuschen. Die Trennung von den Kindern schmerzte natürlich und belastete sie stark. Hatten sie mehrere Kinder, war es ein Problem besonderer Art, diese unter Umständen in verschiedenen Lagern mit gewiss unterschiedlicher Betreuung zu wissen. Und wenn dann noch hinzukam, dass der Ehemann – der Vater dieser Kinder also – als Soldat permanenten Gefährdungen ausgesetzt war und sie wegen des häufig erzwungenen Verbleibens in der bombengefährdeten Gemeinde selbst nicht von wiederkehrenden Kriegsgefahren verschont waren, dann führte das zu der Einschätzung der Mütter, dass jedenfalls ihr Kind im KLV-Lager geschützt war. Sie nahmen das eigentlich Zerstörerische hin als schicksalsmächtige Notwendigkeit. Dass dieses alles bei ihnen wie bei den Kindern traumatische Belastungen hervorrufen konnte, wer wollte das bestreiten.

Von besonderer Härte waren Anfang 1945 für die bis dahin vom konkreten Kriegsgeschehen weniger belasteten Heranwachsenden aus Ostdeutschland die Belastungen der Flucht vor den heranrückenden sowjetischen Truppen. Von der NSDAP schlecht organisiert, in der Regel viel zu spät zur Evakuierung – sprich: Abzug in die weiter westlich gelegenen Gebiete – aufgefordert oder zugelassen, gingen die Menschen aus den Ostgebieten einen leidvollen, entbehrungs- und verlustreichen Weg. Die Suche nach einem noch so bescheidenen Refugium beflügelte sie. Es war die Angst vor einer angekündigten revanchegeprägten Besetzung ihrer Heimatregion, auch vor einer Vertreibung, denn schließlich hatte Hitler diese Art von Besatzungs- und Raumordnungspolitik hoffähig gemacht. Flucht bei bitterster Kälte, bei zusammengebrochenen Transportsystemen, unzureichender Verpflegung, und die sie jetzt aus einer anderen Himmelsrichtung bedrohenden Luftstreitkräfte, haben unzählige Opfer an Leben oder Gesundheit gefordert. Die jungen Menschen erlebten das Sterben in schrecklichster Form, es sollte nicht wenigen ins Gedächtnis eingebrannt bleiben – auch wenn sie nicht darüber sprechen. Doch Reaktionen bei manchen von ihnen, wenn sie auf Entwicklungen in der heutigen Zeit angesprochen werden, lassen erkennen, dass vieles noch als eingekapseltes Trauma vorhanden ist, ein Trauma, das bei neuen Krisen aufbrechen und virulent werden kann.

Meine Hoffnung ist, dass dieses Buch Einsichten bei Außenstehenden vermittelt, vor allem aber die Betroffenen *selbst* zum Aussprechen erfahrenen Leides ermutigt; das wäre ein Anfang zu einer perspektivvolleren Aufarbeitung eigener, bitterer Erfahrung. Vielleicht führt das auch zu einem besseren Verständnis bei der Beurteilung des Leidens anderer in unserem von Kriegen immer wieder geschundenen Kontinent.

Ich schreibe dies vor dem Hintergrund meiner Erfahrungen über die nicht verdrängbaren Leiden deutscher und europäischer Juden, die so unvorstellbar unter von Deutschland ausgehender Gewalt gelitten haben.

Ich schreibe das auch, weil ich um die permanente Angst der Menschen in Israel und Palästina weiß; eine Angst vor der Gewaltbereitschaft der jeweils anderen, die die Menschen nicht zur Aussöhnung befähigt. Auch hier wirken lang anhaltende Traumata nach.

Ich bin aber vor allem durch meinen Einsatz für gewaltfreie Konfliktlösungen auf dem Balkan geprägt, bei dem ich unermessliches Leid von Frauen und Kindern dortiger Nationen erfahren musste und immer wieder gebeten werde, Hilfsmöglichkeiten zur Überwindung eingebrannter traumatischer Belastungen zu finden und mich auch dort nicht zu verweigern, wo es um die Überwindung von Schmerzen bei Opfer/Täter- bzw. Täter/Opfer-Aufarbeitung geht.

Der erste Schritt zur Hilfe kann nur von den Betroffenen ausgehen; erst wenn sie fähig sind, und das ist manchmal nur unter Überwindung größter Abwehrreaktionen möglich, auszusprechen, was war und was sie aus der Erinnerung bewegt, zum Teil auch belastet, kommen wir zu einer Klärung der Lebenswirklichkeit einer ganzen Generation, die vielleicht morgen auch anderen hilft, nicht zu schweigen. Für mich vermittelt das vorliegende Werk nicht nur die Chance des Erfahrungsaustausches, sondern hilft auch, dem eigenen Nachwuchs Einsichten zu vermitteln, die nicht nur als Story eines älteren Mannes abgetan werden können; es ist ungemein hilfreich.

Hans Koschnick Bremen, August 2003

Einleitung

Schweigen, um zu überleben – reden, um weiterzuleben?

»Das Vergangene ist nicht tot; es ist nicht einmal vergangen. Wir trennen es von uns ab und stellen uns fremd«, so beginnt Christa Wolf ihren Roman *Kindheitsmuster*. Die 1929 geborene Schriftstellerin begibt sich darin auf Spurensuche in ihrem Leben, zu dem untrennbar die Jahre des Zweiten Weltkriegs gehören. Ein offenbar mutiges Unterfangen. Denn diese Jahre sind in den Leben vieler Menschen, die damals Kinder waren, Fremdkörper geworden. Die Erinnerungen an sie sind Geheimnisse, die so unaussprechbar sind, dass viele der ehemaligen Kriegskinder sie sogar vor sich selbst weggeschlossen haben. Den Schlüssel dazu haben sie weit fortgeworfen und damit den Zugang zu einem wichtigen Abschnitt ihres Lebens aus der Hand gegeben. »Wirst dich fragen müssen, was aus uns allen würde, wenn wir den verschlossenen Räumen in unseren Gedächtnissen erlauben würden, sich zu öffnen und ihre Inhalte vor uns auszuschütten«, konstatiert Christa Wolf im Verlauf ihrer Suche nach den Spuren des Vergangenen in der Gegenwart. Wobei auch sie offenbar ein Unbehagen überkommt, wenn sie die Frage anschließt: »Brauchen wir Schutz vor den Abgründen der Erinnerung?«

Krieg ist mehr »als eine Abfolge von Ereignissen, die sich in einer bestimmten, exakt beendeten Zeitspanne zutragen. Er ist auch das, was sich in kleinen empfindsamen Kinderköpfen eingeprägt hat und bis heute in ihnen eingraviert ist«, hat der Arzt Peter Heinl, der in London ehemalige deutsche Kriegskinder des Zweiten Weltkriegs im Erwachsenenalter behandelt, in der intensiven Arbeit mit seinen Patienten beobachtet. Manchmal treibt der längst vergangene Krieg noch heute denen, die von ihm erzählen, die Tränen in die Augen. Auf den Bildern, die sie aus Kindertagen aufbewahrt haben, schauen sie tapfer und zuversichtlich in die Zukunft. Sie sind sie tatendurstig angegangen und haben den Blick zurück vermieden.

Achtundfünfzig Jahre sind seit Ende des Zweiten Weltkriegs nun vergangen. Kein deutscher Staat hat eine so lange Friedenszeit erlebt wie die Bundesrepublik. Zwei Generationen sind in Frieden aufgewachsen. Und doch ist seit dem großen Krieg keine Ewigkeit vergangen. Die Geschichte jenseits der Daten der Geschichtsbücher könnte weiterleben in den Erzählungen derer, die sie erlebt haben. Doch was wissen die Nachgeborenen über die Biografien und Prägungen ihrer Eltern, von den Jahren, in denen Mutter und Vater selbst Kinder waren? Die »oral history«, die sonst das vermeintlich Nebensächliche für die kollektive Erinnerung rettet, hat im Dialog zwischen den deutschen Generationen wohl versagt. »Die finstersten Aspekte des von der weitaus überwiegenden Mehrheit der deutschen Bevölkerung miterlebten Schlussaktes der Zerstörung blieben so ein schandbares, mit einer Art Tabu behaftetes Familiengeheimnis, das man vielleicht nicht einmal sich selber eingestehen konnte«, stellte 1999 der Schriftsteller W. G. Sebald fest. Und hat an anderer Stelle angemerkt, dass ein »nahezu gänzliches Fehlen tieferer Verstörungen im Seelenleben der deutschen Nation darauf schließen lässt, dass die neue bundesrepublikanische Gesellschaft die in ihrer Vorgeschichte gemachten Erfahrungen einem perfekt funktionierenden Mechanismus der Verdrängung überantwortet hat«.

Er hat Recht: Die heute zwischen 60 und 75 Jahre alten Frauen und Männer vererben ihren Kindern zwar Vermögenswerte wie keine Generation vor ihnen. Doch geben sie ihnen auch ihre Erinnerungen preis? Erzählen sie von Angst, Verzweiflung, Kummer und Trauer, die sie im Krieg und in den Jahren danach erfahren und in sich verschlossen haben? Zumindest hie und da tun sie es nun – wenn jemand fragt und die Nachfrage nicht gleich mit einer Anklage verbindet. Denn sie sind in ihren Leben an dem Punkt angelangt, wo man Bilanz zieht, wo

Aufgaben und Verantwortungen entfallen, Funktionen verloren gehen. Hinter praktischen Aufgaben haben sie sich versteckt, reibungsloses Funktionieren hat sie zum obersten Gebot gemacht, die Generation unserer Eltern. Nach den Zahlen des Statistischen Bundesamtes haben 14,8 Millionen Menschen, die in der heutigen Bundesrepublik leben, ihre Kindheit in den Kriegsjahren erlebt, sind also zwischen 1930 und 1945 geboren. Sie mussten früh erwachsen werden und hätten allen Grund gehabt, um ihre verpasste Kindheit und Jugend zu weinen. Aber sie haben es nicht getan. Sie haben sich das Recht dazu nicht zugestanden. Weil sie doch immerhin überlebt hatten. Anders als beispielsweise die anderen 74 000 Kinder, die nach Schätzungen allein im Bombenkrieg umkamen.

Die Davongekommenen werden nie vergessen, was ihnen widerfahren ist. Aber das viel größere Leid, so vermittelte man ihnen, hatten die Erwachsenen erlitten. »Wir durften nicht jammern, denn sonst galten wir als egoistisch und undankbar. Wir hatten doch schließlich überlebt«, erinnert sich eine 66 Jahre alte pensionierte Lehrerin, die einen der großen Angriffe auf Hamburg als Fünfjährige durchlitten hatte. »Dir geht es doch gut!«, »Sei froh, dass du überlebt hast!«, sind Merksätze ihrer Kindheit, die sie noch heute im Ohr hat. Erst jetzt, Jahrzehnte später, erlaubt sie sich, Mitleid mit dem Mädchen zu haben, das die Erwachsenen weinen sah. Und in deren Not hineinbrüllte: »Ich will keine brennenden Häuser mehr sehen!« Bis ihm jemand einen Mantel über den Kopf legte. Erst heute wagt sie es, ihn langsam wegzuziehen.

Bagatellisieren, abschwächen, bewusst vergessen und verdrängen, lautete die Devise in den Nachkriegsjahren. So attestiert es der ehemalige Kasseler Professor für klinische Psychologie und Altersforscher Hartmut Radebold, Jahrgang 1935 und somit selbst ein Kriegskind, seiner Generation. Wie hätte man überleben sollen, wenn man sich ganz und gar Verzweiflung und Kummer hingegeben hätte? Da blieb als Selbstschutz nur, das Grauen nicht an sich herankommen zu lassen und einfach zu funktionieren. Aufgaben gab es genug. »Sei tapfer! Du musst der Mutter jetzt helfen«, war eines dieser Überlebensangebote.

Denn das Grauen, von dem sich diese Kinder und Jugendlichen abwandten, war in der Tat unfassbar. Fünfundfünfzig Millionen Menschenleben hat dieser große, Europa zerstörende Krieg gekostet. Die Generation ihrer Eltern und Großeltern hatte ihn geplant und durchgeführt. Ebenso wie die Ermordung der europäischen Juden. Darüber wollte nach 1945 keiner gerne reden. Das Schicksal der Kriegskinder wurde zwangsläufig erst einmal vom Ausmaß der deutschen Schuld überschattet. Das Schweigen nahm seinen Anfang. Das Land richtete sich in einer manchmal »pathologischen Normalität« (Radebold) ein. Die Eltern der Kriegskinder haben schon untereinander kaum geredet. Sich mit ihren Kindern über das Geschehene zu verständigen, haben sie oft gar nicht erst versucht. Die Kinder der Kriegskinder wiederum empfanden Scham und Schuldgefühl über die Millionen von Toten – und wollten den Eltern als greifbaren Stellvertretern der Welt von damals in Gesprächen am Küchentisch den Prozess machen. Wollten nach dem Hitlerjungen im Vater, dem BDM-Mädchen in der Mutter bohren. Sie suchten abgestoßen und zugleich fasziniert nach den Spuren der Nazis, nicht nach den Traumata der Eltern.

Wenn die Zeitzeugen einander etwas erzählten, dann waren es Überlebensgeschichten. Oder Abenteuerschnurren. Wie sie mit scharfer Munition gespielt hatten und mit heiler Haut davongekommen waren, oder wie sie mit einem Lausbubentrick in der Zeit des Hungers ein Wurstbrot ergattert hatten. Sie erzählten sich nicht davon, wie sie sich aus Angst vor den herabjaulenden Bomben in die Hose gemacht hatten. Oder davon, wie sie der Brechreiz überkam, weil sie schon wieder in den Bunker mussten. Im Reden haben sie das Schweigen geübt.

Die wahrhaft furchtbaren und verstörenden Geschichten haben immer die anderen erlebt. Wer sich von Bord der untergehenden »Wilhelm Gustloff« in ein Boot retten konnte, hat eigentlich nichts erlebt. Gelitten haben jene, die in der eisigen Ostsee um ihr Leben kämpften. Oder jene, die drunten in einem Keller kauerten, während das Haus darüber von einer Bombe getroffen wurde.

Funktioniert so Überleben? Mithilfe des Gedankens, dass es

immer jemanden gibt, dem es noch schlechter ergangen ist? Das eigene Leben war dann stets nur die Vorhölle. Durch die Hölle ist jemand anderer gegangen. Diese Vorstellung bringt zum Schweigen. Man will sich mit der eigenen Geschichte nicht blamieren. Man will nicht anmaßend sein. Derweilen finden Gefühle und Erinnerungen ihren Platz im Unterbewussten. Dort, wo man nicht dauernd auf sie treffen muss. Aber lassen sich Erinnerungen wirklich wegsperren?

Eine Studie der Universität Leipzig hat in diesem Jahr erstmals repräsentativ die seelischen Folgen des Zweiten Weltkriegs erforscht. Danach leiden jede fünfte Frau und jeder zehnte Mann der Befragten an Angstattacken, weil sie einst ausgebombt worden sind. Außerdem fühlten sich die Interviewten der Studie öfter nervös, niedergeschlagen oder entmutigt. Die Menschen, die ihre Heimat verlassen mussten, klagen häufig über Depressionen. Sie leiden an eingeschränkter Lebensqualität und Vitalität. Die Vorstellung, der Krieg sei spurlos an jenen vorübergegangen, die ihn als Nichtkombattanten erlebt haben, sei im Bewusstsein ausgelöscht worden durch die Ansprüche und Belohnungen einer Wirtschaftswunderzeit, ist also nicht haltbar.

Trotzdem haben die meisten ehemaligen Kriegskinder geschwiegen. Haben sich irgendwann die kratzenden Wollstrümpfe und kurzen Hosen ausgezogen, die langen Zöpfe abgeschnitten, sind in ein Leben als Erwachsene geschlüpft und haben ihr Geheimnis für sich behalten. Den Blick immer nach vorne gerichtet – und niemals zurück.

So blieb vieles im Dunkeln – und unerzählt. Lieber machten die Nachgeborenen Witze darüber, dass die Mutter keine Scheibe Brot wegwerfen konnte und der Vater am Abend seine Kleidung noch immer so neben das Bett legte, als werde er sich in Sekundenschnelle anziehen und in den Bunker hasten müssen. Dass die Eltern immer ein Köfferchen mit den wichtigsten Unterlagen bereithielten, schien ihnen ein lässlicher Tick. Wo der Krieg doch schon so lange vorbei ist. Warum sind die Nachgeborenen nicht auf die Idee gekommen, dass ihre Eltern zum Teil traumatische Kriegserlebnisse mit sich tragen und bis zum heutigen Tag mit ihnen leben? Weil sie nicht hingeschaut und nicht nachgefragt haben? Oder weil ihnen nichts erzählt wurde? Wollten sie nicht zuhören, weil Eltern nicht klein und schutzlos sein sollen?

Aber genau das waren sie, die zwischen 1930 und 1945 Geborenen, als der Krieg über die Kinder hinwegwalzte. Sie saßen um ihr Leben bangend im Bombenkeller, sahen brennende Städte, als sie die Schutzräume verließen, mussten über Tote steigen, wo sie gestern über Kreidestriche gehüpft waren. Oft waren sie nach dem Krieg Halbwaisen. Und selbst wenn der Vater zurückkam, war er ein Fremder, der nur mühsam den Weg zurück in die Familie fand. Sie mussten die vertraute Heimat zurücklassen und erlebten im Flüchtlingstreck Hunger und Tod. Spürten tagtäglich, dass ihre Eltern sie nicht mehr schützen konnten, als die Welt um sie herum in Scherben ging und das Recht des Stärkeren galt. Sie haben nach dem Krieg klaglos Graupensuppe oder Brot mit Apfelmus als einzige Tagesmahlzeit akzeptiert. Sie haben ihre Lebensträume aufgegeben, weil das Geld nicht einmal für eine weiterführende Schule reichte. Zur Bewältigung der Schrecken und Zurücksetzungen, die sie erfuhren, würde man heute ein Heer von Kinderpsychologen und ein Netz von Beratungsstellen aufbieten. »Wer sagt, ich hätte es schwer gehabt, der irrt. Ich *habe* es schwer«, hat eine Frau bei einer Diskussion ihr Lebensgefühl beschrieben.

Es scheint, als sei die Zeit des konsequenten Schweigens nun vorbei. Viele der ehemaligen Kriegskinder wollen von dem berichten, was sie den »eigenen Kindern so nie erzählt haben«. So haben es viele meiner Interviewpartner ausgedrückt. Ihnen allen, die mir eine Tür zur Vergangenheit geöffnet haben, möchte ich ganz herzlich danken. Auch für die Tapferkeit, sich wieder den schlaflosen Nächten auszuliefern, die manchmal die Folge dieses Türöffnens waren. Auf ihren Wunsch hin wurden ihre Namen in diesem Buch verändert. Ihre Offenheit bringt uns Geschichte näher, hilft uns ein wenig gegen das Verblassen der Ereignisse und Erfahrungen.

Doch diese Zeitzeugen haben nicht geredet, um die Frage nach der Verantwortung für den Zweiten Weltkrieg und den mit ihm verbundenen Verbrechen zu verwischen, wie man argwöhnen könnte. Diese Überlebenden wollen sich nicht als Opfer stilisiert wissen. Es geht ihnen nicht darum, Leid zu relativieren oder gar das Leiden der Opfer des Holocaust zu schmälern. Die Schuld am Krieg, der fast vollständigen Ermordung der europäischen Juden steht auch für sie fest. Ihre Berichte wollen nichts entschuldigen. Sie wollen deutlich machen, dass der Krieg in all seinen Erscheinungsformen und Folgen tief in die bundesdeutsche Gesellschaft hineingewirkt hat. Dass er im Inneren von vielen weiterging, die nach außen Frieden spielten. Auch wir, die Nachgeborenen, sind noch nicht ganz im Frieden angekommen. Zu unserem Erbe gehört ein Raum der Erinnerung, der mit »Krieg« beschriftet ist. Wir sollten ihn gemeinsam mit denen öffnen, denen die Erinnerungen gehören und die erzählen wollen. Die Geschichten enthalten eine so komplizierte wie einfache Botschaft: Nie wieder!

Hilke Lorenz Stuttgart, August 2003

1. Lausbubengeschichten

Von der Militarisierung der Kindheit oder wie der Krieg sich ins Leben geschlichten hat

Meine Pädagogik ist hart. Das Schwache muss weggehämmert werden. In meinen Ordensburgen wird eine Jugend heranwachsen, vor der sich die Welt erschrecken wird. Eine gewalttätige, herrische, unerschrockene grausame Jugend will ich. Jugend muss das alles sein. Schmerzen muss sie ertragen. Es darf nichts Schwaches und Zärtliches an ihr sein. Das freie, herrliche Raubtier muss erst wieder aus ihren Augen blitzen. Stark und schön will ich meine Jugend. Ich werde sie in allen Leibesübungen ausbilden lassen. Ich will eine athletische Jugend. Das ist das Erste und Wichtigste.

Adolf Hitler

Molche sind glitschig. Klein, scheckig und fluchtbereit. Schnell hat sich eines dieser salamanderartigen Tiere wieder aus der Hand seiner Fänger zurück in die Pfütze oder den Teich gewunden. Molchfang ist also eine echte Kunst. Und wie in jeder anderen Kunst macht auch hier Übung den Meister. Der halbwüchsige Ludger Heinz und seine Freunde wollten Meister werden. Wer da nicht ins Leere griff, galt als ein ganz Ausgebuffter, mit allen Teichwassern Gewaschener. Wer die Beute auch noch im Marmeladenglas nach Hause trug, der hatte die Natur besiegt und die Wahrheit gefunden. So einer war fast schon ein Held. Die anderen konnten seine Trophäen noch eine ganze Zeit im Garten bewundern. So ein Held wollte man sein. Damals, als man die Welt noch als einziges großes Abenteuer begriff. Als die Jungs die Hitlerjugend noch als Fortsetzung der Abenteuerspiele in Uniform betrachteten. Als der Krieg noch in weiter Ferne war. Und echte, panische Angst ein Fremdwort, ein Klischee der Abenteuerromane. Erfahrbare Angst, das war das mulmige Gefühl vor einer Klassenarbeit oder vor einer Bestrafung durch den Vater.

Auch Ludger Heinz, 1930 in Darmstadt geboren, war einer von den neugierigen Pennälern, die die Welt erobern wollten. Sein Vater war ein kleiner Landbeamter, die Mutter Hausfrau. Ein Kleinstbürgerpaar, wie der Sohn – heute selbst längst Großvater – sagt. Aufsteiger, die sich ein kleines Häuschen am Stadtrand von Darmstadt gebaut hatten. Der Preis für diese Etabliertheit war schon damals ein hoher. »Ich wusste, das Haus kann nur gebaut werden, wenn man Margarine frisst und keinerlei Urlaub macht«, erinnert sich Heinz. Ein strenges Leben in Selbstdisziplin sicherte den Aufstieg in die Schicht der Eigenheimbesitzer. In den eigenen vier Wänden herrschte Ordnung. Das Abenteuer fand für den Jungen draußen statt. In den Wäldern und auf den Wiesen der Nachbarschaft. Im Kampf mit dem Forstbeamten beispielsweise. Dessen Hochsitz zu erklimmen, war strengstens verboten. Ein Verbot, wackliger als der Hochsitz selbst. Denn der Invalide aus dem Ersten Weltkrieg konnte es schlecht durchsetzen. Nur langsam kam er voran, wenn er den Weg vom Bahnwärterhäuschen zum Wald zurücklegen musste, ein Versehrter in Doppelfunktion als Bahnwärter und Forstwärter. Sein Holzbein hielt mit den jungen Muskeln der Jungen nicht mit. Wie Karl Mays Indianer schlichen sie hinter ihm her, hielten umsichtig Abstand, damit der noch Ahnungslose nicht durch knackende Zweige oder einen am Hemd rupfenden Ast auf sie aufmerksam werden konnte. So verfolgten sie ihn bis zum Hochsitz. Dort warteten sie noch einen kurzen Augenblick, bis der mühselig Emporgekletterte sich in Sicherheit wähnte. Dann stürmten sie aus dem Versteck hervor und legten die Leiter um. Damit saß der Mann in der Falle. Irgendwo da draußen, das wussten beide Parteien des

Duells im Wald, fuhr ein Zug auf den Übergang zu. Würde der Bahnwärter nicht rechtzeitig an der Schranke sein, um das Gleis zu sichern, konnte ein Unglück geschehen. Der Festgesetzte war also empfänglich für die Erpressungsversuche der Jungen. Es blieb ihm nichts übrig als Entgegenkommen, wenn die Zeiger der Uhr auf eine mögliche Katastrophe zuliefen. Also erlaubte er seinen kleinen Herausforderern, den Hochsitz selbst zu erklettern. Unten am Boden triumphierten die Halbwüchsigen. Denn ein Sieg über die Erwachsenen war immer auch ein Sieg über die Grenzen der Kindheit. Und wer nicht mehr Kind war, der wurde ernst genommen. Der durfte schon bald mitmarschieren, wie es der Plan derer vorsah, die diese kindlichen Leidenschaften genau kannten und sich zu Eigen machten.

Am 1. Juli 1936 wurde das Gesetz über die Hitlerjugend erlassen, in dem festgelegt war, »dass die gesamte deutsche Jugend innerhalb des Reichsgebietes in der Hitlerjugend zusammengefasst« werde. Wer zehn Jahre alt war, kam zum Jungvolk, ab vierzehn Jahren zur Hitlerjugend. Die entsprechenden Organisationen der Mädchen waren der Jungmädelbund und der Bund Deutscher Mädel (BDM). »Wir sind gerne zum Jungvolk gegangen, weil man dort gerauft und Sport getrieben hat«, gibt Ludger Heinz heute offen zu. Die uniformierten Treffen und das Dasein als Zivilisten im Wald nahmen sich gegenseitig nicht viel. Bei beidem übte Ludgers Clique das wilde Leben, das sie aus den Karl-May-Romanen zu kennen glaubte. Die Jungs veranstalteten Mutproben und dachten sich sehr erwachsen Notwendigkeiten für ihren Übermut aus. Es kam immer nur auf die richtige Begründung eines Streiches an, um ihm das Kindische und Verantwortungslose zu nehmen. Lässt sich ein Steppenfeuer, wie sie das beim Oberhäuptling aller Abenteuerschreiber gelesen hatten, wirklich nur durch ein Gegenfeuer stoppen? »Wir legten beide. Den Wiesenbrand und das Gegenfeuer«, erklärt Ludger Heinz, mit der gerührten Freude des Erwachsenen über die Cleverness des kleinen Brandstifters von einst. Erst die von den Nachbarn gerufene Feuerwehr setzte der kindlichen Neugierde damals Grenzen. Aber die Jungs hatten sich bewiesen, dass sie den Mumm hatten, die Welt zum gestaltbaren Rohstoff ihrer Abenteuerfantasien zu machen. Aber auch die verpflichtenden Stunden bei der NS-Jugendorganisation nutzten ihre Neugierde, Abenteuerlust und Begeisterungsfähigkeit und auch den Überdruss über die biederen Wohnstuben für ihre Zwecke.

Doch es gab noch einen weiteren Übungsplatz für Krieg und Kampf: das Wohnquartier mit seiner sozialen Staffelung. Die Jungs des Viertels mussten sich kloppen. Weil auf der einen Seite des Quartiers die bürgerlicheren Gleichaltrigen aufwuchsen und mit größerem Wohlstand provozierten. Und weil auf der anderen Seite die Kinderbande aus den proletarischen Elternhäusern auf Rache an den Privilegierten sann. »Die haben sich gehasst, und wir waren dazwischen«, erinnert sich der Mann mit den noch immer bubenhaft wild vom Kopf stehenden, aber mittlerweile grauen Haaren an die Zwickmühle von damals. »Wenn wir nicht sehr listig waren, haben wir Prügel bekommen. Das war ungut.« Das ist mit Sicherheit untertrieben. Denn wenn ihm danach wäre, dann könnte Ludger Heinz Narben aus dieser Zeit präsentieren. Ein verrosteter Pfeil hatte sein Bein sehr ungeschickt erwischt. »Es hat eine Weile gebraucht, bis die Spitze wieder rausgeeitert war.« Ärztliche Versorgung? Das kam nicht in Frage. »Das wäre unseriös gewesen.« Ein Indianer kennt keinen Schmerz. Auch wenn ihm zum Heulen zumute ist. Oder, wie es der Führer Adolf Hitler wünschte: Flink wie die Windhunde, zäh wie Leder, hart wie Kruppstahl sollte diese deutsche Jugend sein. Und im damals kursierenden Erziehungsratgeber *Die deutsche Mutter und ihr erstes Kind* (1934) von Johanna Haarer wurde ohnehin ganz im Sinne des Regimes auf Härte in der Erziehung gepocht. Jungen hatten nach den Maximen der 1900 geborenen Ärztin nicht zu weinen. Zärtlichkeiten zwischen Eltern und Kindern waren verpönt. Noch im Frieden wurde der Unfrieden trainiert, im scheinbar Freiheit bringendem Abenteuerspiel die Kasernierung der Kindheit vorbereitet, im Ausbruchsversuch kindlicher Fantasie die Gleichschaltung des Denkens. Kaum einer hat gemerkt, wie eines aus dem anderen hervorging, als Balgereien ohne Uniform sich zu Raufereien in Uniform wandelten. Das System setzte dort an, wo seine jungen Untertanen sich begeisterungsfähig zeigten.

Der Schalk sitzt mit am Tisch, wenn Ludger Heinz erzählt. Der Schalk weiß vieles oftmals besser, und dieser Wissensvorsprung macht das Leben erträglicher. Vielleicht ist er deshalb ein ständiger Begleiter geworden im Leben des Jungen aus Darmstadt, der auf die Frage nach der wichtigsten Kindheitserinnerung das Molchefangen nennt. So wie man den Molch nie gewiss hat, weil er sich flink aus der Hand winden kann, ist auch die Wahrheit schwer zu greifen und nur kurz zu halten. Die Vergangenheit? Es könnte so oder auch ganz anders gewesen sein. Alles nur eine Frage des Blickwinkels. Wenn man richtig hinschaut, wird vieles erträglich. Scheint manches ein Spiel gewesen zu sein.

Ein Spiel, das schien die Welt für Ludger Heinz damals, wenn er in seinem Kriegsalltag Muster aus den Büchern von Karl May erkennen konnte. Die Spielregeln waren einfach, die Handlungen klar vorgegeben. Abends hörte man die Nachrichten im Volksempfänger. Danach steckte man die Fähnchen auf der Landkarte an der Wand an die richtigen Stellen, dorthin, wo der neue Frontverlauf gemeldet worden war. Der Krieg war für Ludger ein Fähnchenmarschierspiel auf einem Feld aus Papier, so durchschaubar und wenig beängstigend wie »Mensch ärgere dich nicht«. »Die Erwachsenen waren völlig euphorisiert, wenn wieder eine Sondermeldung im Radio kam«, sagt Ludger Heinz und beschreibt die perfekte Inszenierung – »akustische Einleitung durch Liszts ›les préludes‹ – die gegen Ende des Krieges ihre Wirkung verfehlte«, weil sie nicht mehr alle Zuhörer in Siegestaumel versetzte. Aus der Ruhe bringen lässt er sich beim Erzählen der eigenen Geschichte nicht. Ein Schmunzeln, die ein oder andere gut gesetzte Kunstpause künden davon, dass er den Hochsitz der Ironie, auf dem er sich gedanklich niedergelassen hat und der einen so hervorragenden Blick auf die eigene Lebensgeschichte ermöglicht, nicht verlassen möchte. »Irgendwann sind die Fähnchen dann unauffällig wieder verschwunden«, sagt er zum Umschlag der Euphorie vor dem Volksempfänger in Unbehagen. Die Fähnchen allerdings waren die verschmerzbarsten Opfer des Krieges.

Erinnerung an die friedlichen Jahre: Gerd Ritter 1938 als Dreijähriger im Fotoatelier.

Fahne, Gewehr, Stiefel, Koppelschloss – aus solchen Details bauten sich manche Kinder das Bild eines echten Mannes, eines richtigen Vaters zusammen. Soldat sein und Vater sein schlossen sich in ihren Augen nicht aus. Sie kannten den Krieg ja noch nicht. »Man ist da reingewachsen«, sagt Gerd Ritter, ein aufgeschlossener Achtundsechzigjähriger mit einem ansteckenden Lachen, über die Militarisierung der Kindheit. Er ist einer von denen, die schon im Frieden zu Fügsamkeit und Anpassungsfähigkeit erzogen wurden. Denn er war von seinen Eltern weggegeben worden.

Wie ihm geschah, das begriff er nicht so recht. Aber er schmiegte sich umso rascher in die neuen Verhältnisse. Seine Eltern hatten vor seiner Geburt beim Zelten ein viel wohlhabenderes Paar kennen gelernt. Dieser Ingenieur und seine Frau hatten einen sehnlichen Kinderwunsch und die ärztliche Gewissheit, dass die Natur ihn nicht erfüllen würde. Nun ließ die soziale Ungleichheit ihn plötzlich wieder erfüllbar scheinen. Gerds Eltern lebten in angespannten Verhältnissen, Geld war knapp, man wohnte mit zwei Kindern auf einem Hausboot, mit dem dritten, mit Gerd, war die Mutter gerade schwanger. Die Paare hielten Kontakt. Die Kinderlosen warben für sich. Konnten sie Gerd nicht viel mehr bieten als die leiblichen Eltern? War es nicht höchstes Elternglück, ein Kind gut versorgt zu wissen, ihm bessere Startchancen verschafft zu haben, als das Schicksal geplant hatte?

»Die Zeiten waren andere«, erklärt sich Gerd Ritter als Erwachsener die Tatsache, dass seine Eltern ihn in die Obhut dieser Freunde gaben, als er zwei Jahre alt war. Von nun an herrschten im Leben von Klein-Gerd ungewöhnliche Verhältnisse: Es gab eine Mutter, die er Mama nannte. Und die neue Fürsorgerin, die ihn so gerne adoptiert hätte, doch nur in Pflege anvertraut bekam, und die er Mutti nannte. Mit zwei Jahren wird man nicht gefragt, und man hat keine Macht, sich Gehör zu verschaffen. »Das war eben so«, sagt Ritter, ein Satz, der immer wieder auftaucht in den Erzählungen über Kindheit im Krieg. Tatsachen nahm man eben hin, die Welt machte die Regeln und man selbst, wenn man pfiffig war, das Beste daraus. Vom ärmlichen Hausboot im Würzburger Mainhafen schaffte Gerd Ritter den Aufstieg in eine Zwei-Familien-Villa am Stadtrand von Frankfurt. So musste man das sehen.

Es gab zwar einen Verlust, der sich nicht übersehen ließ: Gerd wurde vom Geschwisterlein zum Einzelkind. Aber dafür hatte er nun einen Vater für sich ganz alleine. Das konnte er eindeutig auf der Habenseite verbuchen. Dieser Neue, der Ingenieur der Frankfurter Adlerwerke, fuhr eine Harley-Davidson mit Beiwagen für die Frau Gemahlin. Den Jungen beeindruckte das enorm. Er liebte diesen Mann, der die Welt am Lenker nahm. Die 48-teilige Fotoserie, die im Atelier eines Fotografen entstanden ist, als der kleine Gerd vielleicht drei Jahre alt war, zeigt ein in krachlederner Hose und blütenweißem Hemd herausgeputztes Kind, das nie richtig in die Kamera schaut, sondern mehr auf den Vater.

Als dieser zweite Vater 1939 zum Militär eingezogen wurde, wollte Gerd all das auch haben, womit sein Idol sich in einen Soldaten verwandelte. Das war nicht so schwer, schließlich war sein Pflegevater Ingenieur. »Aus einer alten Handbohrmaschine und einem Fotostativ hat er mir ein Maschinengewehr gebastelt, das richtig geknattert hat.« Damit konnte man sich bei den Spielkameraden sehen lassen. Kennen gelernt hatte der Vierjährige solche Waffen bei einem so genannten »Eintopfsonntag«, einer Art Tag der offenen Tür, auf dem Hof der angrenzenden Kaserne, wo der Vater als Heimschläfer stationiert war. »Ich durfte eine Handgranate werfen, die dann richtig explodiert ist.« Der Krieg als Spiel – hier wurde diese Vermummung von den Machthabern über die Grenze der Obszönität hinaus betrieben. Aber im Frankfurt der Vorkriegszeit stieß das vielen nicht als Ungeheuerlichkeit auf. Da durften kleine Jungs mit echten Waffen erste Trainingsdurchläufe des Tötens absolvieren. So wie Kinder heute mit staunenden Augen, voller Ehrfurcht und Neugier beim Familientag in der Feuerwache ins Löschfahrzeug steigen dürfen. Der Krieg als Spiel, das war ein falsches Spiel: geschossen wurde in die Luft, die zeigte keine Wunden, und sie schoss auch nicht zurück.

Dieses Kriegsspiel gab sich martialisch und zugleich liberal. Denn das Geschlecht der Spieler war hier noch herzlich egal. Daran erinnert sich Inge Löbel, deren Vater noch zum Hunderttausend-Mann-Heer der Weimarer Republik gehört hatte, bevor er für eine kurze Zeit im zivilen Leben als Zöllner den Familienunterhalt verdiente. Sie war ein Soldatenkind, und die wohnten im Frieden mit ihren Familien dort, wo die Väter nach ihrer Wiedereinberufung stationiert waren. »Wir lebten auf dem Kasernengelände«, erinnert sich die Einundsiebzigjährige, und ihr kam diese Welt der gebrüllten Befehle und der knallenden Stiefel ganz normal vor. Sie kannte es nicht anders. Soldatsein, das war für sie etwas so Normales wie der Beruf des Bäckers. Und so buk sie mal mit den anderen Kindern Sandkuchen aus Erde. Und dann wieder marschierten sie mit ihren Holzgewehren im Stechschritt über den Hof. Das hatten sie den Vätern abgeschaut. »Weil ich das einzige Mädchen dort war, habe ich eben mit den Jungs Soldat gespielt.« Die Waffenattrappe hatte der Vater geschnitzt. Auf dem Rücken trugen sie einen Tornister. Die Verkleidung war perfekt. Die Erwachsenen lächelten. Als sei es ausgemacht, dass der Krieg nie wirklich richtig nahe an die Kinder herantreten würde.

Die Faszination des Militärischen, die Anziehungskraft der Rituale und Verwandlungen in Uniform, sie wurden nicht nur vom Regime ausgenutzt. Sie wurden von den Erwachsenen konsequent in der Erziehung eingesetzt. Hans Moritz etwa erinnert sich auch sechzig Jahre später noch, wie er mit seiner Soldatenliebe überlistet wurde. »Ich mochte als Kind keine Rhabarbergrütze.« So wie andere keinen Spinat mögen. Nicht einmal seinem Vater zuliebe hätte er die gegessen. Obwohl er ihn sehr vermisste. Denn der Vater, ein Hamburger Schneidermeister, war noch immer mit einer anderen Frau verheiratet. Hans' Mutter brachte sich derweil mit Sohn und Tochter mehr schlecht als recht durch. Mal mussten die Kinder zu Pflegeeltern, mal in die Krippe. Momente mit dem Vater waren überaus kostbar, und dauernd sehnte ihn der Junge herbei. Die Vorstellung, er gliche in irgendetwas diesem Mann, machte Hans Moritz glücklich. Aber Grütze aß er aus einem anderen Grund. Da besuchte er den Vater in der Kaserne in Mölln. Denn der war 1939 eingezogen worden und hatte sich wie so viele Väter in einen Soldaten verwandelt. Auf dem Speiseplan der Kaserne stand Rhabarbergrütze. Hans ekelte sich, er weigerte sich, er trotzte. Da erzählte der Koch, ein Kamerad des Vaters, dem Vierjährigen, dies sei gar nicht die saure, verhasste Grütze. Das, was ihm hier ausnahmsweise serviert werde, sei etwas ganz anderes. Dies sei echte Soldatengrütze. Mit einem Mal roch alles ganz anders. Hans aß tapfer, was ihm sonst ein Graus war. Aus Sehnsucht danach, ein Soldat zu sein – wie der Mann, dem er so gerne mehr Platz in seinem Leben eingeräumt hätte. Und der nähte dem tapferen Esser zur Belohung eine Kopie seines Soldatenkäppis in Form eines Schiffchens. Wie glücklich der Dreikäsehoch war, als ihm der Vater das Geschenk überreichte, kann sich nur vorstellen, wer noch weiß, wie das ist, sich als Kleiner unter die Großen zu träumen. Und groß sein, das suggerierte diese Erziehung von einst beständig, das hieß Soldat sein.

Sie wollten sein wie ihre Väter: Hans Moritz in einer selbst geschneiderten Soldatenuniform (um 1941).

Endlich so sein zu dürfen wie die Erwachsenen – die Kinder der dreißiger Jahre ahnten nicht, wie schnell und bitter dieser

Wunsch in Erfüllung gehen sollte. Wie ungerührt ihnen der Krieg das Gleiche auferlegen würde wie den Großen. Sie ahnten noch weniger, dass sie sehr viel mehr Tapferkeit und Verbissenheit würden aufbringen müssen als beim spielerischen Kampf mit benachbarten Kinderbanden. Der kommende Weltkrieg würde sie lehren, die Zähne zusammenzubeißen wie Veteranen im Schützengraben. Sie taten es – und sie versuchten nach Kräften, dabei nicht zu klagen. Um es den Eltern nicht noch schwerer zu machen.

2. Abschied

Die Väter verschwinden, der Krieg beginnt

Oft haben sie sich fotografieren lassen. Fast immer in Uniform, auch wenn der Anlass ein privater war. Familienbilder aus den Kriegsjahren belegen, dass es schwer – ja fast unmöglich – war, einen zivilen Vater zu haben. Eine Vertrauensperson, die man als Kind losgelöst von der Bedrohung Krieg sehen konnte. Die nicht schon in ihrer Kleidung signalisierte, dass es andere, unerklärbare Loyalitäten gab, die Vorrang vor den Vaterpflichten hatten. Als Dreijährige, so hat man Johanna Kleemann aus Hamburg später erzählt, sei sie in Tränen ausgebrochen, weil ein fremder Mann in Uniform, der plötzlich im Zimmer stand, sie so geängstigt habe. Erst als der Vater den Soldatenrock auszog, konnte sie seine Zuwendungen und Liebkosungen ertragen. Die Väter der Kriegskinder sind zur Taufe genauso in Uniform erschienen wie zur Radtour durchs Hohenlohische. In den Leben der gegen Ende der dreißiger Jahre Geborenen konnten sie nur Erinnerungsfetzen hinterlassen, so flüchtig und undeutlich wie der erhaschte Blick auf einen Menschen in einem vorbeifahrenden Zug. Als Momentaufnahmen im Knall des Blitzlichts steigen sie aus der Vergangenheit auf. »Einmal hat mich mein Vater aus dem Kindergarten abgeholt. Er trug seine Uniform«, erinnert sich Hans Moritz. Vier Jahre alt mag Moritz damals gewesen sein. Mit den genagelten Sohlen ist der Uniformierte auf den Treppenstufen weggerutscht. »Hei, das hat vielleicht Funken geschlagen.« Mit dem Klang von Metall auf Stein, dem harten Schritt schwerer Stiefel, dem martialischen Klacken eines nicht fürs Zivilleben gedachten Schuhwerks haben sich viele Väter im Gedächtnis ihrer Kinder verewigt.

Sie rückten ein, sie kamen auf Urlaub, sie fuhren zurück zur Truppe. Mit Kriegsvätern verbanden sich vor allem Abschiede. Meist ließen sie Kinder zurück, die ihre Väter sehnlichst vermissten, ganz egal, was die auf den Schlachtfeldern im Osten oder im besetzten Frankreich taten. Danach fragt man nicht mit zehn oder zwölf. Und schon gar nicht mit vier.

So gesehen war Helmut Sander ein echtes Glückskind. Denn wenn er erzählt, sitzt im Geiste sofort die ganze Familie aus den dreißiger Jahren mit am Tisch. Hier der Vater, daneben die Mutter. Vattel und Muttel, wie die Kinder sie nannten. Zwischen den beiden hatte die zwei Jahre jüngere Schwester Anna ihren Stammplatz. Wenn eines der Kinder krank oder traurig war, »dann hat es der Vater auf den Schoß genommen«. Helmut selbst saß als einziger Sohn mit seiner großen Schwester Dora auf der anderen Seite des Tisches. Denn eines war schon zu Kindertagen klar. Er würde der zukünftige Herr sein auf diesem ansehnlichen Gehöft im damals schlesischen Riesengebirge. Der viertgrößte Hof im Ort mit seinen 31 Hektar würde einmal ihm gehören. Da muss man sich schon als Kind am Vater ein Vorbild nehmen und schauen, wie er das Leben bewältigt. »Es war immer was los, und ich war immer dabei.« Der Zweiundsiebzigjährige erzählt und rutscht dabei immer stärker in die mundartliche Färbung seiner Kindheit. Diese Welt lebt in ihm weiter. Und dann taucht er ein in die Vergangenheit: Die unverheiratete Schwester des Vaters lebte ebenfalls noch auf dem Hof, als Mädchen für alles. Und ein Knecht und eine Magd, Arbeiterkinder aus dem Dorf, die sich bei den Sanders verdingt hatten. Sie waren eine Großfamilie, wie es sie in den ländlichen Gebieten oft gab. Kein Idyll. Aber ein Stückchen Leben, in dem die Kinder lange wussten, wo ihr Platz war und später sein würde. Ein Dasein, das klare Grenzen und Regeln hatte und in dem es Gewissheit gab. Hunger war ein Fremdwort. Eine beinahe heile Welt war das. Doch ihre Stabilität verlor sie auch für die Kinder in den letzten Augustta-

Helmut Sander mit seiner großen Schwester (um 1938)

gen des Jahres 1939. Da klopfte der Ortsgruppenleiter eines Nachts ans Küchenfenster auf dem Sander'schen Hof. Er brachte schlechte Nachrichten. Es herrsche Mobilmachung – noch im Morgengrauen sollte der Vater sich auf den Weg zu den Soldaten machen. Es blieb keine Zeit, den Hof auf eine Zeit ohne Bauern vorzubereiten.

Aber trotz des Schocks, der Eile, der Sorgen sollte Zeit für eine Verabschiedung sein, entschieden die Eltern. Der Vater sollte sich nicht einfach aus dem Leben seiner Kinder schleichen. Denn seine Rückkehr, das ahnten die Erwachsenen, war keinesfalls gewiss. Helmut Sander erinnert sich, dass es ein richtig schöner Sommermorgen war. Die Natur passte nicht zur traurigen Szenerie. Es dämmerte erst, da weckte die Mutter ihre drei Kinder. Diesmal gab es keine Morgenwäsche. »Kinder«, so hat sie in der Erinnerung ihres Ältesten gesagt, »steht auf, wir gehen mit dem Vater mit. Der Vater muss einrücken. Es wird wohl Krieg geben«. Mit einem Mal war da ein neuer Klang in diesem Wort, das die Kinder schon oft in Erzählungen gehört hatten – ein Klirren, als sei gerade etwas zerbrochen. Krieg. Krieg. Krieg – und der Vater würde sich dorthin aufmachen. Bedeutete das nicht Tod? Hieß das nicht, alle schießen aufeinander und einer muss gewinnen? Doch das hier war bestimmt kein aufregendes Geländespiel für Männer. Den Jungen ergriff heftige Angst und ein Gefühl von Hilflosigkeit, vor allem, als er die Mutter weinen sah. Im September sollte der Vater den zweiundvierzigsten Geburtstag feiern. Das schien plötzlich kein gewisser Termin mehr. Gewiss war nur noch, dass er fort musste – keine acht Stunden, nachdem der Ortsgruppenleiter den Stellungsbefehl überbracht hatte.

Der Vater hatte nur ein einziges kleines Köfferchen gepackt. An ihm hielt er sich fest auf seinem anderthalbstündigen Fußmarsch zur Sammelstelle, an diesem Objekt des Zivillebens, das mitzog in den Krieg. Was Krieg bedeutete, das wusste er nur zu genau. Im Ersten Weltkrieg war er schon einmal Soldat gewesen. Davon hatte er wie die anderen Erwachsenen bei Familienfesten zwar erzählt, aber diese Erzählungen hatten sich zu Frontanekdoten und Heldenstreichen verfestigt. Nun gingen ihm die Erinnerungen durch den Kopf, von denen er seinem Sohn nie erzählt hatte und die dessen Vorstellungsvermögen in ihrer Grausamkeit gesprengt hätten. Sein Sohn war unterdessen gerade mit anderen Gedanken beschäftigt: Für ihn verschwand an diesem Augustmorgen der Mann, mit dem er fast jeden Tag seines Lebens zugebracht hatte. Der ihm die Welt erklärte, der seine Neugierde zu bändigen und zu lenken wusste. Der Vater würde monate-, ja jahrelang fort sein. Für Helmut war das unvorstellbar.

Die Welt war aus den Fugen. Schweigend trotteten die drei Kinder und zwei Erwachsenen über das Feld, bis der Vater dem Trauerspiel nach zehn Minuten ein Ende setzte. Der Hof war noch in Sichtweite, als er sich ohne viel Dramatik verabschiedete. »Dreht um, geht wieder nach Hause«, wies er sie mit tonloser Stimme an, um der quälenden Angst vor dem endgültigen Abschied endlich ein Ende zu setzen. Dann ging er weiter, dem Horizont entgegen, hinter dem bald eine Front liegen sollte. Seine Frau, Helmut und die Töchter Anna und Dora blieben zurück. Sie schauten ihm eine Weile nach, dann traten sie den Rückweg an. Das Unheil jenseits des Dorfes hatte Einzug ins Leben der Sanders gehalten. Dieser traurige Sommermorgen kündigte eine Zeitenwende an. Nur wenige Tage später, am 1. September 1939, begann der Zweite Weltkrieg mit dem deutschen Überfall auf Polen. Die Ahnungen der Mutter hatten sich bewahrheitet, und Helmut hatte nicht einmal einen konkreten Ort, auf den sich seine Sorge richten konnte. »Ich hatte Angst um den Vater, weil ich nicht wusste, wo er war.« Die Hoffnung seiner Familie war, dass er wie schon bei seinem Einsatz im Ersten Weltkrieg nicht an vorderster Front, sondern als Mann, der sich mit Pferden auskannte, im Stab und in der Versorgung eingesetzt würde. Und so war es auch diesmal. In Polen und Frankreich musste der Gefreite seinen Dienst tun.

Nach ein paar Tagen kam ein Brief. Aber Worte waren kein Ersatz für den lebendigen Menschen. Der Großvater, der auf den Hof der Tochter kam und die Ernte einzubringen half, konnte die Lücke nicht füllen. Auch Weihnachten kam der Vater nicht nach Hause. Es wurde ein trauriges Fest. Obwohl er sich an so vieles erinnert, weiß Helmut Sander nicht mehr, wer Weihnachten 1939 den Christbaum im Wald geschlagen hat. Das war traditionell die Aufgabe des Vaters gewesen, und Helmut hatte ihn immer begleiten dürfen. Das war ein Ritual unter Männern, so heilig und weihevoll wie jeder andere Teil des Fests. Ohne Vater verlor dieser Akt der Baumbeschaffung an Bedeutung, war nur noch Notwendigkeit zur Erfüllung eines Zeremoniells.

Im Frühjahr dann kam der Ersehnte völlig überraschend, ohne jede Voranmeldung, für ein paar Tage nach Hause. Er fuhr mit dem Postauto vor »und war einfach da«, in einer sauberen Uniform, wohlbehalten und unversehrt. Noch heute entspannen sich die Gesichtszüge des Sohnes, wenn er sich an diesen Moment der Wiedersehensfreude erinnert. Gerade erst hatte er einen Brief an den Vater eingesteckt – den holte der Vater nun sofort vom Omnibusfahrer zurück, der auf dem Land die Briefkästen leerte. Ein fast symbolischer Akt für die wiederhergestellte direkte Kommunikation. Der Sohn wich in den nächsten Tagen keinen Fußbreit von der Seite des geliebten Vaters. Aber die Anhänglichkeit und Liebe des Kindes kamen nicht an gegen die Macht der Befehle. Am Ende einer kurzen Auszeit ging der Vater zurück in jene Zone des Krieges, aus der nur geschönte und zensierte Briefe kamen. Die Mutter mühte sich redlich, ihre Verzweiflung vor den Kindern zu verbergen. »Sie war tapfer«, erinnert sich der Sohn. Es blieb ihr wenig anderes übrig.

Der Soldat Sander war schon wieder etliche Wochen fort, in jenem Krieg, der sich keinem Ende, sondern immer neuen Schlachtfeldern entgegenfraß, der innerhalb eines Jahres Polen, Dänemark, Norwegen und schnell auch Frankreich und Großbritannien zu seinen Schauplätzen machte. Da geschah etwas, das Helmut Sander, der sonst nicht leicht Gefühlen nachgibt, noch heute die Tränen in die Augen treibt. Es war ein Sommertag des Jahres 1940, an dem Helmut nicht anders als an anderen Tagen in der kleinen Welt des Dorfes herumstrich. Dem Briefträger über die Schulter und in die Tasche zu schauen, das war eine von Helmuts Indianerübungen – einen Blick zu erhaschen, wer im Ort welche Art Post bekam. An diesem Tag sah er etwas, das er erkannte und zuordnete, ohne einen Buchstaben zu lesen: einen großen, schwarz umrandeten Umschlag, einen Trauerbrief. Für den Neunjährigen war klar, dass der nur eines melden konnte, das lang Befürchtete: den Tod des Vaters. »Ich hatte keine Adresse gesehen. Aber ich war mir ganz sicher, dass der Brief für uns war«, beschreibt Helmut Sander das Umschlagen verdrängter Ängste in brennende Gewissheit. Er stürmte ins Haus, vorbei an der Mutter, quer durch den Hausflur und ins Schlafzimmer der Eltern. Weinend, schluchzend, unfähig zur Erklärung lag er auf dem Bett und konnte sich nicht mehr beruhigen. In ein paar Minuten würde der Briefträger ganz offiziell die Todesnachricht überbringen und die Vorahnung des Jungen besiegeln. Wie sein Herz klopfte. Wie er wünschte, die Welt anhalten und den Moment der Gewissheit für immer aufschieben zu können. Sekunden wurden zu Minuten. Wie lange noch? Hatte nicht eben die Tür geklappt? Aber weder war Post gekommen noch war die Zeit stehen geblieben. Der Briefträger war längst am Hof der Eltern vorbeigegangen. Die schlimme Nachricht galt an diesem Tag jemand anderem. Doch für Helmut war das Warten auf den Vater danach nicht mehr dasselbe. Jene Ängste und Gedanken, die er bis dahin immer weggeschoben hatte, waren hervorgebrochen und ließen sich nicht mehr ignorieren: Jeden Tag stellte sich von morgens bis abends die Frage, ob das Herz des Vaters noch schlug. Das Leben war noch düsterer geworden.

Nach einem langen Jahr des Bangens kam der Vater dann jedoch unversehrt zurück. Er sollte wieder als Bauer seinen Beitrag zur Stärkung der Volksgemeinschaft und der Heimatfront leisten. Nachdem auch der Knecht eingezogen worden war, gab es neben dem alten Großvater keinen Mann mehr auf dem Hof. Doch die Angst begleitete Helmut weiterhin jeden Tag. »Er hätte jederzeit wieder eingezogen werden können«, wusste sein Sohn – die Familie war nun etwas Vorläufiges geworden, dem Willen und den Bedürfnissen des Krieges unterworfen, eine Menschenreserve für das hungrige Ungeheuer Front.

Eine Woche vor Kriegsende, in den ersten Maitagen des Jahres 1945, meldete der Krieg auch im Riesengebirge am Fuß der Schneekoppe sein Bedürfnisse wieder an. In der Ferne grollte Artillerie. Die nach Westen vorrückende Front der Roten Armee kam immer näher. Die Luft war seit Wochen rußgeschwängert. Die Stunde des Volkssturms wurde ausgerufen, jene letzten verzweifelten Versuche der nationalsozialistischen Führung, dem ausweglos gewordenen Krieg unter Einsatz aller Mittel doch noch eine Wende zu geben. Wieder musste der Vater, inzwischen 45 Jahre alt, einrücken.

»Dieser Abschied war schlimmer als der erste, weil ich ihn

bewusster miterlebt habe«, erinnert sich sein Sohn. Er war jetzt vierzehn. Die Worte des Vaters von damals hallen ein Leben lang in ihm nach. »So, wir sterben jetzt den Heldentod. Und ihr sterbt zu Hause.« Völlig desillusioniert und mutlos beschrieb sein Vater die Lage. Helmut Sander kann sie wiederholen, als hätte er sie gerade erst gehört. Es ging um das Letzte und Äußerste – ums baldige Sterben. Die Chancen zu überleben, standen wirklich schlecht. Aber dieses Mal täuschte sich der Vater. Nach drei Tagen kam er zurück, der Volkssturm hatte sich aufgelöst, der Vater war Haken schlagend, vorbei an letzten Fanatikern, die letzte Aufgebote rekrutierten, zurück zu seiner Familie geflohen. Der Krieg hatte einen Mann weiter zugegriffen. Der Bauer von nebenan, der mit ihm zu diesem absurden Notfrontversuch eingerückt war, kam nicht mehr zurück. Dessen Familie wartete vergebens. Keiner glaubte da mehr, Unglück und Glück im Krieg seien eine Frage von Tapferkeit.

Manchmal kann ein Sechsjähriger Unglück auch in den Augen der Mutter lesen. Dieter Wilde war ein Einzelkind, geboren 1932 in Berlin. Ohne Geschwister wurde er schnell das, was man heute vielleicht ein Muttersöhnchen nennen würde. Der Vater war Beamter und für die Kontakte mit der Außenwelt zuständig. Er war ein strenger und penibler Mann, der jeden Tag, um Fahrgeld zu sparen, zu Fuß zur Arbeit ging, von Pankow bis ins Rote Rathaus in Berlin-Mitte. Sein Sohn sollte behütet aufwachsen. Dafür war die Mutter zuständig. »An den Tag, an dem mein Vater eingezogen wurde, erinnere ich mich genau«, berichtet das ehemalige Berliner Kind, das längst den Münchner Zungenschlag angenommen hat. Der Vater, der vor seiner Zeit im Rathaus Marinesoldat gewesen war, holte an diesem Tag plötzlich die alte Uniform wieder aus dem Schrank. Sie war blau, »so schön blau«, erinnert sich sein Sohn. Natürlich war er stolz auf einen Vater, der so herausgeputzt neben ihm auf der Straße ging. Es war der Sommer 1938. Seit dem Anschluss Österreichs an das Großdeutsche Reich am 14. März 1938 war die Rolle der Sudetendeutschen in der Tschechoslowakei auf der Tagesordnung Europas. Es roch gefährlich nach Krieg. Die Annexion des Sudetenlandes stand bevor. In dieser weltpolitisch angespannten Großwetterlage brachten Mutter und Sohn das Familienoberhaupt zum Bahnhof. »Da warteten schon seine Kameraden. Sie freuten sich alle über das Wiedersehen. Die kannten sich ja schon von früher, von der Marine.« Der drohende Krieg war in diesen Minuten ein gesellschaftliches Ereignis. Sehen und gesehen werden, lautete die Devise auf dem Bahnhof. Der sechsjährige Dieter, den die Mutter in seinen feinsten Bleyle-Anzug gesteckt hatte, sah vergnügte Männer, die miteinander scherzten und sich von ihren Familien mit den Worten »Tschüss, wir sehen uns ja bald wieder« verabschiedeten. Dieter Wilde war die Leere dieser Floskel damals noch nicht bewusst. Der Bahnhofsvorsteher pfiff, der Zug mit den Männern fuhr ab, und in die Augen der Mutter schossen Tränen, die der Sohn erst gar nicht bemerkte. Als sie ihm auffielen, dachte er zunächst, die Mutter hätte sich gestoßen und wehgetan. Nichts anderes konnte er sich in diesem für ihn so heiteren Moment vorstellen.

»Weißt du«, erklärte ihm die Mutter mit leiser Stimme, »ich bin traurig, weil der Vater jetzt für eine ganz Weile nicht mehr kommen wird.« Erst da begriff Dieter, dass dies gerade eben mehr als ein nur vorübergehender Abschied gewesen war. »Da ist bei mir der Groschen gefallen.« In den Augen der Mutter, in ihren Tränen konnte er sehen, wie ungewiss die Zukunft war. »Damit hat für mich der Krieg begonnen. Lange vor dem wirklichen Kriegsbeginn.«

Doch kann man nur vermissen, an was man sich schon lange gewöhnt hat? Die zweiundsechzigjährige Lisa Berger steht fest im Leben, sie kann zupacken, wenn sie gebraucht wird, und wenn es um Kinder geht allemal. Heute bringt sie Asylbewerberkindern Deutsch bei. Hilft ihnen, sich im fremden Sprachdschungel zurechtzufinden, in dem ihnen die Eltern keine Orientierung geben können. An ihren eigenen Vater hat Berger kaum Erinnerungen. Sie war viereinhalb Jahre alt, als er für immer aus ihrem Leben verschwand. Aber die Briefe, die sich die Eltern schrieben, als der Vater, ein Richter, in Leipzig und die Mutter nach dem schrecklichen Angriff auf die Stadt mit

Lisa im Frühjahr 1944 zu den schlesischen Großeltern umgezogen war, zeugen von einem innigen und liebevollen Miteinander. Kind und Mutter hatten bereits die Bombardierungen Leipzigs miterlebt, die im August 1940 mit den ersten Luftalarmen begonnen hatten und in dem Großangriff am 4. Dezember 1943 kulminierten. 1815 Menschen starben, 806 wurden schwer, 3749 leicht verletzt und 13500 Gebäude zerstört. Lisa Berger und ihre Mutter hatten danach auf dem Rückweg nach Leipzig auch den vernichtenden Angriff auf Dresden überlebt, über dessen genaue Opferzahl noch immer diskutiert wird. Schon schien es also, als hätte die Familie den Krieg glücklich überstanden, als gehöre sie zur Schar der Verschonten, die den Schmerz nur aus nächster Nähe beobachten, aber nicht durchleben mussten. Da kam die Berufung des Vaters an ein Sondergericht in Berlin. Der Mann wies sie zurück. Die Vergeltung folgte prompt: Er wurde eingezogen, als Kanonenfutter für den letzten Aufmarsch. Im Februar 1945 verließ der Mann die Familie, schon im April kamen keine Briefe mehr. In dieser Familie sollte es kein überraschendes, glückliches Wiederauftauchen des Vaters aus dem Schlund der Schlacht geben. Das Glück schien aufgebraucht, nachdem Mutter und Tochter die Feuerhölle von Dresden überlebt hatten.

Lisa Berger, das bekümmert sie, hat wenige Detailerinnerungen an den Vater, nur die Erinnerung an eine liebende Gegenwart. Aber der letzte Blick auf den geliebten Papa hat sich der Tochter schmerzhaft eingeprägt. »Ich weiß noch ganz genau, wie er gelaufen ist. In welche Richtung. Er hat gewunken. Wir standen am Fenster.« Der Moment des Auseinandergerissenwerdens ist paradoxerweise eines der wenigen, kostbaren Überbleibsel einer Zeit der Gemeinsamkeit. Was der erwachsenen Frau bleibt, ist stille Trauer über das nicht gelebte Leben der Eltern. Nur elf Jahre waren sie verheiratet, ein gemeinsames Älterwerden blieb ihnen ebenso verwehrt wie die Begegnung mit ihren Enkeln. »Das macht mich noch immer sehr, sehr traurig.« Aufgezehrt vom Kummer über das Schicksal des Ehegatten, starb Lisa Bergers Mutter 1957. Unbeschwertheit hat sich im Leben der heute zweiundsechzigjährigen Tochter nie richtig eingestellt. Zu übermächtig ist der frühe

Abschied geblieben, der Zweifel, ob man sich an etwas oder jemand binden darf, wo einem doch schnell und erbarmungslos alles und jeder genommen werden kann.

Glück und Unglück sind zwei Seiten der Münze Leben, im Nu ist das eine ins andere verkehrbar. Wie Glück aussah und wie das Unglück später, das kann Konrad Hartz nur bruchstückhaft berichten. Für ihn liegen die Ereignisse zu weit zurück, als dass er sich an Details und scharfe Konturen seines kindlichen Alltags erinnern kann. Aber er hat einen Moment der Wende im Gedächtnis behalten, einen Augenblick der Münzdrehung. Der Bote des Unglücks war für die Erwachsenen sofort erkennbar: mit drei Jahren bekam man keine eigenen Briefe. Da brachte der Briefträger Post für alle möglichen Leute ins Haus, aber nicht für einen Knirps, der noch nicht einmal seinen Namen schreiben kann. Als irgendwann im Frühsommer 1941 doch ein an Konrad Hartz adressierter Brief im Kasten lag, brachten die Erwachsenen die Post beiseite. Erst Jahre später bekam der eigentliche Empfänger den Brief ausgehändigt. Doch seitdem hat er ihn nie mehr vergessen, nie mehr hergegeben. Er hat ihn vielmehr im Lauf seines Lebens immer wieder hervorgeholt. Auch heute noch, und dann faltet er vorsichtig die Seiten auseinander, damit sie an den Falzen nicht auseinander brechen. Dieser Brief ist oft auf- und wieder zugefaltet worden. Der heute Vierundsechzigjährige hütet die vier linierten, in Sütterlin beschriebenen Seiten wie einen Schatz. Dies ist eine der wenigen Spuren, die sein Vater in seinem Leben hinterlassen hat.

Der Schreiber hatte sich alle Mühe gegeben beim Abfassen, hatte die ihm verbleibende Lebenskraft in ihn gesteckt. Er hatte erst ein Konzept verfasst. Danach hatte er die Zeilen ins Reine geschrieben. Mit Bleistift, denn einen Füller hatte ein Soldat selten im Tornister. Wahrscheinlich hat Konrads Großmutter in Tecklenburg im Teutoburger Wald tief durchatmen müssen, als sie diese nicht für sie bestimmte Nachricht öffnete. Die Feldpost hatte einen Abschiedsbrief von Konrads Vater gebracht. Geschrieben an sein einziges Kind, das zu diesem Zeitpunkt bereits keine Mutter mehr hatte. Und dem nun der Vater nicht wie beabsichtigt die Liebe des anderen Elternteils würde ersetzen können. Denn dieser Mann, der da am 21. Juni 1941, einem Donnerstag, wie er akkurat vermerkte, an seinen Sohn schrieb, empfand sich selbst bereits als Toten, der ein letztes Mal mit der Welt der Lebenden in Berührung trat. Es war der Tag vor dem Angriff der deutschen Wehrmacht auf die Sowjetunion. Für den Soldat, der seinen Tod ahnte, war es ein Grund, von seinem dreijährigen Sohn Abschied zu nehmen – und ihm wenigstens ein Vermächtnis aus Worten zu hinterlassen:

> *Mein lieber Junge! Das ist vielleicht das erste und das letzte Mal, dass ich an dich schreibe und wenn du alles dies verstehst, was ich dir sage, scheint die Sonne, die eben ihr Licht voll in mein Gesicht strahlt, über mein Grab. Es ist 3.05 Uhr eines Nachmittags am 21. Juni 1941 in einem Wald acht Kilometer von Bug.*
>
> *Mein liebes Kind! Ich hätte gerne das alles durch mein Leben in Deine Seele gesenkt und als Dein bester Freund geholfen. Dass es darin Wurzeln schlage und wachse und Du in seiner Hut in der Unsicherheit des Lebens einen Halt habest. Aber es soll wohl nicht sein. Morgen in der Früh um 3.15 Uhr wird der große Krieg aller Kriege seinen Anfang nehmen, der mein Leben mitten in seiner Blüte stürzen kann (...)*
>
> *Da dein Mütterlein dich und mich gar zu früh verlassen, so liegen mir manche Sorgen um Dich näher an mein Herz. Ich kenn einen Menschen, den ich bitten werde, dir in deinem schweren Leben Deinen Fuß auf festem Boden zu halten (...)*
>
> *Verspotte niemanden, weil du dadurch nur dich selbst beschimpfst. All dein Wissen steige in dein Herz. Nur was du fühlst, hast du gelernt (...) O mein Kind, mein Kind! (...)*
>
> *Zum Ende, mein Konrad, sei froh und harmlos! Du kannst nichts wenden, kein Gram, keine Sorge ändert dein Schicksal, allein deine Heiterkeit schafft dir auch in misslichen Lagen halt. Wisse, du hast kein Ziel als dich.*
>
> *Dein Vater.*

Nur wenige Wochen zuvor hatten Schreiber und Adressat noch beim Heimaturlaub gemeinsam für die Kamera posiert. Der Vater in Uniform, den Tornister in der Hand, der Sohn her-

Während des Fronturlaubs haben sich Konrad Hartz und sein Vater fotografieren lassen.

ausgeputzt wie für einen Sonntagsspaziergang, mit weißen Söckchen, kurzen Hosen, besticktem Oberteil. Sein Stolz, hier mit dem Vater zu stehen, ist unübersehbar. Fest umklammert die kleine Kinderhand den Tornistergriff, den auch die Hand des Vaters umfasst. Konrads skeptischer Blick verrät auch Zweifel, vielleicht hat der Junge schon gespürt, dass er gleich würde loslassen müssen. Schon wieder. Seine Mutter hatte er bereits ein Jahr zuvor verloren. An die Frau, die bei einer einfachen Mandeloperation starb, weil man ihr versehentlich die Halsschlagader durchtrennt hat, sind ihm nur spärliche Erinnerungen geblieben. Viel zu wenig Bilder, um für ein ganzes Menschenleben auszureichen, und auch noch wenig tröstliche. »Das seh ich noch heute vor mir«, sagt der Sohn in der typischen Mundart seiner westfälischen Herkunft. Behutsam beschreibt er das Bild, das ihm beim Erzählen wieder vor Augen kommt. »Sie war aufgebahrt. Dadurch, dass sie verblutet war, hatte sie eine ganz weiße Haut. Nicht so gelblich wie die Toten sonst. Ihr Lieblingsbruder, der Friseur war, hatte ihr noch die Haare gemacht. Sie lag im Sarg wie ein Engel.« Dieses Bild hat sich eingebrannt in die Netzhaut.

Ein Engel, der seinen Sohn auf der Erde zurücklässt. Er sitzt nicht mit im Bunker und tröstet den Sohn, wenn die Bomben sich durch lautes Pfeifen ankündigen und die Erde minutenlang bebt. Konrad Hartz kann sich weniger an die Eltern erinnern als an all die Momente trostloser Angst, in denen er die Abwesenheit der Eltern als körperlichen Schmerz spürte. Er hat ein paar vage Erinnerungen an stille Sonntagmorgen, an denen er als Kleinkind zwischen beiden Eltern im Bett gelegen hatte. Aber diese Geborgenheit ist nicht seine erste Erinnerung, es sind vielmehr die angstvollen, einsamen Momente seiner Kindheit. Konrad Hartz hielt sich damals vielleicht für einen unglücklichen Einzelfall. Aber er erlebte eine beispielhafte Verlorenheit, ein frühes Zurückgeworfenwerden auf sich selbst. 2,5 Millionen Kinder hatten nach dem Zweiten Weltkrieg nur noch ein Elternteil. 100 000 wurden Vollwaisen. Konrad Hartz lernte früh, dass keiner da war, der die eigenen Geschichten wirklich hören wollte. Immer wieder in seinem Leben las er den Brief seines Vaters und sprach in Gedanken mit einem Toten.

3. Kinderlandverschickung

Der Führer hat angeordnet, dass die Jugend aus Gebieten, die immer wieder nächtliche Luftalarme haben, auf der Grundlage der Freiwilligkeit in die übrigen Gebiete des Reiches geschickt werden. Hierbei sollen vor allem Kinder aus Laubenkolonien und solchen Stadtteilen, die keine ausreichenden Luftschutzkeller besitzen, berücksichtigt werden. Die Unterbringung erfolgt, soweit möglich, schul- bzw. klassenweise.

(...) Für die Aufnahme der Großstadtjugend kommen folgende Gaue in Frage: Bayerische Ostmark, Mark Brandenburg, Oberdonau, Sachsen, Schlesien, Sudetenland, Thüringen, Wartheland, Ostland.

(...) Die Gauleiter haben ferner eine einheitliche Werbung und Propaganda bei den Eltern zwecks freiwilliger Meldung der Kinder für die Landverschickung durchzuführen.

Rundschreiben des Reichsleiters Bormann an alle obersten Reichs- und Parteistellen zur »Landverschickung der Jugend luftgefährdeter Gebiete« vom 27. September 1940

Gegenstände legen manchmal einen Trotz gegen die Realität an den Tag, den die Menschen nicht aufbringen. Menschen knicken irgendwann ein, sie erkennen die Grenzen ihrer Kräfte. Rosa ist da anders. Sie schaut nicht gerade freundlich. Ernst stiert sie in die Welt. Aber sie hat alles überlebt Sie war immer dabei. Fast immer jedenfalls. Wenn die Sirenen heulten und die Bomben auf Bochum fielen, lief Ida-Luise Voigt nie ohne ihre Käthe-Kruse-Puppe in den Keller. Als die Erde heftig zitterte und die Häuser in Flammen standen im Ruhrgebiet, das die nationalsozialistische Führung zur Waffenschmiede des Reiches erklärt hatte. Die Alliierten hofften hier die Infrastruktur des Landes zu lähmen oder gar zu zerstören, wenn sie auf das westdeutsche Eisenbahnnetz, die Elektrizitäts- und Stahlwerke und auch die Großstädte des Rhein-Ruhrgebietes ihre Bomben warfen. 50 000 Menschen kamen bis 1945 durch die Umsetzung dieser Pläne ums Leben, 70 000 wurden obdachlos. Über 150 größere Luftangriffe vermerkt das Stadtarchiv Bochum allein für Ida-Luise Voigts Heimatstadt.

»Die war immer unterm Arm« erinnert sich die Fünfundsiebzigjährige, wenn sie Rosa betrachtet, und lächelt viel, viel freundlicher als die Puppe, die ihr ein Talisman geworden ist. Sie lächelt, obwohl sie heute noch manchmal in Schwarz-Weiß und Grautönen träumt und die Angst wieder da ist. Ganz tief sitzt sie ihr dann im Nacken. Erst vor vier oder fünf Tagen seien die Bilder aus der Vergangenheit wieder da gewesen. Aber dann wischt sie den Gedanken weg. »Das alles hat man ja damals nicht als persönliches Schicksal angesehen. Das war ja nichts Außergewöhnliches.« Doch die Albträume haben sich gehalten, haben mehr als ein halbes Jahrhundert überdauert.

Bevor die Bombenangriffe auf das Ruhrgebiet begannen, hatten Halbwüchsige wie Ida-Luise ganz andere Vorstellungen von Krieg. Die speisten sich aus den Erzählungen der Eltern, die beide den Ersten Weltkrieg und die Zeit des großen Hungers erlebt hatten. Das deutsche Kaiserreich weit hinter der Front war damals kein Zielgebiet für feindliche Militäropera-

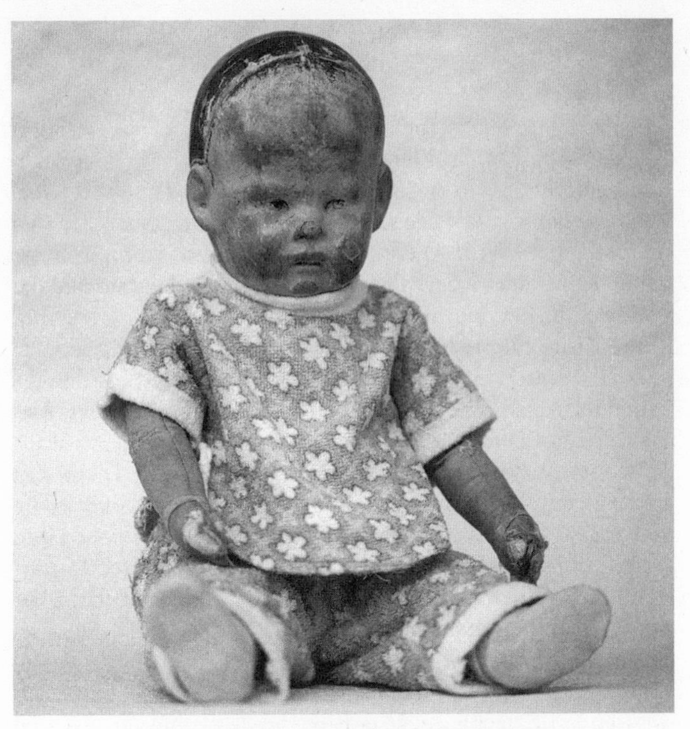

Rosa, die Käthe-Kruse-Puppe, nahm Ida Luise Voigt, wenn Alarm war, immer mit in den Keller.

tionen gewesen. Die Mutter malte den Krieg so, wie sie ihn erlebt hatte: »Krieg ist was Schreckliches. Da gibt es nichts in den Schaufenstern. Außer Tüten mit Salz und ein paar Flaschen Essig.« Die Eltern schilderten Krieg als Darben und Hungern, nicht als unmittelbare Begegnung mit brutaler Gewalt und dem Tod. Isa-Luise Vogt lernte also: Krieg, das heißt, du kannst nicht mehr das kaufen, was du gerne haben möchtest. Diese Ahnung von Knappheit stieg auch in ihr auf, als der Vater die Familie im August 1939 bei der Heimkehr aus der Sommerfrische auf dem Bahnhof mit dem bald Bevorstehenden konfrontierte. »Mutter, es gibt Krieg«, sagte er, und die erschrak: »Aber das kannst du doch nicht sagen. Das wäre ja entsetzlich.« Da erklärte der Vater den Anlass seiner Prophezeiung. »Du wirst noch an mich denken. Schau hin, sie montieren überall an den Gleisen Hydranten, um Wasser fassen zu können.«

Wenige Tage später bewahrheitete sich seine Vorahnung. Die deutsche Armee fiel in Polen ein, und die Welt rings um Ida-Luise veränderte sich. Anfangs nahm der Krieg auch jene Gestalt an, die das Kind erwartet hatte. Die Lebensmittel und Konsumgüter wurden knapp. Die Mutter kam etwa vom Seifenkauf unverrichteter Dinge nach Hause. Und musste wieder außer Haus, um Unterweisungen im Luftschutz über sich ergehen zu lassen. Mit einem Schrubber und einem Zinkeimer, in dem immer Wasser zu sein hatte, sollte sie im Ernstfall »das Feuer totpatschen«. Der Krieg erschien da noch als kuriose Verzerrung kleiner Rituale des Alltags im Frieden.

Sich vorzustellen, dass der Krieg dieses gewohnte Leben und alle wichtigen Bindungen zu Menschen und Orten zerreißen würde, das überforderte Ida-Luise noch. Als der sieben Jahre ältere Bruder vom Arbeitsdienst zur Marine wechselte, da spürte sie manchmal auch etwas wie Angst in der Familie. Aber Ida-Luise hielt sich lieber an die Tatsachen, an das Greifbare, an den Augenblick. Wenn der Bruder sie in seiner dunkelblauen Uniform von der Schule abholte, war sie stolz und »ging auf Wolken«. Sie dachte nicht darüber nach, wohin er ging und was er tat, wenn er sich wieder verabschiedete. Sie hielt an ihrer kindlichen Naivität fest, als könne das Unangenehme und Bedrohliche erst dann Realität werden, wenn sie bereit sei, daran zu glauben.

Sie hielt an dieser Technik des Wegdenkens der Gefahr sogar noch fest, als die massiven Luftangriffe auf das Ruhrgebiet im Frühjahr 1942 begannen und dann in ihrer Zerstörungskraft immer heftiger wurden. Ihre Angst ging einher mit einer heute seltsam verschmitzt wirkenden Hoffnung, die Schule könne getroffen werden und auf lange Zeit der Unterricht ausfallen. Die Fantasie versuchte, die mörderischen Bomben zu Komplizen eines Kinderstreiches umzudeuten. Doch die Wirklichkeit ließ sich nicht von kindlichem Schalk überlisten. Die Schule wurde nicht weggebombt, nur beschädigt. Aber der Unterricht wurde nun in zwei Schichten erteilt. Die einen Kin-

Ida-Luise Voigt im letzten Friedenssommer 1938 auf dem Balkon der elterlichen Wohnung.

der gingen vormittags, die anderen nachmittags zur Schule. Das Regime war bemüht, dem Ausnahmezustand so viel Charakter von Alltag und Gewöhnlichkeit wie möglich zu geben. Ida-Luises Klasse lernte weiter Gedichte auswendig, löste mathematische Aufgaben, schrieb Prüfungen und war gleichzeitig »schon ein bisschen von der Rolle«. Die Wegdenk- und die Vogel-Strauß-Überlebensstrategien taugten mit jedem Bombenangriff weniger.

Denn ein Krieg, der viel mehr war als leere Regale und öde Kost, brach durch alle Barrieren des Leugnens, mit Vorliebe nachts. Er kündigte sich mit dem markdurchdringenden Jaulen der Sirenen an. Die Reaktion darauf war jedem Kind in Fleisch und Blut übergegangen. Dieses schreckliche Geräusch gebot, sofort aus dem Bett zu springen und sich im Nu anzuziehen. Auch wenn kein Alarm war, lagen die Kinder da und warteten, wann die Sirene losschreien würde. Schlafen konnte Ida-Luise nachts nur noch, »wenn die Natur ihr Recht forderte«, wenn die völlige Übermüdung über die Anspannung siegte. Wenn die Familie dann zurück ins Wachsein gerissen wurde, versuchte jeder zu funktionieren wie ein Uhrwerk. Ein Köfferchen mit Wertsachen und wichtigen Unterlagen stand wie bei allen Familien damals griffbereit an der Wohnungstür. Die Wohnung der Voigts lag im dritten Stock eines Mehrfamilienhauses. Jeder Handgriff beim Aufbruch saß, denn ein Alarm war ein Wettlauf mit dem Tod. »Überlegen musste man da gar nichts mehr. Oder nur das, was jetzt wichtig war.« Es hieß: Licht aus! Und immer auch, die Mäntel an der Garderobe über den Arm zu werfen und das Köfferchen zu greifen. Geburtsurkunde, Sparbücher und ein warmer Wintermantel waren die Dinge, die man retten wollte. Und das eigene Leben. Anweisungen der Mutter brauchte das Mädchen keine. »Ich wusste, wohin. Ich wusste auch, dass es eilig war.« In diesen Momenten des Runter-runter-runter kam es nur noch auf die Kraft der Beinmuskulatur und jene gewisse Geistesgegenwart an, um Hindernisse zu erkennen und den Körper daran vorbeizumanövrieren.

Im Mai 1943 gab es einen Angriff, der anders war, heftiger, direkter, und den Gescheuchten kam es vor, als hätten die Männer dort oben in den Bombern diesmal die Anweisung, das Haus in der Oskar-Hoffmann-Straße in den Sucher zu bekommen. Schon der Alarm war zu spät gekommen. »Wir waren noch auf der Treppe, da fielen schon die ersten Bomben.« Die herabstürzenden Sprengkörper pfiffen und jaulten. Der sehnliche Wunsch, in den sicheren Keller zu gelangen, trieb Ida-Luise, ihre Mutter und die anderen an. »Schnell, schnell, schnell!«, rief jemand. Obwohl ihnen die Beine zu versagen drohten, der Körper eigentlich schon nicht mehr funktionieren wollte, schafften sie es in den Keller. Erschöpft und durchgeschwitzt, suchten sie Schutz, wo sonst Kartoffeln, Eingemachtes und Kohlen lagerten. »Wir hatten den Kellergang schon vorher mit dicken Holzkeilen abgestützt«, erinnert sich Ida-Luise Voigt. Das Gefühl für die Zeit hatten sie verloren. Sie harrten orientierungslos zwei Stock unter der Erde aus und hatten nur einen Wunsch: »Lass es vorbeigehen!«

Kaum war die Tür geschlossen, fiel der Strom und damit das Licht aus. »Wir hatten zwar Kerzen und Petroleumlampen, aber die waren durch die Druckwellen der Bomben schnell ausgegangen.« In der Dunkelheit kroch Ida-Luise immer näher zu ihrer Mutter. »Ich hatte keine Angst, solange meine Mutter dabei war oder jemand anders, zu dem ich Vertrauen hatte. Wenn da nur eine Hand war, die man halten konnte. Das war eine Wohltat.« Der Mensch wird ganz bescheiden an der Grenze zwischen Leben und Tod. Trotzdem wurde die Spannung schier unerträglich. Das Fundament wackelte, das Trommelfell wurde durch die entsetzlichen Detonationen der Bomben bis zum Äußersten strapaziert. »Als es dann ganz furchtbar war, habe ich auf der Erde gekniet und den Kopf in Mutters Schoß gelegt und sie hat ihre Hände schützend über meinen Kopf gehalten.« So harrten sie aus, bis die letzten Bomber abdrehten.

Über die Menschen im Keller der Oskar-Hoffmann-Straße 6 hatte sich eine feine Staub- und Mörtelschicht gelegt. Beim Atmen trockneten Mund und Nase aus. Der Kellerausgang war verschüttet. Die Frauen und älteren Männer, die mit Ida-Luise Voigt überlebt hatten, zertrümmerten den zugemauerten Durchbruch zum Nachbarkeller. Um sich einen letzten Fluchtweg zu sichern, waren viele Menschen in diesen Jahren dazu übergegangen, eine nur provisorische Trennwand zum Keller des Nachbarhauses zu mauern, die einerseits ein Übergreifen des Brandes im Ernstfall verhindern sollte, andererseits aber schnell einzureißen war, falls der reguläre Ausgang aus dem Keller verschüttet sein sollte. Im Nachbarkeller warteten auch Ida-Luise und ihre Mutter auf das Entwarnungssignal der Sirenen. Als sie endlich aus ihrem Gefängnis schlüpfen konnten, lag über dem Viertel ein Geruch von Brand, verkohltem Holz und schmorenden Leitungen. Überall waren Flammen, die die Nacht durch und auch noch am nächsten Tag Nahrung fanden. Obwohl es noch Nacht war, »habe ich nicht die Erinnerung, dass es dunkel war. Die Flammen loderten ja auch aus den Wohnungen heraus.« Die Stadt war taghell. Die Bäckerei im Haus gegenüber existierte nicht mehr. Sie war bis auf die Grundmauern niedergebrannt. Wege, für die die Fünfzehnjährige sonst fünf Minuten gebraucht hatte, dauerten drei, vier Stunden. »Wir mussten über Trümmerberge klettern. Über Berge von Schutt, der weiterqualmte. Überall bestand Einsturzgefahr. Die Männer vom Luftschutz warnten uns: Da dürft ihr nicht rein.« Die Welt lag in Trümmern, aber schon stellte sich eine notdürftige Ordnung wieder her. Auf den Straßen bildeten die Menschen Eimerketten, um zu löschen. BDM-Mädel schmierten Butterbrote für die Aufräumhelfer. Die Strategie der Alliierten, die Zivilbevölkerung zu demoralisieren, ging nicht auf. Die Menschen passten sich den Verhältnissen an. Das Leben musste eben weitergehen.

Die Alliierten aber setzten darauf, dass sich auch diese Notgewebe einer düsteren Normalität zerreißen ließen, dass Hitlers Reich an einen Punkt gebracht werden konnte, wo das Leben eben nicht mehr weiterging. Mit dem Ausbau der amerikanischen Luftflotte auf den Britischen Inseln schwanden die Ruhezeiten. Auf der Konferenz von Casablanca im Januar 1943 hatten sich die Verbündeten auf die vereinte Bomberoffensive verständigt. Die Order für die britischen als auch amerikanischen Luftstreitkräfte beschreibt der britische Militärhistoriker Robin Neillands wie folgt: »Vordringliches Ziel ist die fortschreitende Zerstörung und Desorganisation des deutschen militärischen, industriellen und wirtschaftlichen Systems sowie die Untergrabung der Moral des deutschen Volkes bis zu einem Grad, wo seine Fähigkeit zum bewaffneten Widerstand entscheidend geschwächt ist.« Als mit den Lancaster-Maschinen der Briten und den B17-Bombern der Amerikaner den Militärs endlich Flugzeuge zur Verfügung standen, die weit in den deutschen Luftraum fliegen konnten, begann der verschärfte Luftkrieg. Die Briten flogen ihre Angriffe nachts, die Amerikaner am Tage. Oft saßen Ida-Luise und ihre Freundin

Kinderlandverschickung Berlin 1943:
Die umgehängten Schilder sagten, wohin die Fahrt gehen sollte.

Herlinde statt im Unterricht im Keller der Schule, der als Bunker diente. Auch dort hatten beide nur einen Gedanken: »Hoffentlich hört das hier bald auf, damit wir bald nach Hause können.« Dieses »nach Hause« war der immer wiederkehrende Wunsch nicht nur in der Kriegskindheit von Ida-Luise Voigt. Denn wer zu Hause ist, weiß wenigstens, wie es um die Lieben steht und muss keine Schreckensbilder im Kopf ertragen. Und bis zu diesem Zeitpunkt war das Haus, in dem Ida-Luise Voigts Familie wohnte, auch nicht zerstört worden.

Die Behörden des NS-Staats in Berlin aber entschieden: Die Kinder müssen hier weg. Mit der Verstärkung der alliierten Luftangriffe hatte das Regime begonnen, in einer groß angelegten Maßnahme Kinder aus luftkriegsgefährdeten Gebieten in meist ländliche Regionen zu evakuieren.

Wie viele Kinder im Rahmen der Kinderlandverschickung ihre Familien verlassen mussten, ist nicht mehr zu klären. Aber bei zwei Millionen Kindern haben sich die Schätzungen der letzten Jahre eingependelt. Bis zum Frühjahr 1943 erfolgte die Teilnahme noch weitgehend freiwillig. Danach wurden die Kinder und Jugendlichen bevorzugt klassenweise evakuiert. In Einzelfällen gibt es sogar Berichte darüber, dass unwilligen Eltern die Lebensmittelkarten für ihre Kinder entzogen wurden. Die evakuierten Kinder kamen je nach den Wohnmöglichkeiten am Bestimmungsort der Reise privat bei Familien oder in zu Wohnheimen umfunktionierten Pensionen, Sportheimen oder Ferienlagern unter. Wer nicht die Möglichkeit hatte, seine Kinder bei Verwandten oder Bekannten in nicht luftkriegsgefährdeten Gebieten unterzubringen, musste sie von zu Hause fortgehen lassen. Da die Schulen vielerorts geschlossen wurden und weiter Schulpflicht bestand, blieb vielen Eltern keine Alternative. Auch Ida-Luise Voigt wurde weggeschickt, mit einem Mal war sie aus ihrer Familie herausgerissen. Und auch weit entfernt von ihrer besten Freundin Herlinde. Die wohnte im Haus gegenüber und ging mit Ida-Luise in die Klasse. Das Mädchen mit den blonden Locken und Ida-Luise mit den dunklen, langen Zöpfen waren ein Paar wie Pech und Schwefel, wie man damals sagte. Ida-Luise war früh ein Mensch, der enge Bindungen an seine Mitmenschen knüpfte, sie halfen ihr, Vertrauen zur Welt zu fassen. Der Krieg missachtet solche Bedürfnisse routinemäßig. Denn Herlindes Eltern brachten ihre Tochter zu Verwandten nach Tecklenburg, in den als sicher geltenden Teutoburger Wald. Ida-Luise musste ohne ihre beste Freundin nach Pommern aufbrechen.

Eine stumme Vertraute blieb die Puppe Rosa. Aber ausgerechnet die nahm Ida-Luise nicht mit auf die lange Reise ins knapp 800 Kilometer entfernte Neustettin. »Ich hatte Angst, es könnte ihr unterwegs etwas passieren.« Seltsam mutet dieser Verzicht an – sorgte sich das Mädchen weniger um sich selbst als um die Puppe? Vielleicht schwang da auch noch ein anderes Wunschdenken mit – wenn die Puppe daheim sicherer war als auf dem Land, dann waren ja auch die Mutter und die Freundin sicher.

Vielleicht hat die Mutter diese Symbolik der zurückgelassenen Puppe begriffen. Am Bahnsteig jedenfalls hat sie sich bemüht, ihre Tränen vor der Tochter zu verbergen. Ida-Luise stieg mit zusammengebissenen Zähnen in den Zug, der sie in den Osten Deutschlands bis nach Pommern bringen sollte, mit einem Schild um den Hals, auf dem ihr Name und das Verschickungsziel standen. Dort würden keine Bomben fallen. Aber dort war auch nicht »zu Hause«. Das gab es nicht mehr. Ida-Luises Familie hatte sich atomisiert. Vater, Mutter, der Bruder und sie waren nun in alle Himmelsrichtungen versprengt. Auch die Mutter hatte sich bei Verwandten im Möhnetal, etwa 70 Kilometer östlich von Bochum gelegen, in Sicherheit gebracht. Der Onkel und die Tante hatten den Angriff der alliierten Bomberverbände am 17. Mai 1943 auf die Möhnetalsperre, über die die Wasserversorgung des Ruhrgebietes geregelt wurde, unverletzt überlebt und versorgten in ihrem Gasthaus nun die Bauarbeiter, die die Talsperre wieder aufbauten. Ida-Luises Vater war als Verwaltungsangestellter beim Amtsgericht Hamm dienstverpflichtet und schon zuvor nur an den Wochenenden nach Hause gekommen. Ida-Luise schrieb Briefe und schaute sich immer wieder eine Hand voll Familienfotos an, die sie mitgenommen hatte – so wollte sie wenigstens in Gedanken den anderen nahe sein.

Untergebracht wurde sie bei einem kinderlosen Ehepaar, den Betreibern eines Restaurants an einem der Seen bei Neustettin, etwa 120 Kilometer östlich von Stettin gelegen. Bei ihnen war sie nicht glücklich, aber sie lernte in der zweiten Hälfte des Jahres 1943, was alle Vertreter ihrer Generation irgendwann im Laufe der Kriegsjahre verinnerlichten: »Ich konnte es nicht ändern, also habe ich mich mit den Gegebenheiten arrangiert. Ich habe manches Mal geheult. Aber das half ja auch nichts.« Das Ohnmachtsgefühl schmerzt sie noch heute und macht ihre Stimme beim Erzählen brüchig. Die Fünfundsiebzigjährige muss dann tief durchatmen, bevor sie weitersprechen kann. Die erste Erleichterung über die bombenfreien Nächte war damals schnell vergangen. Was danach das Leben bestimmte, war blankes, pures Heimweh. Die Schule in der Fremde empfand sie als »kasernierte Gemeinschaft«. Weder zu Weihnachten noch zur Silberhochzeit der Eltern 1944 durfte sie nach Bochum fahren. Voller Sehnsucht musste das Mädchen zusehen, wie manche Klassenkameradinnen Besuch von ihren Müttern erhielten. Sie selbst musste sich mit einem Paket von den Eltern begnügen. Aber weder der kostbare Honig, den es enthielt, noch die liebevolle Fürsorge der Pflegeeltern konnten das Heimweh stillen. Der Schutz des Lebens war nur *ein* Motiv der so genannten Kinderlandverschickung. Der Staat wollte mehr: Die Kinder und Jugendlichen des Reiches von nun an ohne Einmischung durch das Elternhaus unter seinen direkten Einfluss bringen.

Vielleicht hätte sich Ida-Luise nach einer Weile innerlich an ihre Gastfamilie angeschlossen. Und vielleicht ging es Hitlers Bürokraten genau um die Verhinderung solcher neuen privaten Rückzugsräume, als sie den Kindern neue Marschbefehle schickten. Die Schar junger Mädchen aus der Bochumer Schillerschule musste von der Einzelunterbringung in Privatquartieren auf die Ostseeinsel Usedom in ein Ferienheim umziehen. Dort gab man sich nicht mehr die Mühe, einen Anschein von Familienleben aufrechtzuerhalten. Dort wurde zusammen gelernt, gegessen und geschlafen. Die Organisation und Betreuung der Lager war Aufgabe der Hitlerjugend. Sie sorgten dafür, dass außer zwei kurzen Freizeiten in der Woche der Tagesablauf der Kinderlandverschickten weitgehend von ihr geplant und beaufsichtigt wurde. »Irgendwie waren wir immer beschäftigt«, wundert sich Ida-Luise Voigt, wenn sie diese Zeit heute Revue passieren lässt. Zeit für sich selbst hatte nur, wer schneller als die anderen mit den Hausaufgaben fertig wurde. »Die Einrichtung der Kinderlandverschickungslager bietet die Möglichkeit, Jugendliche in großem Rahmen und für längere Zeit total zu erziehen«, so lautete das erklärte Ziel der Reichsjugendführung. Das Dritte Reich bereitete seine Kinder mit dieser Gängelei auf das Hilfssoldatenleben vor. Das wurde offenbar, als das Heim in Heringsdorf aufgelöst wurde. Ida-Luise kam im Oktober 1944 auf die dritte Station ihrer Odyssee namens Kinderlandverschickung, ins Haus einer Frau mit Kleinkind in Neustettin. Mathematische Formeln und Vokabeln lernen stand jetzt nicht mehr auf dem Stundenplan. Die Mädchen mussten Gräben ausheben, neue Stellungen bauen, in denen nach dem Willen der Nazistrategen alte Männer und kleine Jungs bald die Rote Armee aufhalten sollten. Wenn sie nicht an den Gräben schippten, mussten sie bei den Bauern helfen. Das war die beliebtere Schufterei, denn »da gab's wenigstens genügend zu essen«. Wenn sie sich rechtzeitig beim Sammelplatz einfanden, frühmorgens um sechs, bestand die Chance, dass einer der Landwirte die Heranwachsenden als Tagelöhner mitnahm. Ein Handel auf Gegenseitigkeit. Die Mädchen mussten zwar gebeugt Kartoffeln aus der Erde holen, was schwer ins Kreuz ging. Aber um neun Uhr war Frühstück, zu Mittag gab's ein zweites Essen und um vier Uhr nachmittags noch mal ein Butterbrot mit Kräude, »so 'ner komischen Marmelade«.

Von Kinderlandverschickung zum Wohl der Betroffenen konnte zu diesem Zeitpunkt längst nicht mehr die Rede sein. Die Mädchen waren eine Hilfstruppe geworden, eine, die nur noch Anweisungen, aber keine Unterstützung mehr erhielt. In Berlin, der Hauptstadt Nazideutschlands, gingen zu diesem Zeitpunkt längst nur noch die Meldungen von Niederlagen ein. Am 6. Juni 1944 waren alliierte Truppen an der Westfront in Nordfrankreich gelandet. Gut zwei Monate später kapitulieren die deutschen Truppen in Paris. Am 25. August zog General de Gaulle in die französische Hauptstadt ein. Die alliierten Truppen rückten weiter voran. Am 21. Oktober 1944 fiel Aachen in die Hände der Amerikaner. Am 23. November fiel Straßburg. An der Ostfront war im Sommer die Rote Armee zur Großoffensive angetreten. Am 11. Oktober 1944 überschritten russische Truppen die Reichsgrenze in Ostpreußen. Drei Monate später sollte es vom Deutschen Reich abgeschnitten sein. Der Reichskanzler und Führer des deutschen Volkes Adolf Hitler plante unterdessen weiter den bereits verlorenen Krieg.

Ida-Luises Heimatland war kein Heimatland mehr, das sich um die Zukunft seiner Kinder sorgte. Die Kinder, denen man zuvor nicht erlaubt hatte, ihren Tag selbst zu gestalten, mussten nun auf sich gestellt ihr Überleben organisieren. Unter diesen Umständen wurde das Weihnachtsfest 1944 nicht mehr gefeiert. Der Anschein der Normalität war erloschen. Statt »Stille Nacht« gab es näher rückendes Donnern der Artillerie und das ferne, dumpfe Gebell von Panzerkanonen. »Da war immer so ein Grummeln«, beschreibt Ida-Luise Voigt diese Geräuschkulisse des Grabenbaus. »Wie wenn sich in weiter Ferne ein

Gewitter entlädt. Aber ein Unwetter ebbt irgendwann ab. Dieses Grollen blieb jetzt immer da.« Ida-Luises Gastgeberin packte keine Geschenke, sondern Habseligkeiten für die Flucht. Offiziell wurde der Krieg noch immer Schlacht um Schlacht im Zug »planmäßiger Frontverkürzung« gewonnen. Die Menschen aber stellten sich auf das Schlimmste ein, darauf, dass die Schauergeschichten, die man sich über die Russen erzählt hatte, wahr werden könnten. Eine Propagandabehauptung hatte sich Ida-Luise besonders eingeprägt: »Pass auf, die nageln die Zungen der Kinder an die Wände.«

Es war ein eisiger Winter. Um die Jahreswende bestand der Schulunterricht nur noch aus dem morgendlichen Appell. Die Hitlerjugend setzte die Kinder und Jugendlichen jetzt dazu ein, die durchziehenden Flüchtlinge mit heißen Getränken zu versorgen. Das Szenario überforderte das kindliche Wahrnehmungs- und Verdrängungsvermögen. »Ich fand das alles so furchtbar.« Ida-Luises Kindheit endete in diesen Tagen, in denen sie als hilfloser Streckenposten den Elendstreck an sich vorbeiziehen sah. Sie ahnte, was auf sie selbst zukommen würde, wenn sie die Menschen betrachtete, die in einem endlosen Strom stumm, niedergeschlagen, erschöpft und verängstigt an ihr vorbeizogen. Viele Frauen weinten. Auch um ihre Kinder, die oft ganz blau gefrorene Händchen hatten. Ida-Luise fühlte sich mitten in dieser Masse von Gepeinigten völlig alleine. Angereist war sie noch gemeinsam mit ihren Klassenkameradinnen. Für die Organisation der Heimfahrt zeichnete im Februar 1944 offiziell niemand mehr verantwortlich. Nun war sich jede selbst die Nächste. Aber wo es keinen Trost gab, da gab es doch eine Hoffnung. Die, sich selbst in Bewegung zu setzen und in den Strom der anderen einzureihen. Diese Hoffnung fand Nahrung in einem Vorschlag ihrer Pflegemutter. »Ich hab die Möglichkeit, mit einem Lastwagen über die Oder zu kommen. Ich würd dich mitnehmen. Willst du?«

Natürlich wollte Ida-Luise. Sie wollte nach Hause, seit sie aus ihrem Zuhause fortkommandiert worden war. Sie tat also, was die Gastgeberin ihr befahl, zog sich die Kleidung zweifach, ja dreifach über den Leib, und packte ihr Köfferchen. Dann zogen die junge Frau mit ihrer kleinen Tochter und Ida-

Luise zum vereinbarten Treffpunkt. Dort kletterten vierzehn Frauen, Kinder und ältere Männer auf einen Holzvergaserwagen und versuchten, in der eisigen Kälte unter einer Plane, die sie nur notdürftig vor dem kalten Wind schützen konnte, ein einigermaßen erträgliches Plätzchen zu finden. Ihr Ziel war die Oder. Aber sie hatten große Sorge, dass die Brücke noch passierbar war. Und dass sie von den russischen Truppen eingeholt würden. Und sie fragten sich, ob der Fahrer des Lastwagens überhaupt den Weg finden würde inmitten des Chaos und Gewühls. Es war kein erleichterter, sondern ein von neuen Ängsten überschatteter Aufbruch. Entlang der Strecke sah Ida-Luise erschöpfte, übermüdete Menschen, die nicht mehr weiterkonnten. Für einen Moment wurde ihr klar, dass sie auf dem Lastwagen die Bevorzugten waren. Aber es war nicht die Zeit für Mitleid. »Was«, fragt sie, »hätten wir auch tun können?«

Trotz der Angst vor Tieffliegern rumpelten sie tagsüber den weiten Weg zur Oder. Nachts wurde die sich auflösende Welt endgültig unpassierbar. Nachts schliefen die Flüchtenden in Turnhallen, Scheunen, in eilig errichteten Auffangstationen. Dass da oft nur ein bisschen Stroh auf der Erde lag, war ihnen in ihrer Erschöpfung gleichgültig. Sie behielten am Leib, was sie am Tag des Aufbruchs angezogen hatten. Sich zu waschen, war ein Luxus aus einer anderen Zeit. Morgens ein Butterbrot und mittags eine kleine Stärkung, eine mehr oder weniger dicke Suppe musste reichen, um die Körper in Gang zu halten. Als die Gemeinschaft auf dem Lkw nach zehn Tagen Fahrt in Altdamm, einem Vorort von Stettin ankam, waren alle so erschöpft, dass sie im Sitzen mit dem Kopf auf dem Tisch einschliefen. Aber sie hatten es geschafft. Die Oder hatten sie noch rechtzeitig überquert. Kein russischer Panzer hatte ihnen den Weg abgeschnitten. »Das empfinde ich noch heute als Befreiung.« Ida-Luise Voigt weiß: Es hätte auch alles ganz anders kommen können.

Der Übertritt über die Oder verschaffte ein Gefühl von Rettung. Zu Hause war das Mädchen aber noch nicht. Vier Tage brauchte die Sechzehnjährige noch, um sich von hier an die Möhnetalsperre zu ihren Verwandten durchzuschlagen. Sie war jetzt entschlossen, sich von nichts mehr aufhalten zu lassen. »Ich komme von der Kinderlandverschickung. Ich will nach Hause«, sagte sie am Bahnhof im etwa 40 Kilometer vom Oderübergang Altdamm entfernten Prenzlau, wohin sie sich auf eigene Faust durchgeschlagen hatte. Und bekam aus Erbarmen eine Fahrkarte mitten im Trubel eines von Flüchtlingen und Soldaten verstopften Transportwesens, dessen Schienen täglich zerbombt wurden. Eine Frau vom Roten Kreuz setzte Ida-Luise in den richtigen Zug. Je näher sie dem Ruhrgebiet kam, desto sicherer fühlte sich die Heimkehrerin. »Die Verbindungen kannte ich ja noch«, sagt sie. Aber Sicherheit fand sie damals wohl eher in den alten Aushängen als darin, dass irgendein Zug noch nach Fahrplan verkehrte. Von Soest aus telefonierte sie zu den Verwandten, bei denen die Mutter und der Vater, der mittlerweile ebenfalls Zuflucht auf dem Land gesucht hatte, nun lebten. Der Mutter pochte ein Herzschlag der Angst mitten in die Freude. »Pass auf dich auf«, mahnte sie. »Wo du schon so viel überstanden hast.« Die Zeit bis zum Wiedersehen muss Ida-Luise und ihren Eltern wie eine Ewigkeit vorgekommen sein.

Auf dem letzten Abschnitt des Weges gab es keine befahrbaren Schienen mehr. Der Zug entließ die Passagiere dort, wo die Bomben die Schwellen noch nicht aus dem Gleisbett gerissen hatten. »Das letzte Stück musste ich zu Fuß gehen. Auf dieser Strecke sind mir meine Eltern entgegengekommen«, sagt sie heute noch immer gerührt und mit den Tränen kämpfend. Am 14. Februar 1945 war sie in Neustettin aufgebrochen, am 28. Februar 1945 an der Möhnetalsperre angekommen. Diese Heimkehr nennt sie noch immer das schönste Erlebnis in ihrem Leben. Erzählt hat sie ihre Geschichte lange Jahre niemandem. Das Schicksal ihres Mannes, der als 1919 Geborener noch an den Folgen seiner Zeit als Soldat leidet, der in Gedanken oft zurück an die Front springt und unablässig vom Krieg erzählt, hat sie verstummen lassen. »Ihm ist es viel schlimmer ergangen«, sagt sie. Sie hat auch nicht von den wiederkehrenden Träumen in Grau erzählt, in denen sie durch eine zusammenbrechende Welt gejagt wird. Aber sie hat ihre Puppe Rosa bei sich behalten, die sie nicht mit aufs Land nehmen wollte. Rosa, die ein stummer Zeuge dafür ist, dass das Auseinandergerissene manchmal auch wieder zusammengefügt werden kann.

Helden kuscheln nicht

Eltern! Seht bitte aus dem Vorstehenden wieder, dass wir mit allen uns zu Gebote stehenden Mitteln bemüht sind, Euer liebstes Gut, Eure Jungen und Mädel, aufs Beste zu betreuen. Die Freizeitgemeinschaften sollen neben der Erziehung zu selbständigem Denken und Handeln die musischen, geistigen, sportlichen, technischen und hausfraulichen Interessen Eurer Jungen und Mädel fördern. Unsere Gegner machen uns den Vorwurf, »die deutsche Jugend würde nach einem straffen Schema geistig uniformiert«. Das Lachen und die offenen klaren Worte unserer Jungen und Mädel schlagen schon diesen verlogenen Behauptungen täglich wieder aufs Neue ins Gesicht.

Hauptgefolgschaftsführer Schoop, Inspektor Kinderlandverschickung in dem »Elternbrief der erweiterten Kinderlandverschickung im Generalgouvernement« Die Brücke, Januar 1944

Ein Held läuft nicht weg. Wenn es sich aber gar nicht vermeiden lässt, dann wählt er wenigstens den besten Fluchtweg. Nach dem sucht Dieter Wilde auch heute an jedem neuen Ort zuerst, ganz reflexhaft. Wo ist der Notausgang, wie kommt man am schnellsten dorthin? In jedem Hotel läuft er diesen Weg ab, prägt ihn sich ein, um ihn auch schlaftrunken noch zu finden. »Der Fluchtweg sollte immer frei sein«, erklärt er ernst. Seine Kinder haben ihm das zum 70. Geburtstag ins Stammbuch geschrieben, als eine seiner Schrullen. Eine andere ist seine Unfähigkeit, altes Brot wegzuwerfen. Dass diese Eigenheit ihre Wurzeln in den Kriegsjahren mit Hunger und Rationierung hat, ist seinen Kindern klar. Den Grund für seine Besessenheit von Fluchtwegen sucht Dieter Wilde jedoch im Frieden. »Das liegt sicher dran, dass ich Architekt bin«, wehrt er Nachfragen ab, verweist auf Brandschutzverordnungen und schiebt sich die Brille vorsichtig wieder auf der Nase zurecht. Aber für einen kurzen Moment schweifen seine Gedanken dann sichtlich ab.

Wenn man ihn nach der zuerst aufsteigenden Kindheitserinnerung fragt, antwortet Dieter Wilde: »Der Krieg, und der spielte sich für mich im Luftschutzkeller ab.« In Berlin-Pankow zu leben, das hieß, immer auf dem Sprung zu sein. Aus den Sirenennächten stammt eine weitere Marotte, die von der Familie als Spleen abgetan wird. Doch er hält an ihr fest, auch wenn er die Hoffnung aufgegeben hat, die Jüngeren könnten verstehen, warum er im 59. Jahr nach Ende des Zweiten Weltkriegs seine Kleidung abends so neben das Bett legt, als gelte es, in Sekundenschnelle und im Dunkeln Hemd und Hose, Socken und Schuhe anzuziehen und in den Keller zu flüchten. Dieses Vorbereitungsprogramm auf eine Nachtruhe, der nicht zu trauen sein wird, einen Schlaf, der nicht zu tief sein darf, läuft immer noch in ihm ab. Warum soll er dagegensteuern – es hat sich doch schließlich als überaus hilfreich erwiesen? Wer weiß, vielleicht hat ihm die exakte Anordnung seiner Kleidung einmal das Leben gerettet. Niemand wird jemals das Gegenteil beweisen können.

Dabei wollte er als Junge gar nicht weglaufen, sich ins Dunkel ducken, sich verstecken. Er wollte ein Held sein, so wie seine Freunde auch, denen die Naziideologen die Köpfe mit Geschichten von ruhmreichen Reckentaten und deutschem Mannestum voll stopften. Krieg, das war etwas, in dem man mithalf, um den Sieg zu erringen: und wenn man bloß die Lampe am Fahrrad verdunkelte, bis nur ein Schlitz von ein mal drei Zentimetern frei blieb. Krieg, das war eine Bewährung, ein Raum für Abenteuer – die Jungen mühten sich, dieser Propaganda nachzuleben. Arrangierten sich mit Rationierung und Verdunkelung und suchten neue Freiräume. Konnten Dieter und seine Spielgefährten nun etwa nicht viel besser in Pankow auf der Straße spielen? Die Stadt leerte sich, die Autos wurden weniger und die, die übrig blieben, waren meist zu rumpeligen Behelfslieferwagen umfunktioniert. Endlich konnte man beim Jäger-und-Hase-Spiel quer über die Straße flitzen, von Laterne zu Laterne, ohne von durchfahrenden Autos gestört zu werden.

Dafür hockte man dann zwar, als der Krieg voranschritt, nachts in der ehemaligen Waschküche des dreistöckigen Bürgerhauses, auf Klappbetten, die neben der Wäschemangel in die Wand geschraubt worden waren. Dort im Keller saßen die Hausbewohner nebeneinander aufgereiht, »wie man in der Sauna sitzt«. Geredet wurde wenig. »Ausgesprochen unangenehme Nächte« waren das, wie Dieter Wilde heute erzählt. Er hatte auch Angst, wenn die Fundamente wackelten. »Ich habe oft gedacht, mein Gott, hoffentlich hält das Haus das aus.« Und er war froh, wenn etwas seine Aufmerksamkeit von den Vibrationen der sich nähernden Bomberflotten ablenkte. Wie jener rote Handschuh, mit dem eine Nachbarsfrau ihrem Kind Faxen vormachte und es so wieder beruhigte. An die junge Frau und ihre Bemühungen erinnert Dieter Wilde sich genau. Man war dankbar für jedes bisschen Ablenkung, das einem die Anspannung nahm. Denn ein eigenes Kuscheltier, einen Teddybären, hatte der Junge sich als Bunkerbegleitung versagt. Dafür fühlte Dieter sich zu alt. Dieter war acht Jahre, als in seiner Heimatstadt Berlin 1940 zum ersten Mal Bombenalarm gegeben wurde. Er war zehn, als sich die Angriffe intensivierten. Aber Helden kuscheln nicht.

Da war es wieder, dieses Denken, das der Wirklichkeit trotzte: dass dieser Krieg eine Prüfung war, dass sich ein Mann, auch ein Junge, seiner würdig zu erweisen hatte. »Wir waren ja sozusagen schon kleine Soldaten«, beschreibt Wilde den Erfolg der Indoktrination, die das kindliche Indianerspiel naht- und skrupellos ins Sterben für den nationalsozialistischen Staat überführen wollte. Am Morgen nach einem Angriff suchten die Kinder Granatsplitter der Flakgeschütze, wetteiferten miteinander, den schönsten zu finden. Am meisten galten die, die noch einen kupfernen Führungsring hatten. Wer so einen hatte, der war der Granatsplitterkönig des Tages. So trainierten sich die Kinder selbst zu jenem falschen Heldendenken, am Ende einer Schlacht sei immer das Kriegsgerät in Fetzen und der Menschenkörper ganz.

Solches Denken macht waghalsig. Als die Alliierten ihre Angriffe ab dem Frühjahr 1942 intensivierten, hat sich der dann Zehnjährige einmal während eines Angriffs aus dem Behelfsbunker der Waschküche davongestohlen. Er stellte sich unter den von Bombern beherrschten Himmel. Er wollte endlich sehen, was draußen los war. Wie das aussah, wenn die Flak in rasender Folge jene Granaten, nach deren tauben Resten die Kinder später suchten, gegen die Bäuche der dröhnenden Maschinen schoss. Dieter staunte die schwankenden und kreisenden Lichtfinger der schweren Suchscheinwerfer an, die nach den Bombern tasteten, einzelne Flugzeuge in ihrer gleißenden Aufmerksamkeit festhielten und für die Richtschützen der Flugabwehrkanonen erfassbar und abschätzbar machten. Am Himmel blühten böse kleine Wolkenpilze auf, die Sprengwolken der detonierenden Flakgranaten. Aus den schwerfälligen Bombern trudelten seltsame Scharen kleiner Stifte, sichtbar für den Moment, in dem sie durch die Scheinwerferfinger sausten, wie die Eier eines tödlichen Laichs. Den Jungen hätten Grauen und Angst zerreißen können, aber er schaute nur fasziniert dem Schauspiel der Städtevernichtung zu. »Wenn man die Angst nicht haben will, hat man sie auch einfach nicht«, sagt Dieter Wilde heute und versucht, sich noch einmal in diesen kleinen Jungen von damals mit der enormen Selbstbeherrschung hineinzuversetzen. Hatte er wirklich keine Angst? »Ich war in dieser Zeit älter, als ich es heute in mancher Beziehung bin«, sagt er – das Altsein von damals, das war der Gleichmut gegenüber einem Tod, den man nicht für voll nahm. »Damals waren wir lauter kleine Helden in unseren Parallelwelten.«

Ein Held im Sinn der Hakenkreuzlehrer und Hitlerjugendführer, das war aber nicht nur einer, der dem Tod ins Auge sah. Das war auch einer, der dem Regime zuliebe jede persönliche Bindung hintanstellte und jeden Anstand aufgab – und bereit war, »zum Wohl« des Volkes zu spitzeln und zu denunzieren. Und beinahe hätte auch Dieter Wilde sich auf dieses böse Spiel der Heldenerzieher eingelassen. Zweimal in der Woche musste er sich einem verhassten bürgerlichen Ritual unterziehen. Er musste zum Klavierunterricht. Er empfand ihn als Pein und Qual, und so kam ihm ein sehr volksgenossenhafter Gedanke, als die Lehrerin eines Tages wütete, »dass die in der Regierung alle Verbrecher« seien. War solch eine Äußerung nicht meldepflichtig? Verschwanden Gemeldete nicht von der Bildfläche? Würde der Klavierunterricht dann nicht ausfallen? Dieter fand, dass sich hier Pflicht und Vorteil ideal verbanden. Aber er sprach noch einmal mit seinen Eltern darüber. »Das lass mal schön sein«, geboten die, als er von seinem Vorsatz der Meldung erzählte. Er gehorchte, aber er gab damals nur widerwillig klein bei. Nicht wegen der Fortdauer der Klaviermarter, sondern weil er Schweigen als Schwäche der Eltern sah, als Einknicken vor der Konvention des Anstands. Und Schwäche gehörte nicht in die Welt deutscher Helden. Nur ganz knapp ist er damals vor großer Schuld bewahrt worden, und die beinah Denunzierte hat vielleicht nie geahnt, wie nah sie der Verhaftung war.

Die Schwäche des Anständigseins verdross Dieter. Eine andere Schwäche packte ihn viel elementarer – die Schwäche des Heimwehs. Ein Einzelkind, das sich nach der Mutter sehnte, das war noch kein guter Soldat. Aber als die Kinderlandverschickung im September 1942 auch ihn erfasste, da merkte Dieter, dass zwischen ihm und seiner Mutter in den Jahren der väterlichen Abwesenheit ein festes Band entstanden war, eine Innigkeit, die viel wichtiger war als alle Träume von Tapferkeit. Nach außen versuchte der Junge, den dicken Maxe zu markieren, wie das damals hieß, aber innen drin fraßen Schmerz und Sehnsucht. Tief im Inneren fehlte ihm die Mutter schmerzlichst. Dieter und die anderen aus seiner Klasse waren ins polnische Zakopane befohlen worden. Die Fahrt dorthin, auf der einige von ihnen in den Gepäcknetzen schliefen, mag ihnen noch wie eine abenteuerliche Abwechslung vom Schulalltag vorgekommen sein. Der Aufenthalt in dem Winterkurort wurde aber bald zu einer seelischen Belastungsprobe. Sie lebten in einer Art Ferienlager.

In den Briefen, die Dieter nach Hause schrieb, war in seltsam erwachsener Trockenheit lesen: »Ich bin in die Freizeit-

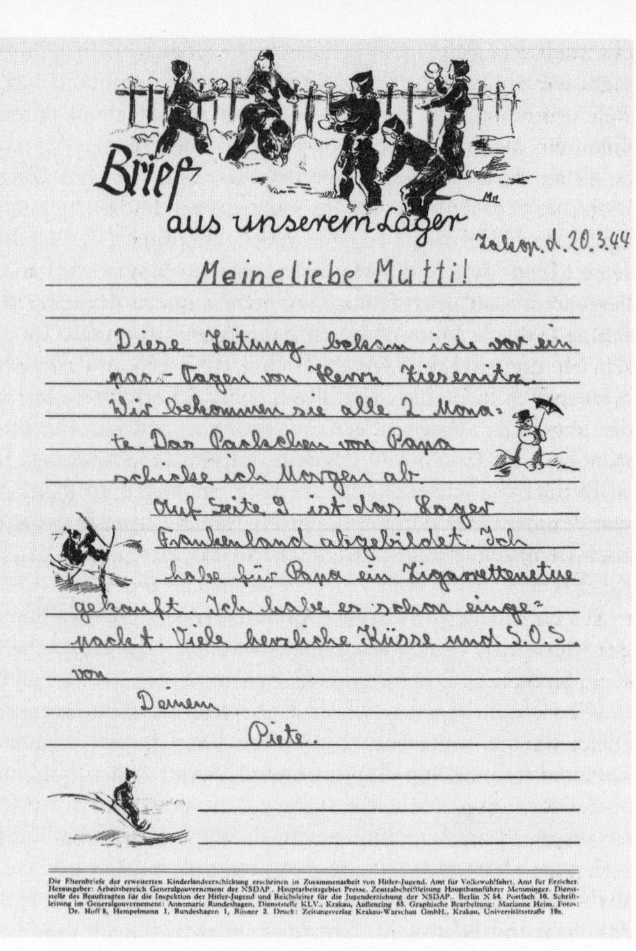

Brief aus unserem Lager

Zakop. d. 20.3.44

Meine liebe Mutti!

Diese Zeitung bekam ich vor ein paa- Tagen von Herrn Tiesenitz. Wir bekommen sie alle 2 Monate. Das Päckchen von Papa schicke ich Morgen ab.

Auf Seite 9 ist das Lager Frankenland abgebildet. Ich habe für Papa ein Zigarettenetue gekauft. Ich habe es schon eingepackt. Viele herzliche Küsse und S.O.S. von

Deinem

Piete.

Die Elternbriefe der erweiterten Kinderlandverschickung erscheinen in Zusammenarbeit von Hitler-Jugend, Amt für Volkswohlfahrt, Amt für Erzieher. Herausgeber: Arbeitsbereich Generalgouvernement der NSDAP., Hauptarbeitsgebiet Presse, Zentralschriftleitung Hauptbannführer Memminger, Dienststelle des Beauftragten für die Inspektion der Hitler-Jugend und Reichsleiter für die Jugenderziehung der NSDAP., Berlin N 54, Postfach 10. Schriftleitung im Generalgouvernement: Annemarie Rundeshagen, Dienststelle KLV., Krakau, Außenring 65. Graphische Bearbeitung: Marianne Heim. Fotos: Dr. Hoff 8, Hempelmann 1, Rundeshagen 1, Rösner 3. Druck: Zeitungsverlag Krakau-Warschau GmbH., Krakau, Universitätsstraße 19a.

Ein Brief an die Eltern: die offizielle Zeitung der Kinderlandverschickung hatte dafür eine Seite reserviert.

gemeinschaft Schwimmen, Bodenturnen und Briefmarkensammeln eingetreten.« Und dann folgte die Ermahnung an die Mutter, ihm doch auch ja die Briefmarken dieser Briefe gut aufzuheben. Dies war der verzweifelte Versuch einer Geheimbotschaft. Denn Dieter wusste, dass der Lagerleiter alle Briefe, die ihm unverschlossen übergeben werden mussten, las und eventuell zensierte. »Es war wie im Gefängnis. Er hat uns gesagt, wir sollen an unsere Eltern denken und nicht irgendwelche dummen Geschichten aus dem Lager erzählen, sondern ihnen ein bisschen Mut machen. Schließlich seien unsere Väter ja an der Front und kämpften für uns.« Darum notierte Dieter seine wahren Gedanken ganz klein und klebte die Briefmarke darüber. »Holt uns hier raus«, stand da. Dieter hoffte, seine Mutter werde die Marken abtrennen, um sie ihm aufzubewahren, und so auf seinen Hilferuf stoßen. Aber der Plan schlug fehl, die Mutter bewahrte die Briefe im Ganzen auf. Sie schrieb gar zurück: »Mach dir keine Sorgen um die Briefmarken. Ich hebe alle deine Briefe auf.« So erfuhr sie nur von der angeblich schönen Zeit in Zakopane und nicht von den ständigen Gedanken ihres Sohnes, ob und wie man von hier wohl flüchten konnte. Doch wohin hätte er laufen sollen? Er war in einem fremden Land, dessen Sprache er nicht verstand, auch wenn es offiziell ein Generalgouvernement des Deutschen Reiches war. Er musste vor seinen Mitschülern vom Aufruhr in seinem Inneren schweigen und schickte als Persönlichstes der Mutter den geheimen familieninternen SOS-Gruß – Schlaf ohne Sirene.

Wie richtig es war, nichts von sich preiszugeben, das erfuhr Dieter bald im Klassenzimmer. Mit »Piete, du bist 'ne Niete« kommentierte der Lehrer das Ergebnis einer Klassenarbeit. Piete, das war ein privater Spitzname, mit dem ihn nur seine Mutter ansprechen durfte. Nun wurde diese kleine Intimität gezielt verletzt. Er hatte gewusst, dass der Staat nichts Privates, nichts Verborgenes dulden wollte, aber er hatte doch versucht, sich das nicht in aller Konsequenz auszumalen. Nun hatte Dieter Wilde den unwiderleglichen Beweis für die Schäbigkeit des Lehrers und Gruppenleiters. »Er hat das Briefgeheimnis gebrochen. Ich weiß noch heute, wie weh mir das tat.«

Solche Verletzungen wurden mit Vorsatz zugefügt. Den Jungen blieb als einzige Abwehrmöglichkeit das, was der Staat sowieso von ihnen erwartete: Sie mussten versuchen, sich abzuhärten. Sich in den Drill zu fügen, ohne in sich hineinzuhorchen. Antreten zum Flaggenhissen gleich nach dem Aufstehen, Ausgabe der Tageslosung, Morgenappell, Frühstückfassen, ab in die Schule: Die Kinder wurden einem straffen Programm unterworfen, ihr Tag wurde durchgeplant. Sie sollten dauernd beschäftigt sein, nur nicht mit ihren Zweifeln und ihrem Kummer.

Ist es Zufall oder logische Folge, dass Dieter Wilde, der studierte Architekt, heute mit einer Motorsäge und Schnitzwerkzeug Baumstämme in Skulpturen verwandelt? »Ich lege das Skelett der Dinge frei«, sagt er. Er hat sich auf eine späte Suche nach dem Kern begeben, nach dem, was unter der Oberfläche steckt.

Damals hat Dieter Wilde sein empfindsames Inneres unter der erwarteten harten Schale verstecken wollen. Mit dem Heldentraum, der Härteste von allen zu werden, hatte er abgeschlossen. »Ich habe schnell gemerkt, dass die, die einen großen Bruder hatten, sich besser auskannten und immer wussten, was zu tun ist.« Aber auch ohne Berater und Helfer wollte er mittun. Er wollte nicht ausscheren aus der Gemeinschaft. Natürlich stellte er sich der Mutprobe nach Karl-May-Manier. »Um unserem Bund beizutreten, musste man vom Dach des Pavillons springen. Drei Schritte Anlauf waren erlaubt. Wer nicht gesprungen ist, wurde ausgeschlossen. Wer sprang, war aufgenommen.« Es war Winter und der Acker vor dem Pavillon gefroren. Der Sprung war hart, der Beitritt zu einer deutsche Gemeinschaft nicht ohne Schmerz zu haben. Ein letztes Ritual musste noch absolviert werden, um ganz dazuzugehören. Die Jungs ritzten sich die Haut auf, sammelten ihr Blut in einer Muschel und vermengten es und schworen, für immer zusammenzubleiben. Sie hielten das vielleicht für Rebellion und Selbstbehauptung. Der Staat sah darin eine willkommene Aufhebung des Individuums, die Überführung des Ich in die soldatische Gemeinschaft, in die bedingungslos gehorchende taktische Einheit.

Doch der im Geheimen beschworene Gemeinschaftsgeist konnte nicht über das Auseinanderfallen der Ordnung hinwegtäuschen. Fünfmal zog der Trupp der Kinderlandverschickten gegen Kriegsende um, immer vor der näher rückenden Ostfront davon. Dabei war geplant, dass sie demnächst Teil dieser Front werden sollten. In einer Kaserne im tsche-

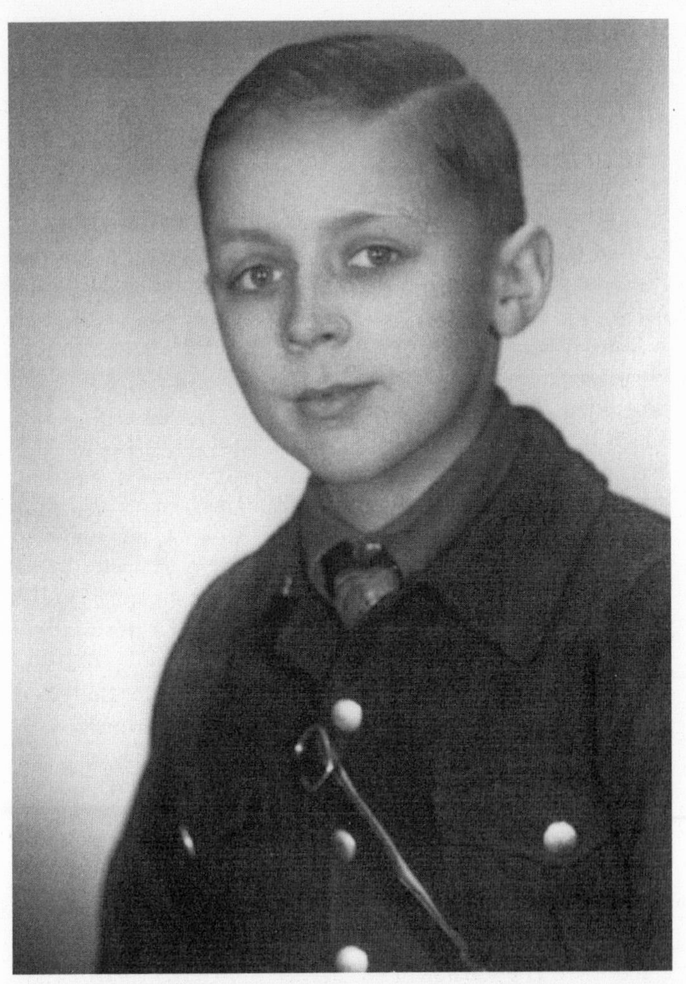

Dieter Wilde war zehn Jahre alt, als er im Rahmen der Kinderlandverschickung nach Zakopane kam.

chischen Písek lernten sie das Schießen mit Karabinern und den Umgang mit Panzerfäusten. Letztere wurden nicht wirklich abgefeuert, denn die Munition war knapp. Die echten Schüsse sollten echten Panzern gelten. Dieter Wilde war zu diesem Zeitpunkt zwölfeinhalb Jahre alt. Im Schnelldurchgang sollten Tausendsassas aus den Jungs werden, milchbärtige Wunderwaffen des Führers. Schwimmen lernten sie auch noch auf diesem Rückzug, noch schneller als schießen. Sie wurden ins Wasser gestoßen, mit der barschen Anweisung: »Luft anhalten und die richtigen Bewegungen machen.«

Einen einzelnen Karton und ein Stück Schnur hatte der Lehrer für jeden Schützling für die Flucht, die nur Verlegung heißen durfte, organisiert. Daraus hatten die Kinder unter seiner Anleitung Tornister gebaut, sie mit Decken umwickelt und je zwei Unterhosen und Unterhemden samt Socken hineingepackt. So marschierten sie, heim in ein Reich, das einen Endkampf von ihnen verlangen würde. Mit diesen fadenscheinigen Nottornistern als Gepäck sangen sie keines ihrer Marschlieder mehr. Die Helden wurden stiller. Sie spürten, dass sie nicht mehr waren als Laienschauspieler in einer blutigen Posse.

Über dieses Versteckspiel mit der Wirklichkeit erfuhren sie noch mehr, als der Lehrer ihnen die Mitfahrgelegenheit in einem Zug organisierte. Der war ein rollendes Notlazarett und transportierte Verwundete von der Ostfront zurück nach Hause. Platz war zwischen den Versehrten, Verstümmelten, innerlich und äußerlich Verwüsteten kaum. Die Kinder drängten sich irgendwo in den Gängen in Zwischenräume zwischen die Soldaten. So erfuhren sie ein wenig von dem, was der Krieg wirklich war. Dieter lag schließlich mit einem Verwundeten in einem Bett. Die Illusionen der naivsten Jungen zerplatzten angesichts der Realität der grausam Verstümmelten. Aber die Haltung der Veteranen erfasste die Kinder: Nichts wie weg von hier.

Doch Indoktrination löst sich nicht über Nacht vollkommen aus den Herzen und Köpfen. Die Kinder waren beunruhigt, aber als die Welt um sie herum wieder vertrauter wurde, klammerten auch sie sich wieder an die eingeübten Denkmuster. In

St. Johann in Österreich war erst einmal Endstation. Die letzten organisierten Strukturen lösten sich auf. Berlin war gefallen, das Reich hatte kapituliert, der Zug stand still. Die Jungs hätten sich als Befreite fühlen können. Doch nun spürten sie so etwas wie den Eintritt in eine Phase des schrankenlosen Abenteuers. Die Gemeinschaft war nicht mehr ihr Tyrann. Sie schienen die berufenen Wächter dieser Gemeinschaft. »Wir waren natürlich der Meinung, dass wir jetzt Gewehre bekommen würden, um St. Johann zu verteidigen.« Wofür hatten sie denn sonst noch den Umgang mit der Waffe gelernt? Als St. Johann kampflos übergeben wurde, verstanden sie die Welt nicht mehr. Sie fühlten sich in ihrer Opferbereitschaft übergangen. »Was sind das für feige Hunde«, ging ihnen durch den Kopf. Hatte das Radio nicht verkündet, »dass unsere Wehrmacht tagelang um Berlin gekämpft hatte«? Wenn es Frieden geben sollte, dann mit einem riesigen Knall, als Ergebnis eines Kampfes, in dem sie persönlich siegen oder untergehen würden.

Aber der Frieden kam auf leisen Sohlen. Auf Kreppsohlen, wie sie verwundert feststellten. In Gestalt von Menschen, die ihnen eher wie Zivilisten in Uniform denn wie Soldaten erschienen, die zu ihrem guten Schuhwerk auch noch Strümpfe statt Lumpen trugen, akkurat gebügelte Hemden und blitzsaubere T-Shirts. Und die Schokolade in der Tasche hatten. Obendrein besaßen die neuen Herren so viel zu essen, »dass immer etwas übrig war«. Wie sollten die Hetzgeschichten über die Alliierten vor dem Hunger bestehen? Und wie vor der neuen Musik? Die Band, die in St. Johann spielte, klang überhaupt nicht nach Marschmusik, sondern aufregend neu und unbekannt. Der Mann am Schlagzeug spielte Jazz.

Aber das Leben bekam auch in anderen Bereichen einen neuen Rhythmus und neue Regeln. Den Hitlergruß unterdrückten sie nicht aus Einsicht, sondern weil er nicht mehr opportun war. Und ihre feste Überzeugung, dass sie den Krieg nur verloren hatten, weil ihr Land die weniger guten Waffen gehabt hatte, wollten sie jetzt nicht in Frage stellen.

Auch Dieter Wilde verschob die grundsätzlichen Gedanken auf später. Seine Mutter hatte sich aus der Reichshauptstadt

Berlin rechtzeitig nach Franken retten können. Nach Lauf, einem kleinen Städtchen bei Nürnberg, war sie mit der Firma umgezogen, in der sie dienstverpflichtet worden war. Mit einer Fahrkarte war sein Wunsch, zu seiner Mutter zurückzukommen, in greifbare Nähe gerückt. In Nürnberg hatte er einen Tag Aufenthalt bis zur Weiterfahrt. Er erkannte nicht wieder, was er sah. Die Stadt der Reichsparteitage hatte ihr Gesicht verloren. Die Altstadt Nürnbergs war zu 95 Prozent zerstört. »Die schönen alten Fachwerkhäuser lagen in Trümmern. Von den Kirchen waren nur ein paar gotische Finger übrig.« Die ragten in den Himmel und griffen ins Leere wie versteinerte Karikaturen der Flakscheinwerferstrahlen. »Es war ein Schock, dass es so schlimm war.« Überall war nur Zerstörung, wohin er auch blickte. »Diese Stunden, in denen ich ganz auf mich alleine gestellt war, haben sich mir eingeprägt. Das ist mir nie mehr aus dem Kopf gegangen.« Dies, erkannte er, blieb übrig, wenn der Jungentraum vom Soldatsein entfesselt wurde: Trümmer, eine Wüstenei, eine ausgelöschte Stadt. Einen Tag lang stolperte er ohne Begleitung durch das von 13 807 Bombentonnen zerstörte Nürnberg. Dass hier 6500 Menschen von ursprünglich 420 000 Einwohnern gestorben waren, erfuhr er erst später. Mit allem, was er sah, musste er alleine fertig werden. Da war niemand, mit dem er reden konnte. Aber dieser Tag des Grauens gab seinem Leben auch einen neuen Sinn. Dieter Wilde wurde Architekt, er wollte von nun an aufbauen, nicht zerstören.

4. Leben mit der Bombe

Wer Bilder aus dem zerbombten Deutschland sieht, erschrickt selbst dann, wenn er die irrige Hoffnung der Alliierten versteht, so ließe sich die mörderische Diktatur so schnell wie möglich funktionsunfähig machen. Denn er sieht Kinder, die an der Hand ihrer Mütter aus halb zerstörten Hausfluren treten, und oft auch vom Entsetzen verzerrte Gesichtszüge. Menschen, deren Verwirrung und Schockzustand auf das schließen lässt, was auf sie niedergegangen sein muss. Zur Sozialisation der Kriegskinder gehörten Drill und Schrecken in den Bombennächten wie zur modernen Friedenskindheit der Gameboy und das Kinderprogramm im Fernsehen. Wer in den Städten aufwuchs, lernte bald, dass es überlebenswichtig war, die Wohnung akribisch zu verdunkeln und beim Sirenengeheul in Sekundenschnelle angezogen zu sein. Dem wird noch heute kalt in den Knochen, wenn der routinemäßige Probealarm des Katastrophenschutzes ertönt.

Der Krieg hat die Kinder in kurzer Zeit zu Profis des Schreckens erzogen. Sie kannten sich aus mit Begriffen wie Luftmine, Gabelschwanzjäger, Spreng- und Phosphorbombe und Fliegende Festung, so wie Kinder von heute Marken und Produkte kennen. Sie wussten, dass Luftminen erst mit Verzögerung zündeten, nachdem sie in ihr Ziel eingeschlagen hatten. Sie hatten gelernt, dass der so genannte »Wohnblockknacker« aufgrund seiner Druckwelle enorme zerstörerische Wirkung hatte. Sie wussten aber auch, dass nach der Explosion das Feuer kam; dass Stabbrand- und Flammstrahlbombe ähnlich wie die Phosphorbombe Brandflüssigkeiten in die Atmosphäre und in die Häuser katapultierten, die mit Wasser nicht zu löschen waren. Die Handhabung von Flugabwehrgeschützen wie der von Krupp entwickelten 8,8cm-Kanone, von allen nur Acht-acht genannt, brachte man ihnen früh bei.

Umgekehrt haben sie beim ersten Sirenenton funktioniert wie in Trance. Sie haben sich mechanisch und schlaftrunken, aber eilig angezogen und sind auf ihre Posten gestürmt, in die Keller oder Bunker. Wenn sie Glück hatten, aber das hatten sie nicht immer, war ihre Familie bei ihnen, war da eine mütterliche Hand als rettender Anker. Manchmal saßen sie unter zitternden Fremden in der von den Ausdünstungen menschlicher Angst gesättigten Dunkelheit.

Sie lernten viel in diesen Bunkerstunden. Von da an wussten sie, dass ihnen in der größten Not niemand beistehen konnte. Sie hatten ihre Eltern weinen sehen, hatten die hysterischen Schreie der Erwachsenen gehört – manche haben, wie ein zehnjähriger Junge aus Heilbronn, über Nacht schneeweiße Haare bekommen. Wer kann ermessen, was in dem Mädchen vorging, das nach einer Luftminenexplosion, aufgespießt auf einen Ast, ein Stück Leber seiner Freundin entdecken musste? Ein Leben lang begleiteten sie solche Bilder. Und die blieben kein Spuk im Kopf. Denn »der Körper vergisst nicht«, sagt die 1938 geborene Bielefelder Trauma-Therapeutin Luise Reddemann. Er warte nur auf eine Gelegenheit, sich zu äußern. Und so verwundert es auch nicht, dass nach Beobachtungen von Therapeuten immer mehr Menschen, die zur Generation der Kriegskinder gehören, unter Schmerzsymptomen leiden, die keine körperliche Ursache haben.

Luise Reddemann wie auch der emeritierte Geronto-Psychiater Hartmut Radebold sind in ihrer Arbeit dazu übergegangen, Patienten danach zu fragen, ob sie Bombardierung, Flucht oder Vertreibung erlebt haben. Sie fragen nach den Eltern und der Trennung von der väterlichen Bezugsperson. Solche Lebenskoordinaten gehören für die beiden Experten inzwischen zur Vorgeschichte ihrer Klienten, ohne die deren Beschwerden nicht zu verstehen sind. Denn der Körper wartet mit seinen Reaktionen auf erfahrenes Leid manchmal ein halbes Leben.

Damals haben die Kinder am Tag nach ihren fürchterlichen Erlebnissen im Spiel Bomben- und Granatsplitter eingesammelt, als hätten sie nichts Leidvolles erlebt. Das Leben ging weiter und brauchte Normalität. Die gaben sie ihm. Auf der Straße und in ihren Briefen. Wenn die Schrecken des Krieges schon zum Alltag gehörten in Berlin, Hamburg, Hannover, Leipzig, Essen und Dresden, wenn man sich ohne sie kein Leben mehr vorstellen konnte, dann musste man auch versuchen, sie als Alltag zu banalisieren. Dann sollten sie nicht bedeutungsvoller erscheinen als beschmutzte Kleidung oder der Wechsel der Jahreszeiten. So wie im Brief der achtjährigen Hannelore Balser an ihren Vater:

Dienstag, den 24.4.44

Lieber Papa!
Heute tut's immer wieder einen schucker regnen, ich und der Helmut wir sind unterwegs gewesen und dann sind wir ganz naß geworden. Und der Helmut hat eine verschmierte Hose gehabt. Heute morgen war es Fliegeralarm gewesen und die Mutter war nich zu Hause, dann hat Helmut geweint, dann bin ich aus dem Bett und hab in angezogen ich habe nicht gewist ob es recht Alarm war weil ich hab von der Sirene bloß den schwantz gehört. Das Gras auf der Wiese, das ist schon so grün.

Viele grüße von deiner bopps

Ausnahmezustand

Nur die Erinnerung an den Abschied ist geblieben. Weder Fotografie noch hastig gerettetes Medaillon. Nur das Bild im Kopf. Das hat sich einem Jungen, noch keine acht Jahre alt, eingeprägt, der in der Aussegnungshalle des Friedhofs stand und nicht wusste, wie ihm geschah. Im Sarg vor ihm lag seine tote Mutter. Doch das verbliebene Bild ist unvollständig. »Ich kann mich heute nicht mehr richtig an ihr Gesicht erinnern«, sagt Wolfgang Lose und kämpft mit den Tränen. Die Lücke schmerzt. Woran die Mutter gestorben ist? Er hat nicht einmal das je erfahren. Damals hat er nur begriffen, dass sie ihn völlig allein zurückgelassen hatte und alles noch viel schlimmer werden sollte. Als sie krank geworden und zur Kur geschickt worden war, hatte Wolfgang Lose schon einen Vorgeschmack dessen erhalten, was auf ihn zukommen sollte.

Für einige Zeit war er ins Kinderheim nach Ulm verfrachtet worden. Dort schlief man in großen Sälen und aß an riesigen Tischen, stets in der Gruppe. »Wenn man beim Essen den Löffel nicht richtig hielt, war die Mahlzeit beendet«, erzählt der heute Neunundsechzigjährige. Und gebadet wurde mit anderen Kindern zusammen in einer vier Meter langen Wanne. Wem Seife in den Augen brannte und wer darum zappelte, den tunkte die Dienst habende Schwester erst recht unter. Der pensionierte Ingenieur erinnert sich genau an das, was naiven Beobachtern wie ein Spaß vorkommen mochte. »Einmal bin ich schier ersoffen. Ich hatte solche Angst, dass ich mich ganz oft ums Baden gedrückt hab.«

Vom Vater war keine Erlösung zu erwarten. Der war im Krieg, den gab es eigentlich nur in den Erzählungen der Mutter. Die aber war todkrank und seine ältere Schwester, die einzige Vertraute, irgendwo bei Verwandten untergebracht. Im Kinderheim verstand niemand, dass hier ein Junge ums seelische Überleben kämpfte, der aller Geborgenheit beraubt war. Oft stand der Erstklässler am hohen Eisenzaun, der sein Gefängnis umschloss, und wartete verzweifelt auf Besuch. »Aber es ist keiner gekommen.«

Es kam auch niemand, als die Mutter gestorben war. Das war 1942 und der Vater war noch immer bei den Soldaten. Für kurze Zeit wurde Wolfgang bei einer Tante untergebracht, dann wieder ins Heim abgeschoben, bis ihn schließlich die Familie des Großvaters väterlicherseits zu sich nahm. Heute hat Wolfgang Lose eine erwachsene Erklärung für die Bitterkeit des alten Mannes, die ihn damals erschreckte: Der alte Arbeiter war wohl ein Hitlergegner, an dem das Emporkommen der Nationalsozialisten und die eigene Machtlosigkeit dagegen fraßen. Damals konnte Wolfgang nur wahrnehmen, dass der

Großvater sich auf Kinderseelen noch weniger verstand als das Heimpersonal.

Der Junge konnte zu dieser Zeit nur einschlafen, wenn das Licht an war. Seine Tante aber drehte das Licht Abend für Abend streng wieder aus. Man hatte nicht viel Geld. Und Strom war kostbar. Wolfgang verfolgten im Dunkeln die Bilder der aufgebahrten Mutter. Sie raubten ihm den Schlaf. Niemand spendete ihm Trost. »Ich hatte das Gefühl, bei Fremden zu sein«, beschreibt er sein Nicht-Zuhause. Heute kann Wolfgang Lose vieles entschuldigen. Er sagt sich, dass die Zeiten schlecht waren und er als zusätzlicher Esser im Arbeiterhaushalt eine große Belastung. Aber damals hat seine Seele gelitten. Das Kind konnte sich die Beweggründe der Erwachsenen für ihr Handeln nicht erklären. Wolfgang hatte das Gefühl, ein dunkler Schleier liege über seinem Leben.

In seiner Familie fanden Groß und Klein keinen Weg, sich zu verständigen. Stattdessen fanden sie ungewollt immer neue Wege, einander zu verletzen. Einmal hatte Wolfgang das Rollo in seiner Schlafkammer unterm Dach nicht ganz bis zum Anschlag heruntergezogen. Ein kleiner Spalt Licht blieb. Am nächsten Tag nahm man den Großvater mit, weil er gegen die Verdunkelungspflicht verstoßen hatte. Ein andermal bekam der Enkel in der Schule einen kleinen Karton mit einer Fleißprämie geschenkt. »Den hab ich freudestrahlend mit nach Hause gebracht.« Die Freude verflog schnell. Denn aus der Verpackung kamen Ausschneidebögen für kleine Kriegsschiffe aus Papier, mit denen man »Schiffe versenken« spielen konnte. Der Großvater zerriss das Geschenk und schrie: »Mit Krieg wollen wir nichts zu tun haben!« Die vierziger Jahre hatten begonnen. Deutschland hatte in kürzester Zeit sein Territorium durch Angriffskriege wie den gegen Polen vergrößert und gierte ganz offensichtlich nach mehr. Bald würde auch der Enkel wissen, welches Grauen der alte Mann fürchtete. Aber vorerst sah er nur, wie der Beweis vernichtet wurde, dass auch er etwas vorstellte in der Welt.

Als der Krieg mit aller Macht nach Ulm kam, war er nicht aus Papier. Die Signale der Sirenen waren seine Erkennungszeichen. Dafür zuständig war der Luftschutzwarndienst, der im Deutschen Reich einheitlich organisiert war. Voralarm, Vollalarm und Entwarnung hießen die Gefahrenlagen. Während der ersten Stufe, dem Voralarm, heulten drei gleich bleibend gleich lange Töne. Die Menschen bereiteten sich währenddessen auf den Aufenthalt im Bunker vor. Wenn die Sirenen abheulende Signale gaben, bedeutete das Vollalarm. Die feindlichen Flugzeuge waren dann keine 300 Kilometer mehr vom Warnort entfernt. Die Zivilbevölkerung verbrachte den Vollalarm in den Schutzräumen – oft mehrere Stunden. Entwarnung war, wenn ein gleich bleibender, lang gezogener Sirenenton gegeben wurde.

Die Sirenen vernahm Wolfgang mit Schrecken, den Ärger des Großvaters aber verstand er da noch nicht, wenn er Erfolgsmeldungen im Radio hörte, die wie Treffermeldungen beim »Schiffe versenken« klangen. »Schiffe versenken«, das spielte er doch auch. »Dann war das wohl eine ganz normale Sache.« Der Krieg, ein Erwachsenenspiel.

Diese Illusion vom folgenlosen Abenteuer der Erwachsenen hielt der unmittelbaren Begegnung mit dem Krieg nicht stand. 1941, als Wolfgangs Mutter noch gelebt hatte, hatte sich die Gefahr für Ulm mit elf glimpflich abgelaufenen Fliegeralarmen noch in Grenzen gehalten. 1942 stieg die Zahl auf 19. Aber noch immer blieb die Münsterstadt von Zerstörung verschont. Die setzte jedoch mit dem Frühjahr 1944 ein. Es muss der Angriff vom 9. August 1944 gewesen sein, der für Wolfgang die Wende brachte. Ganz in der Nähe, im Blautal und in der Weststadt, fielen Bomben. Um 10.07 Uhr hatten die Sirenen geheult. Eine Stunde später warfen 30 unter starkem Jagdschutz in zwei Wellen anfliegende Bomberformationen 210 Sprengbomben zu je 226 Kilo und ein Vielfaches an Brandbomben ab. »Da hab ich mitgekriegt, was Krieg bedeutet.« Wo die Bomben ihr Ziel gefunden hatten, standen nur noch Reste von Häusern. Auf einem Grünstreifen lagen Leichen. Die Helfer hatten sie bereits mit Tüchern zugedeckt. Aber die menschlichen Körper zeichneten sich ab unter dem Stoff, und Füße standen über den Deckenrand hervor. Wolfgang war klar, dass diese reglosen Wesen ein paar Stunden zuvor noch gelebt hatten. Dieser Übergang in den Tod hatte für Wolfgang keine Logik, aber einen Geruch – einen ganz eigenartigen Brandgeruch. Fassungslos, ohne sich eingestehen zu wollen, dass er verbrannte Menschen roch, studierte er die Szene.

Die kindliche Neugierde unterscheidet nicht zwischen Leben und Tod. Sie kennt erst einmal keinen pietätvollen Respekt vor den Toten, allenfalls Schauder. Wolfgang sog so lange Details und Einzelheiten dieses neu entdeckten Menschseins, dieses reglosen Zustands des Nicht-mehr-Lebens, in sich auf, bis ihn die Erwachsenen bemerkten. Mit »Geh weg, das ist nichts für dich« schickten ihn die fremden Helfer fort. Aber Wolfgang Lose hatte gesehen, was ihm nicht mehr aus dem Kopf gehen wollte. »Von nun an habe ich immer ganz genau zugehört, was im Volksempfänger gemeldet wurde.« Er versuchte, das große Wort vom Krieg, der sich an diesem Nachmittag seinem unmittelbaren Lebensradius genähert hatte, mit Inhalt zu füllen. Denn diese Toten waren nicht einfach Wörter auf Papier oder umgefallene Zinnsoldaten gewesen.

Dieser Krieg vor der Haustür war anders als die Erfolgsmeldungen, die aus dem Lautsprecher des Volksempfängers kamen. Der Krieg dort war weit weg. Umgekehrt hörte Wolfgang kein Wort im Radio über das, was er gesehen hatte. Und auch die Erwachsenen wollten von seinen Erlebnissen nichts wissen. Es setzte Schelte, weil er am falschen Ort gespielt hatte. Ein knapp Zehnjähriger hatte soeben die Opfer eines Bomberangriffs gesehen, doch niemand nahm ihn in den Arm, tröstete ihn, versuchte ihm durch Zuhören dabei zu helfen, die Bilder zu benennen und so zu bannen. Von Wolfgang wurde erwartet, dass er als seelisches Stehaufmännchen am nächsten Tag weiter funktionieren würde. Zum Schrecken des Erlebten kamen als einzige Reaktion der Erwachsenen ihre Vorwürfe, dass Wolfgang gesehen hatte, was er nicht hätte sehen dürfen.

Dieser andere Krieg, der kein Kästchenspiel war, wurde bald fester Bestandteil seines Lebens. Der öffentliche Bunker in einigen hundert Meter Entfernung wurde der dauernde Fluchtort von Wolfgangs Familie. Dort drängten sich Menschen aus der unmittelbaren Nachbarschaft und auch solche, die er noch nie gesehen hatte. Denn der in einen Hang gebaute Bunker war besonders geräumig und galt als besonders sicher. Wer heil dort angekommen war, suchte sich einen Platz auf harten Bänken – der Standardeinrichtung der Gemeinschaftsschutzräume. Die beiden Säcke mit der Kleidung der Oma, der Tante und des inzwischen geborenen Kleinkinds zu tragen, war immer Wolfgang Aufgabe. Für ihn selbst, erinnert sich Wolfgang, war nie etwas zum Anziehen mit dabei. Diese klare Prioritätensetzung beim Notvorratpacken machte ihm permanent klar, wie lästig er allen war. Mitten in der Schutz suchenden Familie blieb er einsam und stellte sich bittere Frage: Würden sie mich überhaupt vermissen, wenn mir jetzt etwas zustieße?

Die Häufigkeit der Alarme nahm zu. Immer öfter musste die Familie nachts aufstehen und hinaus in den Bunker. Auch das ist eine Auswirkung des Krieges: der nicht enden wollende Kampf gegen die Mattigkeit. »Wenn man um drei, vier oder fünf Uhr morgens heimgekommen ist, war man hundemüde.« Selbst die Erinnerung an das Dröhnen der Bombardements hinderte das Kind dann nicht mehr am Schlafen. Denn auf der harten, lehnenlosen Bank des Bunkers war in den Stunden vorher trotz aller Erschöpfung an Schlaf nicht zu denken gewesen.

Dass die Überflüge und gelegentlichen Bombenabwürfe nur ein Vorspiel gewesen waren, ein bloßer Akt psychologischer Zermürbung, erfuhren die Einwohner der Münsterstadt am 17. Dezember 1944, dem dritten Adventssonntag, beim ersten großen Angriff, der ihre physische Vernichtung bezweckte. Um 19.05 Uhr wurde Luftalarm gegeben. In drei Wellen fielen die Bomben zwischen 19.30 und 19.49 Uhr. Der Unterschied zu den vorherigen Angriffen war auch im Bunker sofort zu bemerken. So laut hatte noch kein Angriff zuvor getobt. Danach zählten die Ulmer 707 Tote und 613 Verwundete. Die Stadt war zu 40 Prozent zerstört. Die unglaubliche Phonstärke der Detonation trieb an diesem Winterabend die Furcht in jede Verästelung von Wolfgangs Körper. Beim Blick auf jene kleine Schicht Menschenwerk, die zwischen ihm und dem Tod lag. Der Angriff kam ihm damals endlos lang vor. Eine Stunde, so schätzt er ihn heute. Doch darauf folgte noch das bange Warten, bis die Sirenen Entwarnung meldeten. Die Bunkerdecke hatte gehalten. Aber was war mit dem eigenen Haus geschehen? Hatte man noch ein Dach über dem Kopf? Oder zählte

Seit 1940 waren im Rahmen des Bunkerprogramms überall im Deutschen Reich Schutzräume errichtet worden.

man zu den Obdachlosen, den Ausgebombten, den auf einen Schlag Verarmten, die nur noch besaßen, was sie mit in den Keller geschleppt hatten?

Die Hälfte des Eisenbahnerhäuschens, das Wolfgangs Familie bewohnte, war tatsächlich getroffen worden. Der Dachstock, in dem auch Wolfgangs Zimmer lag, brannte an mehreren Stellen. Der Großvater und der Schwager, auf Urlaub in Ulm, versuchten zu löschen. Zuerst vergeblich. Wasser blieb wirkungslos, denn Teile einer Phosphorbombe hatten Wolfgangs Schlafkammer in Brand gesteckt. Der Junge musste eilends schwere Eimer voller Sand in den dritten Stock schleppen, damit die Erwachsenen die Flammen ersticken konnten. Erst als der Sand allen Phosphor vom Sauerstoff abgeschnitten hatte, kam der Junge dazu, die Umgebung jenseits des eigenen Zuhauses wahrzunehmen. »Erst dann habe ich gesehen, was passiert ist.« Es war die Fortsetzung des Schadens, den seine Familie erlitten hatte, Gebäude um Gebäude, in größeren Dimensionen. »Die Häuser ringsum brannten lichterloh.« Das eigene Zuhause war glimpflich davongekommen, hatte nur eine einzelne kleine Stabbrandbombe abbekommen. Ringsum loderten die Volltreffer, brannten Häuser, in denen sich gleich mehrere der Brandbomben entzündet hatten und wo sich nun die Flammenherde aufeinander zufraßen.

In dieser Situation dachte niemand daran, man müsse den Jungen nach Möglichkeit vor dem Anblick der brennenden Stadt schützen, ihn so gut wie möglich vor dem Eindruck zusammenbrechender Zivilisation und Sicherheit bewahren. Im Gegenteil, der Junge wurde als belastbarer eingeschätzt. Als einer, dem sowieso noch nichts gehörte und den der Verlust also unmöglich so schwer wie die Erwachsenen treffen konnte. Wie sonst wäre der Auftrag zu erklären, den er nun erteilt bekam?

Eine Nachbarin, Zufluchtsuchende im selben Schutzraum, war noch nicht zu ihrem Haus zurückgekehrt. Sie war bei Wolfgangs Familie geblieben, weil sie Angst hatte vor dem, was da ein paar Straßen weiter auf sie warten könnte. Also schickte sie Wolfgang auf Erkundung.

Anspannung und Ratlosigkeit in Bewegung umsetzen zu

können, das erschien dem Jungen eher als Befreiung denn als Risiko. Er lief los, und eine Weile versuchte er, sich einfach durch Bewegung, durch den Glauben an das Ziel, von der Umgebung abzuheben. Als sei er dann gar nicht erreichbar für die Flammen, die überall emporschossen, und für die Balken, Backsteine und Ziegel, die von den Häusern fielen. Aber er schaffte es nicht zum Haus der Nachbarin. »Heute weiß ich, dass es viele Tote gegeben hat«, sagt Wolfgang Lose, »aber das habe ich als Kind gar nicht bemerkt. Ich hab nur die beschädigten Häuser gesehen.« Irgendwann war diese Welt aufgeweichten Asphalts kaum noch Stadt und fast nur noch Brand. Wolfgang war hier eigentlich auf seinem Schulweg, aber die Häuser, an denen er jeden Tag vorbeigelaufen war, standen nicht mehr oder sie wurden gerade zerfressen und ausgehöhlt von den meterhohen Flammen, die aus Fenstern und Türen loderten. Als knapp vor ihm eine ganze Hausflanke barst und in Trümmern auf die Straße krachte, war ihm klar, dass es nicht mehr voranging. Angst hatte jeden Rest Zuversicht ausgetrieben. »So schnell«, sagt Wolfgang Lose, »war ich noch nie und bin ich nie mehr gerannt.« Ihm war etwas aufgegangen: Wo sich eine Stadt auflösen konnte, da war das eigene Leben so wenig wert wie eine der Rußflocken, die im sengenden Wind der sich Luft herbeisaugenden Brände schwirrten.

Diesen Gedanken behielt er für sich. Denn der Großvater versteckte seine Angst hinter Härte und machte nicht die Nachbarin, sondern Wolfgang für das waghalsige Unternehmen verantwortlich. Und versetzte dem Jungen beinahe Schläge auf offener Straße. Dass sich hinter diesem Wutausbruch die Sorge verbarg, begriff Wolfgang damals nicht. Für ihn waren Wut und Drohung nur eine weitere Zerstörung in einer zerfallenden Welt. Das Schicksal hatte zwei Menschen aneinander geschweißt, die auch im Angesicht des Todes keine gemeinsame Sprache fanden.

Ans Reden glaubte Wolfgangs Familie nicht mehr. Ihre Energien konzentrierten sie aufs Praktische und vorerst Bewältigbare. Viele Dachziegel waren aus der Verankerung gerissen und die Fensterscheiben in den Kammern unterm Dach zerborsten. Mit Drahtglas konnten zumindest die Fenster wieder notdürftig repariert werden. Aufgrund der Löcher im Dach blieb es trotzdem bitterkalt. Die Familie behalf sich mit Wärmflaschen, die die Betten ein bisschen aufheizten, bevor die Menschen schlotternd, bei Temperaturen um den Gefrierpunkt, unter die Decken schlüpften und zu schlafen versuchten – bis zum nächsten Alarm.

Das Weihnachtsfest 1944 stand unter einem bösen Stern. Die Wohnung war noch nicht wieder ganz repariert, der Lebensmut nahe null. Aber es gab noch einen Tannenbaum in der guten Stube, den Versuch, einen Anschein von Normalität zu wahren. Nach wie vor durften die anderen nur an Weihnachten diesen Rückzugsraum des Familienoberhauptes betreten. Der Heilige Abend sollte eine kurze Auszeit vom Kriegsalltag sein. Gerade weil dieser Illusionsversuch bei den Kindern Wirkung zeigte, erhofften die sich trotz der großen Notlage auch ein Geschenk zum Christfest.

»Ich stand mit Doris, meiner Cousine, ganz vorne und hab genau geguckt«, erklärt Wolfgang Lose die Kriegsweihnacht. Aber es lag kein Spielzeug unter dem Baum. Nur ein paar Strümpfe von der Sorte, die man, an ein Leibchen geknöpft, zu kurzen Hosen trug. »Die gingen immer kaputt, und ich musste sie unter der strengen Aufsicht meiner Tante selber stopfen«, erinnert sich der Pensionär und Witwer, einer von denen, die ganz selbstverständlich noch nach ihrem frühen Drill überall und jederzeit Ordnung halten. Aber auch für einen wie ihn stellten diese praktischen, nötigen Wollstrümpfe keine Freude dar. »Da lag kein Spielzeug und dann sollte ich auch noch singen.« Die Enttäuschung schnürte ihm die Kehle zu. Die Nerven müssen blank gelegen haben bei den Erwachsenen in diesen Tagen. Denn dass das Kind nun einfach nicht mehr singen konnte und wollte, wurde ihm als empörende Bockigkeit ausgelegt. Und für die setzte es umgehend Prügel. Dieses Geschenk hat Wolfgang Lose nie vergessen. »Vor dem Weihnachtsbaum habe ich Schläge bekommen.« Das war das Schlimmste an diesem Fest, dass Großvater und Enkel nicht einmal für ein paar Stunden privaten Frieden schließen konnten.

Doch das Leben musste weitergehen, ungeachtet der Explosionen von Bomben und der Implosionen kindlicher Hoffnungen. Wolfgang hatte seine Aufgaben. Wer Geld kostete, sollte arbeiten. Er tat das nicht ungern. Denn es gab immer etwas zu entdecken in den abseits gelegenen drei Kleingärten, mit denen die Städter versuchten, die Familie durchzubringen. In einem davon standen kleine Ställe für Hühner und Hasen. Hin und wieder kam von hier auch etwas Fleisch auf den Tisch. Im Hasenstall machte Wolfgang eines Tages eine gefährliche Entdeckung. Eine verstreute kleine Bombe, ein Blindgänger, hatte den Verschlag getroffen und steckte nun zwischen Stroh und Holz. Um Himmels willen, nicht anfassen!, lautete das immer wieder eingeschärfte Gebot der Erwachsenen für solche brisanten Funde. »Alles, was vom Himmel gefallen war, egal was, durfte man nicht anfassen und sollte man sofort melden.« Noch heute kennt der Neunundsechzigjährige die Maßregel seiner Kindheit.

Er wusste natürlich auch damals ganz genau, wie streng verboten das war, was er jetzt tat. Es kann in ihm keinen Zweifel über die Gefahr gegeben haben. Aber er war doch unbeobachtet. Und was sollte schon passieren, wenn er umsichtig vorging? Wolfgang erstattete keine Meldung. Er bastelte sich eine Schlinge, legte sie vorsichtig um die Bombe. Dann verkroch er sich ins hinterste Eck des Stalles und zog vorsichtig an Seil und Bombe. Nichts tat sich. Er zog fester, er setzte sein Gewicht gegen die festgeklemmte Brandbombe. Die Schlinge rutschte ab. Wolfgang musste heraus aus seinem Versteck, wieder heran an den Blindgänger und das Seil fester vertäuen. In all dieser Zeit hätte er seinen Plan aufgeben können, ohne einen hämischen Zeugen, der ihn hätte Feigling nennen können. Er hätte sich die Gefahr noch einmal klar machen und sich die Vernünftigkeit der Verbote vor Augen führen können. Aber er band nur den Strick fester, zog heftiger und schaffte es, die Bombe, die über den Stallboden polterte, freizubekommen. Und dann lief er nicht davon, glücklich über ein vermeintliches Gottesurteil, über eine Erlaubnis des Schicksals, noch eine Weile weiterzuleben. Nein, Wolfgang hob die Bombe auf – es muss einer der dreißig Pfund schweren Metallzylinder gewesen sein, die mit den verheerenden Brandsätzen gefüllt waren – und trug sie davon. Er trug sie ein ganzes Stück die Straße entlang.

Ein bisschen ist er beim Erzählen heute wieder der Lausbub von damals, der aufs Ganze gehen wollte. Obwohl er heute umso besser abschätzen kann, in welcher Lebensgefahr er sich damals befand. In diesem Tragen der Bombe hatten sich die Machtverhältnisse verkehrt, es war ein Akt der momentanen Befreiung. Diese Bomben kontrollierten sonst sein Leben. Die bloße Ankündigung ihres möglichen Abwurfs jagte ihn in den Bunker, es lag am taumelnden Weg der Bombe durch die Luft, ob er je wieder aus diesem Bunker herauskommen würde oder nicht, und es lag in der Macht der Bombe, welche Welt er beim Aufstieg aus dem Bunker vorfinden würde. Aber nun trug er das Todesgerät wie einen Feldstein, wie ein hässliches Spielzeug, wie einen kantigen, schrottschweren Teddybären. Nun war die Bombe ihm ausgeliefert, nicht umgekehrt. Wolfgang Lose schleppte sie bis zu einem Abstellgleis. Dort bugsierte er sie auf einen leeren Eisenbahnwaggon und schmiss sie von dort oben hinunter in die Böschung. Weit konnte der Junge sie nicht werfen, in nahem Bogen ging sie dicht am Gleis nieder. Nichts passierte. »Ich konnte das dann aber nicht weiter testen, weil die Bahnleute mich vertrieben haben«, erzählt er, als ginge es da um Untersuchungen an einem liegen gebliebenen kleinen Knallkörper am Neujahrsmorgen. Der gute Geist, der ihm so oft im Leben bei häuslichen Konfrontationen gefehlt hat, scheint alle seine Energien für besondere Momente im Leben des Halbwaisen aufgespart zu haben. Dies war einer davon.

Schon einmal hatte er Glück bitter nötig gehabt. Regelmäßig mähte er Gras an der Böschung der Ausfallstraße nach Heidenheim, um die Hasen im nahen Garten zu füttern. Das gab gutes Heu. Bevor es verfüttert werden konnte, musste der Junge das Gras wenden. Gegen Abend brachte er es mit dem kleinen Handwagen ein. Er mochte diese Aufgaben, denn dabei war er für sich, durfte Träumereien nachhängen und sich durch den Tag treiben lassen. Allein sein draußen in der Natur, das war besser als allein sein mitten unter den anderen in der Familie. Aber dieser Tag war anders. Die Bedrohung kündigte sich durch ein Brummen in der Luft an. Ein einzelnes Flugzeug der Alliierten auf Suche nach Bewegungen am Boden hatte den Zehnjährigen entdeckt. Wolfgang auf einer langen, geraden

Straße. Den Leiterwagen zog er hinter sich her. Hielt der Pilot auch ein Leiterwägelchen für ein Stück faschistischer Infrastruktur? Oder hätte er auch ein einzelnes Kind ohne Waffen attackiert? »Der Jagdbomber kam mir genau entgegen«, erinnert sich Wolfgang Lose an diesen Augenblick der sehr direkten Konfrontation. Die gerade Straße diente dem Piloten als Visierlinie. Den Leiterwagen ließ der Junge Leiterwagen sein, er schmiss sich in die Böschung, dort, wo ein Baum emporwuchs. Dabei hatte er auch damals keine Illusionen über dessen Schutzwirkung. »Die Blätter und Äste hätten mir nichts genutzt.«

Die Angst, die er damals empfand, als eine eigens für solche Zwecke gebaute, mächtige Maschine, bedient von einem geschulten Erwachsenen, es darauf anlegte, ihn zu töten, war unbeschreiblich groß und mächtig. Sie reicht für sein ganzes Leben. Sie meldet sich heute noch, wenn in Fernsehen oder Zeitung Militärflugzeuge vorkommen, wenn über den Einsatz von AWACS-Maschinen diskutiert wird. Sie kam immer wieder hoch, wenn Bilder aus Vietnam, dem Nahen Osten, Jugoslawien oder dem Irak zu sehen waren. Oft reicht schon ein Gespräch, »dann fliegen die Flieger wieder. Dann muss ich gar nicht erst ins Bett gehen. Dann lieg ich die ganze Nacht wach, dann könnt ich mitten in der Nacht Kaffee trinken.«

Fünf Meter vor ihm schlugen an jenem Tag die letzten Kugeln auf der Straße auf. Eine winzige Abweichung bei der Bedienung des Feuerknopfes der Maschinengewehre entschied bei solchen Begegnungen über Leben und Tod. Vielleicht hatte in diesem Fall auch nur die Sprituhr dem Piloten angezeigt, dass ein zweiter Anflug des mageren Zieles nicht lohnen würde. Wolfgang Lose kam davon. Eine halbe Ewigkeit saß er an den Baum gekauert. »Ich hab mich nicht vorgetraut.« Auch als der Jagdbomber in die Höhe zog und leiser wurde, »hab ich immer gelauscht, ob er wiederkommt«. Aber er hatte endgültig den Weg zu anderen Zielen eingeschlagen. Der Junge fand trotzdem nicht mehr die Kraft, sich auf die Beine zu stellen. Bis der Großvater die Straße entlangkam, der den Handwagen mit Heu schon viel früher zurückerwartet hatte. »Großvater, ein Jagdbomber hat auf mich geschossen«, stotterte der Enkel – im Versuch, das Ungeheuerliche des Beinahetodes in einfache Worte einer fast militärischen Meldung zu fassen. Das Herz schlug ihm noch immer heftig. Der alte Mann wischte die Eröffnung achtlos beiseite. »Eine bessere Ausrede ist dir auch nicht eingefallen«, murrte er. »Doch. Doch, so war's«, beharrte der Enkel auf der Wahrheit seiner Todesnähe. Es mag der Widerspruch gewesen sein, oder die Fassungslosigkeit des Großvaters angesichts der eigenen Ohnmacht im Wüten des Krieges. Der wieder einmal gescheiterte Beschützer erlitt jedenfalls einen seiner bekannten Jähzornsanfälle. Diesmal war es der Rechen auf dem Leiterwagen, den er sich als Prügel griff. Wolfgang war schneller. Die Angst vor den Schlägen und die Verzweiflung, dass der Großvater ihm wieder nicht glauben wollte, brachten ihn auf die Beine. Er büxte aus, bis der Zorn des Alten verraucht war. Das ließ sich aussitzen. Aber dass ihm nie jemand glaubte, ihm nie jemand Zärtlichkeit gab, das erledigte sich nicht durch Warten.

Jeder Tag konfrontierte Wolfgang mit Gefühlen, über die er nicht sprechen durfte. Die Hasen mussten weiter gefüttert werden. Aber die Besuche im Garten waren fortan von der Furcht überschattet, die Jagdbomber könnten wiederkommen. »Beim kleinsten Geräusch« versteckte sich der Junge. Doch es kam zu keiner Wiederholung der schon einmal überstandenen Gefahrensituation. Der Krieg hielt ein anderes Finale für Wolfgang Lose bereit, den 4. März 1945, den nächsten massiven Luftangriff auf Ulm. Das Radio sprach am Vormittag die stets befürchtete Gewissheit aus: »Feindliche Bomberverbände im Anflug auf Ulm!« Diesmal rannte Wolfgang mit dem Opa nicht in den großen Gemeinschaftsbunker, wo der Rest der Familie unterkam, sondern in den Keller des eigenen Wohnhauses. Dort kam ihm alles noch viel lauter vor, viel unheimlicher, und es schien auch viel länger zu dauern. Auf dem Höhepunkt des Angriffs, der sich von 10.13 bis 10.55 Uhr erstreckte, ließ ein ohrenbetäubender Schlag den Unterschlupf erzittern. Das Licht fiel aus. Der Keller füllte sich mit Rauch. Bis auf einen dünnen Lichtstrahl, der durch das Fenster unter der Decke drang, war es nun ganz dunkel im Gewölbe. Der Junge schrie: »Großvater, schlag durch!« Er war sicher, im nächsten Moment von den Steinmassen des nachgebenden Hauses verschüttet zu werden. Schlag durch, das hieß: der Großvater sollte nach dem nur zu diesem Zweck hier gelagerten Vorschlaghammer greifen und den provisorisch zugemauerten Durchbruch zum Nebenkeller zerschlagen. Durch das Loch wäre die Familie dann aus dem bedrohten Keller in einen vermeintlich sichereren gekrochen. Aber der Großvater griff nicht nach dem Hammer. Dicht beieinander saßen die beiden im Ungewissen und warteten. Näher waren sie sich wahrscheinlich nie zuvor und würden es später nie wieder sein. Sie warteten. »Aber es ist nichts weiter passiert«, beschreibt Wolfgang Lose das Abzählen der Sekunden, die man eine um die andere noch einmal hatte weiterleben dürfen. Als sie endlich aus ihrem beengenden und schützenden Verlies schlüpften, wurde ihnen klar, wie nahe sie dem Ende diesmal gewesen waren. Die andere Doppelhaushälfte lag vollständig in Trümmern. Hätten sie die Mauer durchgeschlagen, wären sie dem Tod in die Arme gekrochen. Schweigend schauten sie sich an. Genauso wortlos betrachteten sie die weitere Verwüstung ihres Wohnquartiers. Das hatte nun auch keine Kirche mehr. Die war von einer Luftmine weggefegt worden.

Wolfgang Loses Kriegserlebnisse haben sich tief eingeprägt. Sentimentale Anwandlungen, die gerne kommen, wenn man sich an die Kindheit erinnert, sind ihm fremd. Für ihn schönt die zeitliche Distanz noch nichts. Ihn stimmen die Jahre nicht versöhnlich. »Das waren schreckliche Leute«, sagt Wolfgang Lose heute, wenn er von seinen Verwandten redet. Er kann ihnen noch immer nicht verzeihen. Sein Vater hat ihn dann nach dem Krieg gefunden und zu sich genommen. Wolfgang kam vom Regen in die Traufe. Dem Vater war der gleiche Jähzorn zu Eigen, den Wolfgang vom Großvater kannte. Nur wenige Jahre hielt er es bei ihm aus. Mit knapp 18 verließ er sein Heim, das ihm nie Zuhause geworden war, und begann sein eigenes Leben. Ohne je zurückzuschauen. »Früher war früher, heute ist heute«, sagt er. Aber einen Schlussstrich zu ziehen, fällt ihm trotzdem schwer. Denn die Flieger kommen in seinen Wach- und Nachtträumen immer wieder.

Vereint in der Gefahr

Die, von denen man wusste, dass sie unvorstellbar grauenhafte Stunden erlebt hatten, die brennend durch Feuer gelaufen und über verkohlte Leichen gestolpert waren, vor deren Augen und in deren Armen Kinder erstickten, die ihr Haus zusammenstürzen sahen, in das der Vater oder ihr Mann sich gerade zurückgewandt hatte. Um noch etwas zu retten, alle diese, die monatelang auf Nachricht von Vermissten hofften und die zum mindesten ihre gesamte Habe in wenigen Minuten verloren, – warum klagten und weinten sie nicht?

Hans Erich Nossack,
Der Untergang (1943)

Krieg hat einen ganz eigenen Geruch. Wer ihn einmal erlebt hat, erkennt ihn immer wieder. Es ist der Geruch von kaltem Brand, der in manchen Steinmauern eine Ewigkeit hängen kann. Es ist der Geruch des Morgens und der Tage danach. Hans Moritz lernte ihn in Hamburg-Horn kennen. An einem Tag im Juli 1943, dem weitere genauso schlimme folgten. In der Nacht vom 24. auf den 25. Juli 1943 heulten um 0.33 Uhr die Sirenen in der Hansestadt und gaben Fliegeralarm. Eine halbe Stunde später warfen 791 Bomber und Kampfflugzeuge des britischen Bomber Commands ihre tödliche Fracht über Hamburg ab. Das Unternehmen trug den biblischen Namen »Gomorrha«. »Da ließ der Herr Schwefel und Feuer regnen vom Himmel herab auf Sodom und Gomorrha und die ganze Gegend und alle Einwohner der Städte und was auf dem Lande gewachsen war«, heißt es dazu im ersten Buch Mose. Am Ende des Unternehmens, das sich über zehn Tage erstreckte und in vier Angriffswellen in den Nächten zum 25., zum 28. und zum 30. Juli und dann noch einmal in der Nacht zum 4. August und zwei Tagesbombardements am 26. und 27. Juli abspielte, waren etwa 37 000 Menschen tot, 40 000 verletzt.

227 000 Wohnungen waren zerstört. Insgesamt hatten die alliierten Bomberverbände 12 000 Luftminen, 25 000 Sprengbomben, drei Millionen Brandbomben, 80 000 Phosphorbomben und 500 Phosphorkanister abgeworfen.

Der Himmel blieb dunkel an den Morgen nach diesen Nächten mitten im Sommer. Die Sonne war mit Rauch und Ruß verhüllt, und es roch nach Feuer. In der ersten dieser Nächte hat der Krieg für den siebenjährigen Hans auch ein Gesicht bekommen, das er nie wieder vergessen hat. Wenn der Siebenundsechzigjährige heute mit seiner Mutter, einer hochbetagten Dame, durch Hamburg spazieren geht, vergeht keine Runde ohne Gespräch über die Bombennächte, ohne die Erinnerung an das Inferno und den Himmel, der Feuer regnen ließ.

Die Sequenz aus der Vergangenheit beginnt in einem Bunker, der aus zwei unterirdischen Röhren bestand, bestückt mit Klappbetten. 441 solcher Bunker gab es in Hamburg. Wie der Name schon sagt, bestanden diese Schutzräume aus Betonröhren, die unter der Erde lagen und ihren Insassen Schutz gegen Brand- und Splitterbomben gewähren sollten. Im Eingangsbereich waren diese Bunker mit Gasschleusen versehen. Überall im Deutschen Reich waren seit 1940 mit Beginn des Luftkrieges verstärkt solche Schutzräume angelegt worden.

Es sind nur einzelne Bildbrocken, die jedes Mal aus dem, was damals geschah, in Hans Moritz' Gegenwart geschleudert werden. Da waren Erwachsene, Menschen wie seine Mutter und sein Vater, die aus vollem Halse schrien und aus Panik und Todesangst hysterische Anfälle bekamen. »Als Kind ängstigt einen mehr das Verhalten der Erwachsenen und nicht so sehr die konkrete Situation«, sagt Hans Moritz, wenn er versucht, die Erinnerungsfetzen zu einem stimmigen Bild zusammenzusetzen.

Genauso erlebte den Hamburger Feuersturm auch die fünfjährige Hanne Holz, die zufällig aus Kiel zu Besuch bei den Großeltern in Hamburg war. Wenn auch an einem ganz anderen Ort in der Stadt. Aber die Wahrnehmung beider Kinder scheint typisch zu sein. Auch Hanne war wie alle Kinder mit den Jahren schon zum Kriegsprofi geworden. Aber wie in diesem Keller die Frauen kreischten und die Männer »Ruhe bewahren« brüllten, das machte ihr bislang nicht gekannte Angst. Sonst gab der Blick zur eigenen Mutter dem Kindergartenkind rasch das vertraute Gefühl der eigenen Unverletzlichkeit zurück: »Sie nickte mir zu, verbreitete ewige Zuversicht – und für mich war alles in Ordnung.« Aber dieses Mal in Hamburg war alles anders. »Wir eilten über die Straße in einen kleinen überfüllten Luftschutzraum. Es krachte sofort und unaufhörlich, Erwachsene jaulten. Als ich Hilfe suchend zu meiner Mutter hinübersah, starrte sie mit versteinertem Gesicht vor sich hin. Da begriff ich: Nichts war mehr in Ordnung.«

In Hans Moritz' Erinnerung gibt es die seltsam anmutende Gewissheit, die in die Erde gestanzte Röhre, in der er saß, habe sich durch den Einschlag einer Luftmine wirklich gedreht. Das Unterste geriet zuoberst. Innere und äußere Wirklichkeit glichen sich in diesem Moment des völligen Umsturzes einander an. Draußen und drinnen: Chaos. Es tauchen aber noch weit schlimmere Bilder auf. Etwa das: wie sich der Vater, der als Soldat auf Heimaturlaub war, in letzter Minute durch die Luftschleuse in den Bunker zwängt. Der flüchtige Blick nach draußen, der dabei möglich wurde, ließ das Grauen in den Schutzraum. Die Ehefrau des Bunkerwarts konnte ihren toten Mann vor der Tür liegen sehen. Er hatte es nicht bis zu ihr geschafft. An den letzten Metern war er gescheitert. Die Druckwelle einer Bombe hatte ihm die Lunge platzen lassen. Der Schmerz des Anblicks ließ die Frau schreien, kreischen, wehklagen. »In diesem Moment war das Kriegsgeschehen wirklich bei uns angekommen«, kommentiert Moritz dieses Bild aus seiner Kindheit.

Doch Hans Moritz musste noch ganz anderes sehen – und hören. Manches hat er sich damals uminterpretiert, um es fassen zu können. Als die Menschen die Schutzräume verließen, brannten draußen die Häuser. Sie kamen dem Kind wie Riesen vor, mit rot flammenden Gewändern, wie skelettierte Giganten, die Feuer spien. Er selbst habe keine Toten mehr gesehen, versichert er aufrichtig. Doch seine Mutter hat ihm später davon erzählt, wie sie durch die Straße gelaufen war. Ein Freund hatte ihr vorher Cognac eingeflößt, damit sie das Grauen ertragen konnte. Sie berichtete dem Sohn von auf Puppengröße zusammengeschnurrten Menschen, die, einander

Die Eltern konnten ihre Kinder nicht beschützen:
Szene in Hamburg am Morgen nach der Operation »Gomorrha«.

untergehakt, Opfer der bis zu 1000 Grad erreichenden Hitze geworden waren. Doch der Schrecken des Krieges spielt sich auch im Kopf ab. Dort sind die Toten ebenso wie die Überforderung der Mutter angekommen und eingelagert.

Hans Moritz, der heute mit 67 Jahren sein Grafikbüro am Rande von Hamburg auflöst, der auch ein bisschen reinen Tisch macht und dabei auf viele Bruchstücke seines Lebens stößt, war ein Kind, das die Kirche nicht mit einem regulären Taufgottesdienst in seine Gemeinschaft aufnehmen wollte. Weil seine Mutter nicht verheiratet war und sein Vater noch eine andere Familie hatte, durfte die Zeremonie nicht so würdevoll sein wie die für Kinder, die ehelich zur Welt gekommen waren. Und weil seine Mutter Geld verdienen musste, konnte er nicht so viel mit ihr zusammen sein, wie er es gerne gewesen wäre. Morgens brachte ihn seine Mutter in die Kinderkrippe, spät am Abend holte sie ihn wieder ab. Der Junge lernte früh, wie es ist, auf sich selbst gestellt zu sein.

»Das Warten auf den Abend war schrecklich«, rutscht es ihm fast beiläufig heraus im Gespräch über den Krieg. Aber diese Entbehrung der Eltern wäre ohne die Plagen des Krieges nicht so furchtbar gewesen. Er hätte mit seiner Schwester aufwachsen können, die zwei Jahre nach ihm geboren worden war – wieder ohne Segen der Kirche, weil der Vater noch immer nicht geschieden war. Dieses Mädchen hätte nicht für lange Jahre zur Wochenendschwester werden müssen, wäre nicht bei Pflegeeltern aufgewachsen. Er hätte die Welt aus der Sicherheit einer Vater-Mutter-Tochter-Sohn-Familie heraus erforschen können. Eine vereinte Familie, die hat Hans Moritz nur in dieser einzigen Bunkernacht erlebt, die der Vater bei seinen Kindern und jener Frau verbrachte, die er eine Woche später endlich heiraten sollte.

In Hagenow, im Mecklenburgischen, schloss er die Ehe mit Hans' Mutter. In der Familie wird erzählt, er habe von seiner ersten Frau nur geschieden werden können, weil er sich als Frontsoldat meldete. Das Schicksal zeigte sich hier mehr als zynisch. Erst der neue Krieg ermöglichte es dem Mann, der schon im Ersten Weltkrieg im Graben gelegen hatte, sich offen zu seiner zweiten Familie zu bekennen. Aber derselbe Krieg nahm ihn dieser Familie gleich wieder weg. Für ein gemeinsames Leben blieb keine Zeit. Er rückte ins Feld, und am 4. November 1944 verliert sich seine Spur. Die Erinnerung an ihn ruft bei Hans Moritz die grausigen Bilder aus dem Bunker auf. Aber einmal wenigstens hatte der Vater Trost spenden können. »Das Gefühl, dass wir zusammen waren, war entscheidend.«

Den Rest des Kriegs musste Hans ohne väterlichen Trost wieder nur mit der Mutter durchstehen. Die Zeit in Großenrade, in einem kleinen Dorf im Dittmarschen, nördlich des Nordostseekanals, wo der Volkssturm für den letzten Kampf übte. Wo sich »die alten Opis in den Schlamm warfen, weil jemand ›Fliegeralarm‹ rief«. Zu seinem Glück hat Hans den alten Männern dabei oft – und fast amüsiert – zugeschaut, weil dieses Deckungssuchen im Freien so ganz anders war als das Rennen in den Bunker. Das hat ihm wahrscheinlich das Leben gerettet. Denn zwei Tage später war er mit seiner Schwester auf dem Heimweg von der Schule, auf der Landstraße, die zum Hof führte, auf dem sie nach der Evakuierung aus Hamburg untergekommen waren. Am Himmel kreiste eine jener amerikanischen Maschinen, die längst die Luftherrschaft errungen hatten. Die aber schwenkte ein, senkte die Nase, kam in steilem Bogen angedonnert. Der Neunjährige reagierte mit dem, was er den Opis abgeschaut hatte. Er brüllte seiner siebenjährigen Schwester »Achtung, Tiefflieger!« zu, und die beiden schmissen sich in den Straßengraben, als sei das ein jeden Tag geübtes Spiel. Aus der Luft mischte sich ein schweres, schnelles, böses Tackern in das Röhren des Flugzeugmotors, und die Geschosse der Bordkanonen stanzten sich in einer langen Kette in den Staub der Straße. Die Kinder sprangen auf, rannten ein Stück die Straße entlang, Richtung Hof, schauten zum Himmel. Und der Pilot, der an diesem Tag sein Teil beitragen wollte zur Auslöschung des Dritten Reiches, auch wenn er nur Kinder als Ziel hatte, drehte wieder bei, pendelte die Maschine ein, drückte ihre Nase nach unten. Wieder warfen sich die Kinder in den Graben, wieder steppten die Geschosse auf der Suche nach zerreißbarem Fleisch einen Meter von den Kindern durch den Dreck. Diesmal fand das Schauspiel vor den Augen der entsetzten Mutter statt. Doch dann drehte der Pilot unvermittelt ab, vielleicht nicht aus Erbarmen, vielleicht nur, weil er die Blamage eines verpatzten dritten Anflugs fürchtete.

»Er hat auf uns geschossen.« Noch heute schwingt Fassungslosigkeit in der Erzählung von Hans Moritz mit. »Aus meiner Sicht war das ein Mordversuch«, sagt er erregt. Als Erwachsener hat er versucht, sich die Frage zu beantworten, ob der Pilot sehen konnte, dass er auf ein Kind zielte. Denn dieser Angriff war direkter und unmittelbarer als die Bomben, die die Geschwister im Röhrenbunker erlebt hatten. Sein Ziel war genau umrissen, zwar ohne Namen, aber nicht mehr formlos anonym.

Der Überlebende denkt heute oft daran, was diese Szene wohl in der Mutter angerichtet haben mag, die machtlos am Fenster stand, ohne eingreifen zu können. Vor dem Mitgefühl mit der Mutter muss das Mitfühlen mit sich selbst zurücktreten. Immer gab es andere, die Schlimmeres erlebt haben. »Was mag meine Mutter empfunden haben, als sie uns unter Jagdbomberbeschuss sah?« Was, so möchte man laut rufen, haben die Kinder selbst gefühlt?

Ausgebombt: Als es Funken schneite

Fast jede Familie kennt ihre besonderen Daten, Kerben in der Geschichte, Knoten in der Schnur der Stunden, Tage, Wochen, Monate, Momente einer privaten Geschichte, so speziell wie die Geburten der Kinder. Anders als diese Anlässe zum Feiern werden sie in keinen Kalender eingetragen. Sie sind trotzdem immer gegenwärtig. Die Nacht vom 8. auf den 9. Oktober 1943 ist für Johanna Kleemann so ein Datum. Sie nennt es, ohne nachdenken zu müssen. In dieser Nacht wurden sie ausgebombt. Ausgebombt ist eines der Worte, das sich in viele Familiengeschichten eingebrannt hat, oft ausgesprochen und selten erklärt. Die Wiederkehr des Ausbombungstages war für keinen Überlebenden je wieder ein Tag wie alle anderen, auch wenn man sich in den Familien nicht über die Beklemmung beim Blick auf den Kalender unterhielt.

Die siebenjährige Johanna erlebte ihre Ausbombung in der Südstadt von Hannover. Der Luftschutzwart schrie in dieser Novembernacht immer wieder: »Gleich ist es vorbei, gleich ist es vorbei.« In Wirklichkeit wusste er so wenig wie alle anderen im Bunker, was droben am Himmel, in den Straßen und in der kochenden Luft dazwischen vor sich ging. Natürlich konnte er nicht versprechen, dass das Wohnhaus noch stehen würde, wenn die Bomber ihre düsteren Bäuche geleert haben würden. Er wusste ja nicht einmal, wie viele Bomber in dieser Nacht im Anflug waren. In der Nacht vom 8. auf den 9. Oktober 1943 erlebte Hannover »den wahrscheinlich schwersten Angriff«, vermerkt dazu das Offizielle Tagebuch der Royal Air Force. Hannover war die fünftwichtigste Industriestadt Deutschlands und das Verkehrskreuz der Nord-Süd- und Ost-West-Verbindungen. 504 Flugzeuge waren im Einsatz, darunter 282 Lancastermaschinen. Etwa 1200 Menschen starben in dieser Herbstnacht. Die Altstadt wurde zu 85 Prozent zerstört. 300 000 Menschen wurden obdachlos.

Um 0.30 Uhr schlugen die Bomben in den Bahnhof ein. »Wir saßen im Keller des Hauses, in dem wir eine Wohnung gemietet hatten, und warteten«, sagt Johanna Kleemann. Warteten,

Die siebenjährige Johanna Kleemann, als die Kinder auf den Straßen von Hannover noch spielen konnten.

ob sich die schlimmste Angst bewahrheiten würde: dass die gigantische Maschinerie am Himmel für jeden der Menschen, jedes Haus, jedes Versteck unten eine eigene Bombe, einen eigenen Brandsatz, eine eigene Luftmine parat hatte. Und weil menschliche Nähe manchmal das einzige Mittel ist, ungeheure Anspannung auszuhalten, »lagen wir in dieser Nacht wie auf einem Haufen«. Nicht nur Mutter Kleemann und ihre beiden Töchter wollten sich der gegenseitigen Anwesenheit versichern. In dieser Nacht rückten alle Nachbarn ganz nah zusammen und duckten sich gemeinsam. Sie zogen instinktiv den Kopf ein und spannten alle Muskeln, wenn es krachte. Obwohl sie wussten, dass die Kellerdecke die Wucht der Bomben aushalten musste und die Kräfte ihrer Körper nichts mehr ausrichten konnten, wenn die Balken und Steine nachgeben würden.

Die Nacht vom 8. auf den 9. Oktober 1943 war nicht wie die vorangegangenen. Nun fand es keiner mehr launig, dass Frau Lücke von oben mit mehreren übereinander aufgesetzten Hüten in den Keller gerannt kam. Vorbei die Zeit, in der man sich noch Geschichten erzählte. Die Herr Wüstenhofer dann mit der Frage »Wollen Sie mal meinen Bruch sehen?« unterbrach und prompt die Narbe entblößte. Die Lage war bitterernst. Die Menschen waren mit zunehmender Häufigkeit der Angriffe immer entkräfteter geworden. Jetzt konnte es schon sein, dass die kleine Johanna sich übergeben musste, wenn es nur in den Keller ging. Die Zeit der Spielereien mit den jungen Soldaten im Bunker des Technischen Überwachungsvereins gehörten im fünften Jahr des Krieges der Vergangenheit an. Jetzt starrte das Kind, beängstigend erfahren im Lesen der Zeichen des heranrückenden Todes, mit bangen Blicken an die Kellerdecke, »ob ein Backstein herausfällt«. Sie saß im Epizentrum eines apokalyptischen Gewitters, das sich dumpf dröhnend über ihr und den anderen entlud. Dessen Donner wurde durchschnitten vom Pfeifen der niederfallenden Sprengkörper.

»Wir hatten nasse Tücher vor dem Mund, um nicht nur Staub einzuatmen«, erzählt Johanna Kleemann weiter. So sahen das die Vorschriften des Luftschutzes vor, wenn keine Gasmaske zur Hand war. Atmen wurde zur Qual – der Körper brauchte den Sauerstoff und wollte doch auf das Luftholen verzichten. Zwischen den Häusern tanzte der Teufel. Das hörten die Menschen in den Kellern unter der Erde. Der gefürchtete Feuersturm hatte sich gebildet und fegte durch die Stadt. Der Flächenbrand sog den Sauerstoff aus der Atmosphäre und entfachte durch diese Luftbewegung Stürme, die Orkanstärke hatten und sich aus sich selber speisten. »Eigentlich müsste man das alles mal aufschreiben«, hatte die Frau, die hier von ihren Erinnerungen berichtet, im Vorgespräch gesagt. »Damit es nicht in Vergessenheit gerät. Sonst kann es sich irgendwann keiner mehr vorstellen.«

Wer heute durch Hannover läuft, muss in der Tat viel Vorstellungsvermögen mitbringen, um sich das Chaos, die Katastrophe, die in Trümmern herumirrenden Menschen vor Augen zu führen. »Wir haben nur für einen Augenblick durch die Haustür geschaut und gesehen, dass draußen ein riesiger Funkenregen niederging. Es schneite glimmende Teilchen, die durch die Luft gewirbelt wurden.« Die Welt löste sich in ihre kleinsten Bestandteile auf, die sie über dem Inferno ausbreitete. Und doch war diese Endzeit schon wieder deutsche Normalität. Auch in Hannover war die Luft voller gefährlich aufgeladener Funken, die nur aussahen wie Glühwürmchen. In Wirklichkeit aber den Phosphorbrand auf weitere Häuser und auf die Haut der Ungeschützten trugen. »Wir konnten kaum aus dem Haus gehen.« Die Luft ätzte in den Lungen, und die Augen brannten. Die Menschen behalfen sich mit umgehängten feuchten Decken. Dieser Einfachst-Schutzschild sollte sie vor Verbrennungen bewahren. Aber dort, wo die Phosphorflammen über 1000 Grad heiß waren, war ein solches Provisorium natürlich nicht mehr als eine hilflose Geste, eine Bitte an das Schicksal um Verschonung.

Auch das Haus mit der Kleemann'schen Wohnung in der Tiestestraße brannte. Es war nach dem Abdrehen der Bomber, als die Menschen aus den Kellern stolperten, in jenem gefährlichen, lockenden Stadium des Brandes, in dem die Gebäude sich dem Einbruch der Verwüstung noch entgegenzustemmen schienen, in dem die Brandherde begrenzt und Wege noch möglich scheinen. Die Mutter wollte noch einmal nach oben, um an Habseligkeiten zu retten, was sich irgend bergen ließ. Mitten in der Don Quichotte'schen Unvernunft, mitten im Versuch, weniger ein spezielles Hab und Gut zu retten, als der existenziellen Erfahrung totaler Ohnmacht den Trotz des Handelns entgegenzustellen, ermahnte sie streng zur Vernunft. Sie trug ihren Töchtern, der siebenjährigen Johanna und deren vierzehnjähriger Schwester Hilde auf, im Hof zu warten, um Gottes willen und unbedingt so lange, bis sie zurückkäme.

Was greift man, wenn es schnell zu retten gilt? Was ist das Essenzielle einer bürgerlichen Existenz, eines Zuhauses, das unbedingt mitmuss in die nächste Stufe der Existenz, um dort den Fortgang des Lebens zu versinnbildlichen? Mutter Kleemann wählte einen Sessel. Während sie das klobige Möbel durch die qualmverhangene Wohnung und dann durch das immer heißere, stickigere, gefährlichere Treppenhaus wuchtete, machten sich ihre Töchter unten auf zur Entdeckungsreise durch den Feuerwald, der die vertraute Stadt abgelöst hatte.

Auch sie mussten dem erzwungenen Dulden, der Lähmung, der Ohnmacht im Keller etwas entgegensetzen. Die Angst vor dem Schrecken auf den Straßen war das eine. Die aufgestaute

Angst aus dem Keller aber war das andere, und die trieb sie nun vor sich her, in ein Schreckensland so vieler grausiger Bilder, dass zwischen den Schocks der Wahrnehmungen keine Gelegenheit blieb zur Bildung neuer Angst. »Die Flammen schlugen aus den Fenstern und Dächern der Häuser. Manche Gebäude stürzten schon tosend zusammen. Es war alles so unwirklich. Irgendwo stand ein Klavier und brannte.«

Die Schwestern ließen sich treiben. Vorbei an einer Frau, die tot auf dem Gehsteig lag. Die Mädchen liefen durch eine surreale Welt. Sie ließen sich in einer Art Trance mitreißen, trieben sehend durch eine Welt, in der es für sie, anders als für die Erwachsenen, keine Möglichkeiten des Eingreifens, des Handelns mehr gab. Sie entfernten sich immer weiter von dem Hof, in dem sie hätten warten sollten. Johanna trug noch immer das Tuch aus dem Keller vor Mund und Nase. Immer wieder schob sie es hoch vor die Augen, um die vor dem Flug der Funken und dem beißenden Qualm zu schützen, und auch, um den Anblick der Trümmer, der Flammen und der Toten auszusperren. Immer wieder schielte sie an diesem Schutz vorbei. Sie klammerte sich fest an die Hand der älteren Schwester und spürte irgendwann an deren Druck, dass Hilde sich verlaufen hatte. Die Straßen hatten jedes identifizierbare Aussehen verloren. Die apokalyptische Landschaft, durch die sie sich jetzt bewegten, erinnerte mit nichts mehr an das ihnen bekannte Hannover.

Die beiden Mädchen waren verwirrt. Nicht nur weil die geografischen Orientierungsmarken verschwunden oder in verzerrte Karikaturen ihrer selbst verkrümmt waren. Sondern weil diese radikale Veränderung der Welt, diese brutale Aufhebung des Vertrauten, Orientierung grundsätzlich in Frage stellte. Was geschehen war, war zu groß für das kindliche Weltverständnis. Als Johanna und Hilde klar wurde, dass sie gar nicht mehr wussten, wo ihre Mutter war, da erschien das nicht mehr nur als Problem, den richtigen, zuvor schon gegangenen Weg wiederzufinden. Die Mutter, die Johanna Kleemann heute als »den Urschutz« im Kriegschaos bezeichnet, die Garantin für ihrer dreier Sicherheit, war verschwunden. Wo Städte ausradiert wurden und die Nachbarn plötzlich als verkrümmte Ka-

Ziel der alliierten Angriffe:
Die Städte, wie hier Berlin im Jahr 1944, sollten brennen.

daver auf schmelzendem Asphalt lagen, wie unantastbar war da noch das Urvertrauen auf die Allgegenwart der Mutter? Johanna und Hilde flüchteten ins nächstbeste Haus, das noch zugänglich war. Die Verantwortung für sich selbst gaben sie nun ab an das Schicksal. Den eigenen Beinen und Augen trauten sie nicht mehr zu, es mit noch einer Reihe brennender Häuser aufzunehmen. Sie saßen in dem fremden Hauseingang, bis sie schließlich ihre Mutter die verwüstete Straße entlangirren sahen. Das Schicksal hatte es mitten in der Hölle gnädig mit den Kleemanns gemeint. Und wie reagiert man auf so eine Gnade oder Willkür? »Meine Mutter hat uns immer wieder gesagt, sie hätte noch viel mehr aus der brennenden Wohnung retten können. Wenn sie nur uns nicht hätte suchen müssen.« Ging es der Mutter wirklich allein um Möbel und Fotos, Leintücher und Tischdecken? Wohl kaum. Die Mutter klammerte sich an den Kummer über den Verlust ihres Besitzes, damit sie sich nicht vorstellen musste, sie hätte in der Nacht vom 8. auf den 9. Oktober 1943 auch noch ihre Töchter verloren. Man dachte oft an bestimmte Ereignisse, man konnte die düsteren, unmarkierten Jubiläen auf den Küchenkalendern nicht übersehen. Aber manche Gedanken dachte man besser nicht zu Ende.

Abgebrannt: Die Toten in der Marmeladendose

Auch Ludger Heinz, der Junge mit der Vorliebe fürs Molchefangen, wurde Gegenstand der Kinderlandverschickung, eine Ziffer in einem großen Rettungsprogramm der Nazis, die ihre künftigen Soldaten retten wollten. Ludgers Vater war gestorben. Der Junge sollte, wie er heute sarkastisch sagt, »näher ans Euter der Kuh«. Etwa 30 Kilometer von seiner Heimatstadt Darmstadt entfernt kam er bei einem Bauern unter. Anfang 1944 mag das gewesen sein. So genau weiß er das nicht mehr. Der Landwirt, einer der reichsten in der Gegend, war »eine große Nummer in der Reichsbauernschaft«.

Die rigide Disziplin im fremden Haushalt wurde zu einer Schule des Aufbegehrens. Enge und die Regeln anderer akzeptiert Ludger Heinz noch heute ungern, das Hinterfragen ist seine grundlegende Lebenshaltung geworden. Hinterfragt und radikal verworfen hat er damals auch die Trennung von der Familie zugunsten der eigenen Sicherheit. Irgendwann im Spätsommer oder Frühherbst 1944 hat er sich aufs Fahrrad gesetzt, der ländlichen Zuflucht den Rücken gekehrt und ist nach Hause gestrampelt. Knapp drei Stunden strammes Fahren trennten ihn von dort – und der Wille des Führers, dem er nicht mehr folgen wollte. Auch die Mutter hatte Schwierigkeiten, sich das Fortschicken als bestmöglichen Akt der Fürsorge einzureden. Nach anfänglichen Bedenken wegen des Unerlaubten und Rebellischen dieses Ausreißens »war sie dann auch ganz froh, dass ich wieder da war«.

Ludgers Sabotage der Kinderlandverschickung, sein Anspruch, die Bindung an die Familie höher zu stellen als die Bindung an die Volksgemeinschaft, hätte durchaus zu gefährlicher

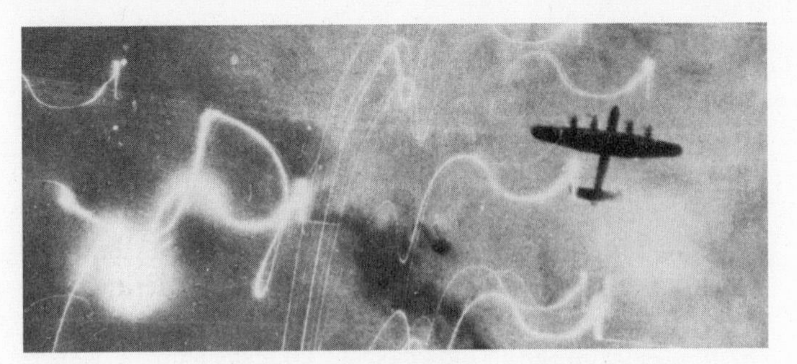

Britische Lancasterbomber bei einem ihrer nächtlichen Einsätze

Aufmerksamkeit der Behörden führen können. Aber die Bombennacht, die auf die Flucht vom Land in die Stadt folgte, verhinderte die Aufmerksamkeit der Nazibürokraten für Abweichungen von ihren Evakuierungsplänen. Sie war so furchtbar, dass sich Ludger Heinz beim Erzählen noch immer auf die Perspektive des kühlen, manchmal sarkastischen Betrachters zurückzieht. Nur mit Entsetzen und Bedrückung, egal wie angebracht und unvermeidlich sie sein mochten, so wurde ihm im Laufe der Jahre klar, ließ sich das Grauen sowieso nicht fassen. Er verweist auf den irischen Dichter Sean O'Casey, der den grellen Humor seiner Heimat mit galliger Kritik an den Verhältnissen verband. »Das war wie O'Casey. Das war alles Literatur, die ich damals noch nicht kannte.« Ein Element des Untergangs war dem Vierzehnjährigen aber schon im Moment des Erlebens deutlich geworden: Tragik und Komik, verständigte er sich mit sich selbst, lagen nie näher beieinander als damals. Ludger Heinz hat diesen distanzierten Blick auf die Welt nie mehr abgelegt. Er seziert noch heute als Literaturwissenschaftler die Wirklichkeit und das, was Menschen über sie schreiben.

Achtung, Bomber im Anflug – um 23.25 Uhr am 11. September 1944 wurde Luftalarm für seine Heimatstadt Darmstadt gegeben. Kurz darauf standen die ersten Christbäume über der Stadt. So nannte man die Leuchtmarkierungen, mit denen vorausfliegende Pfadfindermaschinen für die nachfolgenden Bomberwellen die Zielareale markierten. Den Piloten wiesen sie den Weg. Für die Menschen am Boden schwebten sie als Androhung des kommenden Todes, als urzeitliches Himmelszeichen für Untergang und Verdammnis lohend abwärts auf die Hausdächer zu. In Darmstadt sollte in dieser Nacht der so genannte Todesfächer zum Einsatz kommen. Das Wort beschreibt illusionslos die Wirkung dieser Bombardierungstechnik: In der Innenstadt sollten sich die verschiedenen Brände ineinander fressen. Das Herz der Stadt sollte herausgeschmolzen werden. Genau dort besaßen Ludger Heinz' Großmutter, der Onkel und die Tante eine kleine Reifenfabrik.

Am Stadtrand saß in dieser Nacht Ludger Heinz im Kellerbunker, während irgendwo über ihm die Bombenschützen in ihren Visieren die verschwommenen Schattenfelder der Häuser anpeilten. 200 schwere viermotorige Bomber öffneten ihre Bäuche, 500 Sprengbomben, 300 Luftminen und 300 000 Stabbrandbomben traten ihren Weg erdwärts an. Am Ende der Nacht gab es im fast ausgelöschten Darmstadt 12 300 Tote und 70 000 Obdachlose. An solche Zahlen wird Ludger nicht gedacht haben. Er brauchte sie nicht. Er musste nur Fleisch und Phosphor im Kopf gegeneinander stellen, um zu wissen, wer der Sieger dieser Nacht sein würde. Nur ein einziger Gedanke, der an die Verwandten, marterte ihm in der Stunde um Mitternacht das Hirn: »Sie sind mittendrin!« Und die Oma, die Tante und der Onkel waren Menschen, die er wirklich liebte. Mit ihnen allen, besonders mit der Großmutter, teilte Ludger eine deutsche Leidenschaft – die Liebe zu den Hirngespinsten von Karl May. Oft lasen sie die Abenteuer parallel und lebten gemeinsam in einer Welt jenseits des Alltags. Nun saß er zu zitternder Untätigkeit verdammt fern von ihnen und hoffte, dass der nächtliche Albtraum ein Ende nähme.

Die Vernunft sagte klar: Es gab nichts, was irgendjemand in dieser Situation tun konnte. Und auch dem vierzehnjährigen Ludger blieb eigentlich nur das sehnsüchtige Warten auf den Entwarnungston der Sirenen. Trotzdem ist der Junge in dieser Nacht aufgestanden und hat sich aus dem dunklen Keller voll verängstigter Erwachsener gestohlen. »Meine Mutter hat das in dem Durcheinander gar nicht bemerkt.« Er hat das Bangen nicht mehr ausgehalten. Er hat sich auf sein Fahrrad gesetzt und ist losgefahren, dorthin, wo die Welt sich in ein einziges

Feuer verwandelt hatte. »Um die Oma zu retten«, sagt er. Das war ein Gedanke aus der Fantasiewelt. Karl Mays Abenteuerromane, das Ethos des Handelns von Old Surehand, Old Shatterhand und Winnetou hatten tiefe Spuren in seinem Denken hinterlassen. Nun wollte er dieses May'sche Denken wie eine Löschdecke über die Wirklichkeit legen, wollte eine Welt erzwingen, in der das Mutigsein noch half. Er war zu allem bereit. Grenzenloser Mut ist in solchen Situationen nur eine andere Form grenzenloser Verzweiflung.

Doch die Wirklichkeit fügte sich nicht. Laternenmasten lagen quer über die Straße. Die Häuser brannten lichterloh. Die ehemals breite Fahrbahn war von herabgestürzten Gebäudetrümmern blockiert. Durch die verbliebenen Pfade rannten brennende Menschen im Todeskampf, lebende Fackeln, die ihre Pein hinausschrien. Niemand konnte den Phosphor löschen, der sich durchbrannte bis auf die Knochen. Ein entsetzlicher Geruch lag in der Luft. Nach verkohltem Fleisch, schmorenden Leitungen und brennenden Dachstühlen. Bis heute sind es einfache Worte, mit denen Ludger Heinz das Unbeschreibliche zu beschreiben versucht, die Worte des Jungen: »Es hat furchtbar gestunken.«

Er ist damals kein Lebensretter geworden. Wie auch? Die Trümmer und Flammen wichen nicht vor der bloßen Kraft des Wunsches zurück, die Verwandten sollten noch leben, sollten vielleicht verletzt, aber noch atmend aus einem Keller gegraben werden, der nicht zum tödlichen Ofen geworden war. Ludger musste umdrehen, um nicht selbst umzukommen. »Ich hatte verdammtes Glück, dass mir nichts passiert ist«, sagt er. Es ist keine dramatisierende Einschätzung. Einer seiner Onkel hatte versucht, von der anderen Stadtseite her in die Innenstadt vorzudringen, noch einer, der Karl Mays Dramaturgie in die Realität zu tragen hoffte und weniger Glück dabei hatte. »Er krepierte«, sagt sein Neffe. Seine drastische Wortwahl verbittet sich Sentimentalität.

Am nächsten Tag, in der Ruhe der Erschöpfung und Depression nach dem Feuersturm, ließ Ludger sein Fahrrad zu Hause. Er kletterte über noch warme Berge von Schutt und Trümmern, bis er dorthin kam, wo seine Verwandten noch gestern gewohnt hatten. Ihr Haus stand nicht mehr. Kein Gebäude in der Innenstadt stand mehr. Der Keller brannte noch. Es gab keine Stadtgeräusche mehr, nur noch das Prasseln der Flammen und das Knirschen zusammenknickender Ruinen.

»Das war ein sehr einschneidender Eindruck«, sagt der Zweiundsiebzigjährige heute mit tonloser Stimme. Einschneidend auch deshalb, weil der Anblick der blakenden Trümmer keinen Zweifel mehr ließ, dass Oma, Tante und Onkel in ihrem Keller verbrannt waren. Er hatte keinerlei Hoffnung, sie könnten in einem anderen Keller überlebt haben, »denn sie waren so wahnsinnig stolz auf ihren hundertprozentig sicheren Luftschutzkeller gewesen«. Und doch waren sie für den Enkel und Neffen auf beängstigende Weise gegenwärtig. Er hatte ihren Geruch in der Nase. »Es roch deutlich anders als Holzfeuer.« Dass er etwas von den verbrannten Körpern jener Menschen, die er geliebt hatte, einatmen musste, beschäftigt Ludger Heinz auch heute noch. Näher und gleichzeitig ferner als in diesem Akt, der in der Welt der Jungenabenteuer nicht vorkam, kann man anderen nicht sein.

Draußen auf den Straßen lagen andere Tote, die er gar nicht sofort als Leichen erkannte. Eher wirkten sie wie verkohlte Baumstämme. Erst bei genauerem Hinsehen konnte er erkennen, dass das noch am Vorabend Menschen gewesen sein mussten.

An diesem 12. September stand Ludger in einem nicht von Toten geprägten, sondern von Toten gebildeten Raum: teils waren sie als kompakte Körper anwesend, teils schwebten sie, zu unsichtbaren Partikeln zerschunden, in der Luft. Und er konnte darüber keine Träne vergießen. »Wir waren regelrecht entweint worden«, sagt er, »auch physiologisch.« Es flossen keine Tränen, weil keine zur Verfügung standen. »Weinen hätte ja auch Erleichterung bedeutet. Es gab keinen Grund zur Erleichterung.«

Aber es gab viel Arbeit. Die Darmstädter waren damit beschäftigt, ihre Toten beizusetzen – vorausgesetzt, sie fanden sie. Der »mutmaßliche Leichenstaub« von Ludger Heinz' Verwandten wurde von einem befreundeten Handwerksmeister eingesammelt. »Er wollte nicht, dass ich dabei bin.« So stieg der Enkel nicht mit hinunter in die Überreste dessen, was einmal der unüberwindliche Schutzraum der Großeltern sein wollte. Das Verbot der Teilnahme sollte für die Erwachsenen eine Illusion aufrechterhalten: die, es hätte zu diesem Zeitpunkt des Krieges noch ein Bild des Grauens gegeben, vor dem der Junge noch zu schützen war. Dabei waren die Bilder der Vernichtung doch längst bei ihm angekommen.

Ein trauriges Grüppchen Überlebender machte sich zum Abschluss der Bergungsarbeiten mit einer Marmeladendose voll menschlicher Asche auf den Weg zum Friedhof. Für die Heinzens gab es wenigstens noch einen Ort für ihre Toten. Ihr Familiengrab lag auf einem Friedhof am Rande der Stadt und war nicht zerstört worden. Die Mutter, der vierzehnjährige Ludger und die Schwester Annegret radelten los, ihre Bombenopfer zu bestatten. Kein Pfarrer stand mit am Grab, als sie die Büchse dort vergruben, wo schon die Urgroßmutter lag. Es gab kein Kreuz und keinen Grabstein auf dieser letzten Ruhestätte. Und doch waren Ludger Heinz und seine übrige Familie privilegiert. Anderenorts – wie etwa in Hamburg nach der Operation »Gomorrha« – wurden die Toten zu Hunderten in Massengräbern beigesetzt. »Wir haben ein Stöckchen in die Erde gesteckt und versucht, uns die Stelle zu merken.« Sie behalfen sich so gut sie konnten. Und sie waren nicht allein mit diesen hilflosen Versuchen, einen Schein von Normalität aufrechtzuerhalten. »Ich habe einen Mann gesehen, der die Überreste seiner Frau und seiner beiden Töchter in einer Milchkanne beigesetzt hat«, erzählt Ludger von der Zeit improvisierter Rituale.

Heute weiß er so wenig wie vor knapp 60 Jahren, ob er das nun schrecklich traurig oder furchtbar komisch findet. Alle Maßstäbe, alle Bezugssysteme befanden sich in Auflösung. Wie anders ließe sich erklären, dass der Lehrer, dem Ludger Heinz bei der Kinderlandverschickung entwischt war, ihm bei ihrer ersten Wiederbegegnung kurz nach dem Angriff in der eingeäscherten Innenstadt eine Ohrfeige gab. »Du bist abgehauen«, waren seine Begrüßungsworte für den Jungen, der wie er gerade dem Tod entkommen war. Der Wunsch nach Normalität gab die Regeln für den Alltag vor, aber inmitten des Chaos und Schreckens bekam er selbst etwas Anormales und Groteskes.

So legte sich jeder seine eigene Strategie zurecht, um weiterzuleben. Die Jungs in Ludgers Alter übten sich in »rotzigen Angebereien«. Sie erzählten sich gegenseitig ihre makabersten Erlebnisse. Wie das vom Griechischlehrer, der Frau und beide Töchter im Feuer verloren hatte. Auf die Frage, warum er denn so verzweifelt sei, antwortete er: »Ich bin gerade noch herausgekommen, meine Familie ist hin. Das geht ja noch. Aber die Bücher, die Bücher!« Makabre Kalauer und Anekdoten wie diese quittierten die Halbwüchsigen mit schallendem Lachen. »Wir machten Witze, um darüber wegzukommen«, beschreibt Ludger Heinz die Verhaltensweisen von damals. Trauer, ein Nachgeben des Widerstandswillens, konnten sie sich nicht leisten. Es gab zu viel, was überlebt werden musste.

Zum Beispiel die Straßenbahnfahrten in die außerhalb gelegene Schule. Im letzten Kriegsfrühjahr waren die wenigen Bahnen überfüllt nach den Angriffen, viele Gleisstrecken und Fahrzeuge nicht mehr nutzbar. Immerhin fuhr die Schulbahn wieder, unter Aufsicht einer »sehr netten Schaffnerin, die immer lustig und munter war«. Aber so eine Straßenbahn war nur am Boden, zumal für die Kinder, ein nützliches Transportmittel des Schul- und Heimwegs. Aus der Luft war sie ein Stück Infrastruktur des Dritten Reiches, ein logistisches Rädchen in der Kriegsmaschine Nazideutschland, eine kleine Strebe jener Moral der Zivilbevölkerung, mit deren Zermürbung der Krieg beendet werden sollte. Sie war ein Ziel. Und so hielt die Bahn eines Tages auf freier Strecke. Alle wussten, was das bedeuten konnte, noch bevor die Flugzeugmotoren zu hören waren. Jagdbomber schwenkten auf die Straßenbahn ein. Die Passagiere stürzten ins Freie und versuchten sich zu retten. Sie warfen sich in die Löcher und Gräben, die zu diesem Zweck längs der Strecke ausgehoben worden waren.

»Wir lagen wohl zu viert übereinander, ganz verknäuelt, die Schaffnerin noch über mir«, erinnert sich Ludger Heinz. Die junge Frau wurde sein Kugelfang. Die MG-Garben, die erst zweimal von rechts und dann beim neuen Anflug zweimal von links auf den Graben zuliefen, schnitten durch ihren Körper.

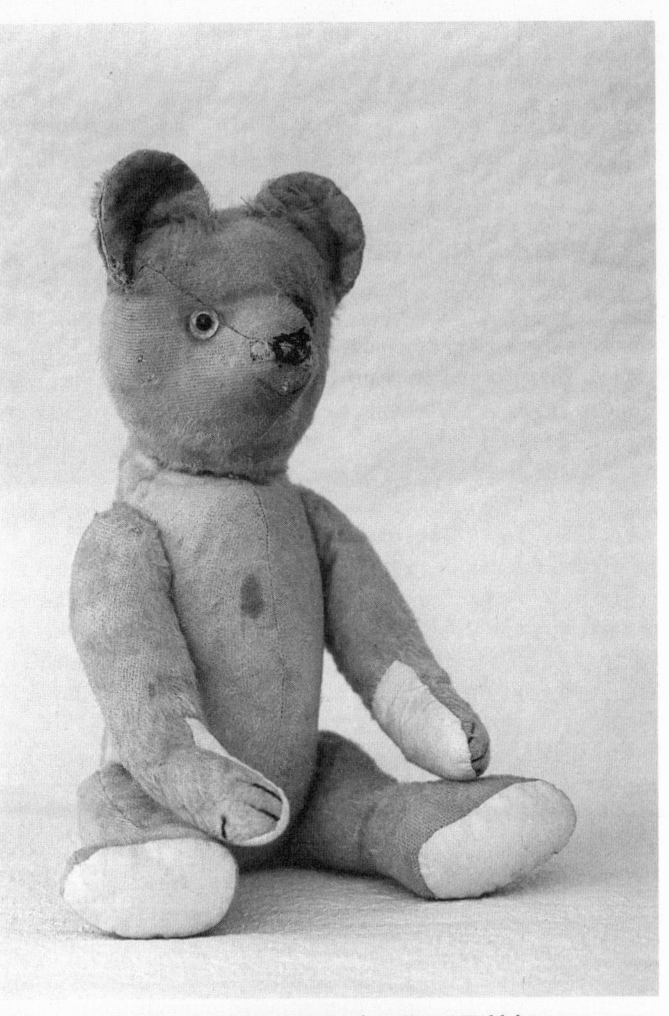

Lange Jahre kannte nur Ludger Heinz' Teddybär seine Kriegserlebnisse.

Blut ergoss sich über die unter ihr Liegenden, lief ihnen über Gesicht und Hände. Noch verklebt von Blut, mit großer Verspätung, kam Ludger nach Hause. Die Mutter war entsetzt. Der Halbwüchsige beruhigte sie, er hatte einen neuen Maßstab für den Schrecken verinnerlicht. »Das ist nicht mein Blut«, sagte er – fast ohne Rührung.

»Man ist in dieser Zeit völlig dickhäutig geworden«, bekennt er heute. Aber unter der dicken Haut wurde das Geschehen anders verarbeitet als mit jenem Schulterzucken der Überlebenden, die solches Entsetzen als »Glück gehabt« verbuchen. Innerlich hat ihn später immer wieder beschäftigt, dass und wie da ein Mensch gestorben war, der ihn im Moment des Todes Körper an Körper berührt hatte. »Diese Frau war ein Individuum gewesen. Nicht irgendjemand. Das war viel unmittelbarer als verbrannte Leichen auf dem Bürgersteig.« Er hatte sie gekannt und verschloss die Geschichte fest in seinem Herzen. Er erzählte sie weder seiner Ehefrau noch seinen Töchtern. Denen schenkte er seinen Teddybären. Der hatte alles gesehen und über alles geschwiegen. Ein verlässlicher Gefährte, seinem Besitzer treu ergeben. Nur seinem einzigen Enkel erzählte Ludger Heinz sehr viel später vom Straßenbahnerlebnis, als der in jenes Alter kam, in dem Ludger eine dunkle Taufe des Krieges vom Blut einer Sterbenden erhielt.

Einst, im Krieg, war aus der Tragödie sofort wieder eine Komödie gemacht worden. Der Sohn nutzte die Angst vor Jagdbomberangriffen. Er setzte sie bewusst ein, um die lästigen Klavierstunden loszuwerden. Er konnte seine Mutter davon überzeugen, dass der Weg dorthin viel zu gefährlich und weder ihr noch ihm zuzumuten sei. Wie viel Angst hatte er wirklich vor den Mustangs, Thunderbolts und Lightnings, die durch den deutschen Himmel zogen? Und wie stark redete er sich ein, diese Todesmaschinen seien seine Komplizen, zu Hilfe gekommen einem, der zu faul zum Üben war und sehr frustriert, dass er nicht schon nach vier Stunden Tonleiternrepetieren ein brillanter Virtuose war. Von nun an übte Ludger Heinz Blockflöte. Karl-May-Lektüre blieb sein Steckenpferd. Und dieses Lesen mag auch eine anhaltende Zeremonie des Abschieds von jenen gewesen sein, die diese Bücher mit ihm geliebt hatten.

Getrennte Welten: Angsthase und Held

Gerd Ritter lebte schon länger in getrennten Welten. Und stets konnte er sie klar auseinander halten – sein eines Zuhause auf dem Wohnschiff im Würzburger Kieshafen und sein anderes in der Frankfurter Bürgerlichkeit bei den reichen Pflegeeltern. Als der Krieg ins Hinterland der Fronten griff, kamen für den 1942 eingeschulten Jungen zwei weitere Sphären dazu. Da war die eine, angstdurchsetzte Welt der Bombenalarme, die ihn immer wieder aus den Schulstunden rissen und in die Katakomben jagten. Und da war die andere, abenteuertraumdurchsetzte Welt des kleinen Zaungasts mörderischer Kämpfe. In der fantasierte sich Gerd Ritter zusammen mit anderen Kindern in die Rolle des mutigen Helden, in der machten ihm feindliche Flugzeuge tatsächlich keine Angst. Dann nämlich, wenn er und die Spielkameraden aus sicherer Entfernung zuschauten, wie sich weiter weg am Himmel, Richtung Horizont, deutsche Abfangjäger und die Luftabwehrbatterien am Boden Kämpfe mit den anfliegenden Bombern und deren Begleitjägern lieferten. Dann war der Krieg ein Schauspiel und der kleine Zuschauer sicher, keiner unmittelbaren Gefahr ausgesetzt zu sein. Gerd Ritter liebte diese Momente. »Da konnte man sehen, wie die Deutschen die feindlichen Flugzeuge eingekreist und beschossen haben.« Wie also in der kindlichen Perspektive, die von Ursache und Wirkung, Schuld und Vergeltung in diesem Krieg nur Bruchstücke erfasste, aus Ohnmacht Gegenwehr wurde.

Eines Tages erlebten die Kinder mit, wie einer der großen Bomber abgeschossen wurde. Die viermotorige »Fliegende Festung« scherte aus der dichten Formation der einander mit ihren in Kanzeln und Drehtürmen untergebrachten Maschinengewehren Deckung gebenden Maschinen aus, zog mit einer Qualmschleppe nach unten und krachte in die bewaldete Flanke eines Berges. Ob der Feind noch lebte? Wie die Männer aussahen? Was wohl von dem Flugzeug übrig war? Wie solch ein Bomber von innen und aus der Nähe aussah? Ob die Bomben heil geblieben waren? Ob die Maschinengewehre noch schossen? Die Jungs wussten, dass sie sich diese Fragen nicht durch eigene Nachforschungen beantworten durften. Selbst wenn sie den Mut aufgebracht hätten, gleich zur Absturzstelle loszuziehen, sie wussten, dass das verboten war. Dass dies Sache der Erwachsenen war, der Soldaten, der Autoritäten. Dass dort vielleicht ein Feind gefangen genommen oder geheime Papiere eingesammelt werden mussten. Und dass nicht abzuschätzen war, wann die schwelenden Teile eines Wracks voller Munition doch noch explodieren würden.

Sie hielten sich an das Verbot. Aber ein paar Tage später, als die Trümmer des Bombers schon abtransportiert waren, als es offiziell nichts mehr zu sehen und also auch nichts mehr abzusperren gab, sind sie doch noch losgezogen. Sie wollten zumindest sehen, was ein riesiges Flugzeug anrichtet, wenn es auf den Boden prallt. Und sie wollten ein wenig die Absturzstelle absuchen. Natürlich nach Munition, diesem brisanten, kribbligen, reizvollen, gefährlichen Überbleibsel, das zum Knallkörper umfunktioniert den großen Krieg zum Kinderspiel und die Kinder zu Kriegern machte. Auch nach kleinen Resten der Maschine. Nach Splittern, Fetzen, Blechen. Nach einem Talisman für die kommenden Nächte vielleicht, nach einem Zeichen für die Besiegbarkeit des Feindes. Sie sollten so ein Zeichen finden, aber ein ganz anderes, als sie sich erhofft hatten.

Beim Umherstreifen, beim Scharren in der Erde, beim Spähen unter Büsche, beim Absuchen der Zweige fanden sie einen Handschuh. Einen dicken, warmen Pilotenhandschuh. Doch der war noch nicht ganz getrennt von seinem früheren Besitzer. Im Handschuh fanden sie einen Fetzen dieses Menschen, den Daumen, von dem ihnen ein blankes Stück Knochen entgegenschaute. Sie standen nicht mehr am Ort eines abstrakten Triumphes, eines Sieges über den anonym bleibenden, als Metallmaschine auftretenden Feind. Sie standen an einer der vielen Schlachtbanken des Krieges. Hier war ein Mensch gestorben. Und er war wohl nicht leicht gestorben. Diese Gewissheit nahm ihnen den Atem. »Das war schrecklich«, sagt Gerd Ritter, und die Erinnerung an die grausige Entdeckung treibt ihm noch immer die Röte ins Gesicht und die Tränen in die Augen. »Wir haben den Handschuh begraben.« Das war eine Zeremonie des Respekts, aber mehr noch der Verdrän-

Das Spiel mit Blindgängern oder liegen gebliebener Munition war während und nach dem Krieg eines der gefährlichsten.

gung. Danach haben sie weitergespielt. Sie sind auf Munitionssuche gegangen, um sich für ihre Kriegsimitationen mitten im Krieg zu rüsten.

Das Widersprüchliche fügte sich in ihrem Leben nahtlos aneinander. Vormittags saßen sie, nach dem Heulen der Sirenen, mit schlotternden Knien im Keller der Schule. Die Angst verdrehte dort besonders dem siebenjährigen Gerd so die Gedärme, dass er es nicht immer bis zur Toilette schaffte. Am Nachmittag aber klaubten die Buben schon wieder die Blindgängergeschosse der nahen Flakstellung vom Boden auf, knackten die Hülsen und schütteten das Pulver zusammen, um damit Maulwurfshügel in die Luft zu jagen. Gewalt, der sie nicht direkt ausgesetzt waren, blieb für die Jungs etwas ungeheuer Anziehendes.

Doch die Angst wurde durch solche Spiele nicht bewältigt. Die setzte sich im Körper fest. »Ganz fürchterlich« war es, wenn Gerd mit seiner Patenmutter nicht in den Schulbunker, sondern in den Keller des Frankfurter Zwei-Familien-Hauses musste. Schlaftrunken wurde er bei Alarm in seine Kleider gezwängt. Und dann galt es, das Vibrieren der Bombermotoren, das Pfeifen der Bomben, die rüttelnden Erschütterungen und das dumpfe Rumsen der Detonationen auszuhalten. So heftig wurden die Angriffe, dass der Pflegevater entschied, die Familie solle künftig in einen stabileren Röhrenbunker in der Villennachbarschaft flüchten. Das verlängerte die Strecke, die man unterm Heulen des Alarms zurücklegen musste, die Angst des Jungen verringerte es nicht. Der spürte wie die anderen seiner Generation die Hilflosigkeit und nicht mehr überspielbare Furcht der Erwachsenen. Und Gerd Ritter bekam aus der Nähe zu sehen, was Bomben anrichten. »Manchmal blieb es ganz weit weg. Aber manchmal kam es auch näher«, beschreibt er das dauernde Lauschen auf den Donner der Angriffe. Einmal kam es ganz nahe. Fünfzig Meter neben der bebenden Bunkerröhre lag der erste Aufschlagpunkt eines Bombenteppichs. Als Gerd Ritter wieder zitternd aus dem Bunker zu Tage stieg, war die Gärtnerei mit ihren Gewächshäusern verschwunden, die zuvor dort gestanden hatte. Nur noch Krater gähnten dort. In diesen Momenten, sagt Gerd Ritter heute, habe er erfahren, was Todesangst ist. »Man kann sich als Kind sehr genau vorstellen, was passiert, wenn die Bombe einschlägt.«

Doch trotz des Schreckens, den die Angriffe verbreiteten, verfehlten sie ihr Ziel der nachhaltigen »Demoralisierung der Bevölkerung« bis zum Punkt der unproduktiven Apathie. Klein und Groß lebten in zwei Welten zugleich, im Bunker und im Alltag. Gerd und seine Freunde spielten nach den Angriffen in den Trichtern und Kratern und sammelten Bombensplitter, sortierten sie nach Ausgefallenheit der Deformation und tauschten sie wie Murmeln. Gerds Pflegeeltern begannen mitten im Krieg mit dem Hausbau auf dem Land, in der Absicht, den Bomben auszuweichen, aber voll Vertrauen auf die Zukunft des Dritten Reiches.

Das Nebeneinander von Todesangst und Normalität, Horror und Spiel ist im Nachhinein kaum vorstellbar. Doch so wenig wie die Angst die alleinige Herrschaft über das Leben an sich reißen konnte, so wenig hat später die Normalität des Friedens endgültig die Oberhand gewonnen. Die Angst der Kellerstunden hat Gerd Ritters Körper bis heute nicht vergessen. Der grauhaarige Überlebende muss sein Gedächtnis durchforsten, um beim Erzählen einzelne Fakten zu finden. Sein Körper aber reagiert heute auf ganz normale Aufenthalte im Keller mit dem gleichen quälenden Bauchgrimmen wie vor 60 Jahren. »Spätestens fünf Minuten nachdem ich in den Keller gegangen bin, muss ich ganz schnell zur Toilette.« Gibt es ein deutlicheres Zeichen dafür, dass sich die Erinnerung, dass sich also auch der Krieg dem Körper einschreibt, ohne dass es sichtbare Narben geben muss?

Ausgeträumt: Bomben ersticken auch Wünsche

Margarete Singer gerät ins Schwärmen über die Musik, die sie am Abend zuvor gehört hat. Ein Cellokonzert im kleinen Rahmen. Ein Schlosskonzert irgendwo in Thüringen. Sie blüht auf, wenn sie Musik hört, ihre Gesichtszüge entspannen sich, wenn sie nur davon erzählt. »Ich hätte gerne ein Instrument gelernt«, sagt die Fünfundsechzigjährige und erinnert sich an die Zukunftspläne, die sie als Kind geschmiedet hat. Geige oder Klavier wollte sie spielen, beides war vorhanden in der Wohnung der Großeltern väterlicherseits. Sie hätte sich nur entscheiden müssen. »Aber da sind wir wieder beim Krieg«, sagt die Frau mit den kurzen Haaren und der praktisch zupackenden Art. Ihr Geburtsjahr 1938 vertrug sich nicht mit dem Wunsch nach intensivem Musikunterricht. Ein Schulterzucken beendet den Satz. Eine wegwerfende Geste. Sollte halt nicht sein.

Margarete Singer bekam nach Kriegsende nie mehr die Chance, ein Instrument zu erlernen. Ihre forsche Art täuscht nur anfangs darüber hinweg, dass sie diesen Verlust heute noch empfindet. Sie will sich arrangieren, sie weiß, wie sinnlos es ist, Verpasstem nachzutrauern. »Ich habe gelernt, dass man ganz einfach leben kann.« Das unterscheide sie von ihren Kindern, sagt sie. Die Tochter ist nach der Maueröffnung in den Westen gegangen, um sich dort eine Existenz aufzubauen. Es sei natürlich das Materielle gewesen, das sie zu diesem Neuanfang gelockt habe. Für Margarete Singer war das nie eine Versuchung. Sie ist im thüringischen Saalfeld geblieben, obwohl die Tochter sie zum Umzug in den Westen gedrängt habe.

Die Fünfundsechzigjährige lebt ein bescheidenes Leben, ohne eigenes Instrument und ohne Stunden der Versenkung im Spiel. Aber eines der ersten Erlebnisse, von dem sie erzählt, wenn sie nach ihrer Kindheit befragt wird, ist ein Besuch im Alten Theater in Leipzig. Dieser Abend und die Bomben auf ihre Heimatstadt fallen ihr ein, wenn sie spontan etwas nennen soll. Eine zufällige Kombination? *Peterchens Mondfahrt* stand damals auf dem Programm, vier oder vielleicht auch schon fünf Jahre alt war Margarete damals, als die Patentante sie mitnahm. Der Abend ist zu einer Insel klarer Konturen in einem Nebelsee verblasster Erinnerungen geworden. Mit vier Jahren schon war sie Halbwaise. Ihre Mutter war gerade 25, als der Vater 1942 fiel. Mit dem Begriff »Vater« verbindet Margarete Singer vor allem die Bedrückung jenes Tages, als der Ortsgruppenführer die Nachricht vom Heldentod für Volk und Reich und Führer überbrachte, ein »Tag voller Tränen«. Mehr Erinnerungen hat sie nicht an den Mann, den sie nie bewusst erlebt hat. Sie weiß eigentlich nur von ihm, dass er im Frieden Schneider im Kaufhaus war. Aber auch das weiß sie eher aus den Erzählungen ihrer Verwandten.

Das Leben der Mutter bestimmte von diesem Schicksalstag an die Arbeit. Die junge Witwe musste schließlich ihr Kind ernähren, sie hatte lange, erschöpfende Wege zur Arbeitstelle quer durch das zerbombte Leipzig. Die ersten Bomben waren in der sächsischen Metropole schon im August 1940 gefallen. In Leuna, das in nur 15 Kilometer Entfernung liegt, waren Anlagen der Erdölindustrie angesiedelt. Sie wurden damals angegriffen – Leipzig wurde ebenfalls getroffen. Und seit dem Großangriff vom 20. Oktober 1943 lagen Teile der Verkehrsinfrastruktur brach. Die Straßenbahnen fuhren nur noch unregelmäßig. »Manchmal hat sie mit ihrem alten Fahrrad auch die halbe Stadt umrunden müssen.« Die zunehmend verhärm-

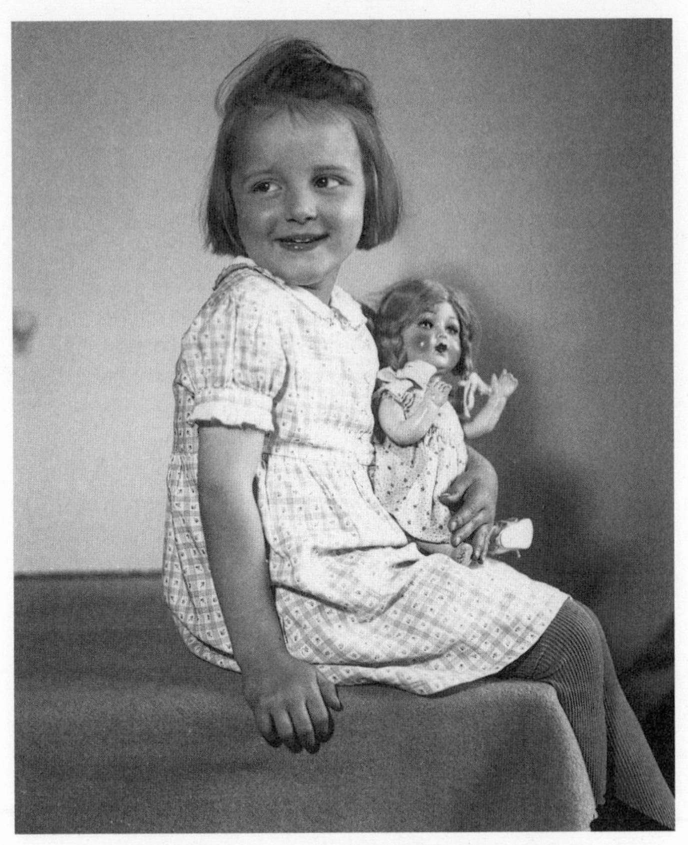

Margarete Singer erlebte die Bombennächte in Leipzig.

te Floristin, die weiterhin in ihrem Beruf arbeitete, und ihre Tochter blieben sich angesichts der existenziellen Not, angesichts des bitteren Schmerzes der Erwachsenen fremd. Die Großmutter war zuständig für Mütterlichkeit und Wärme, Onkel und Tante für die Perspektiven. »Sie hatten damals schon einen Plattenspieler mit Motor. Meine erste klassische Schallplatte hat mir mein Onkel geschenkt.« Margarete Singer weiß noch immer, welches Stück es war – *Die Moldau* von Smetana. Der Onkel wurde schnell der Führer durch die Welt der klassischen Musik. Die Mutter konnte auf diesem Gebiet nicht mithalten. Die kleine Margarete war der Augenstern der restlichen Familie, die das einzige Kind des verstorbenen Bruders und Sohnes umsorgte und verwöhnte. Schon ihr Vater war das Nesthäkchen der Familie gewesen. In der Fürsorge für Margarete versuchten sie, seinen Tod zu vergessen.

Sie taten alles für das Kind – auch und gerade im Luftschutzkeller. Vor allem die Großmutter wurde dort, unter der Erde, zu Margaretes Schutzengel. Instinktiv hatte die alte Frau begriffen, dass in den Bombennächten Nähe das Einzige war, das ein wenig zu helfen vermochte. Eine Fußbank, die im Bunker stets vor dem Sitzplatz der Großmutter stand, wurde zu Margaretes Stammplatz. Zwischen den Füßen dieser Frau fühlte sie sich sicher. »Das war mein Platz. Da habe ich mich geborgen gefühlt, auch wenn's knallte und krachte.« Wenn es ganz schlimm kam, konnte sie den Kopf in den Schoß der Großmutter legen.

Doch so geborgen hat sie sich nicht immer gefühlt. Da waren auch die Stunden im Schutzraum des Völkerschlachtdenkmals, in dem man einen öffentlichen Bunker eingerichtet hatte. Margarete war damals auf Urlaub bei den Eltern ihrer Mutter gewesen, als tagsüber der Alarm kam. Mit den fremden Passanten auf der Straße flüchtete sie ohne Begleitung einer vertrauten Person in den nächstbesten Bunker. Die Wände suggerierten Sicherheit. Aber die spürbare Angst der starr aufgereiht stehenden fremden Menschen untergrub dieses Sicherheitsgefühl wieder, bis schließlich panische Angst das Kind durchflatterte. Dies zählt Margarete Singer zu ihren schlimmsten Erinnerungen.

Es gab kein Entkommen aus Leipzig. Margaretes Mutter hatte nicht genug Geld, um mit ihrer Tochter aufs Land umzusiedeln, wo die Bomben weniger häufig fielen. Auch im Krieg ist die Ungleichheit zwischen den Menschen nicht aufgehoben. Es war eine harte Zeit für die Kinder in Leipzig, die nicht wussten, wie ihnen geschah. Sie erlebten den Krieg als eine Realität, zu der es in ihrem Vorstellungsvermögen bald keine Alternative mehr gab. Sie legten in den Trümmern kleine Gärtchen an und pflegten die Pflanzen dort, als wären es Blumenbeete in einem ganz normalen Schrebergarten. Sie wurden wie Margarete Singer im September 1944 in eine Schule eingeschult, die schon mehr Ruine als intaktes Gebäude war. Sie rannten in die Schulkeller, als sei das regulärer Teil des Unterrichts, eine grausame Sportstunde mit dem Tod als Benotung für die Schlechtesten. Sie mussten oft dreimal in der Nacht aufstehen und in den Keller flüchten, und wenn sie zurück auf die Straße traten, dann brannte manchmal ein Haus. Das machte Angst, barg aber auch eine gewisse Faszination. Sie bestaunten es manchmal wie zu anderen Zeiten ein Feuerwerk. »Wir waren schon ziemlich abgehärtet«, sagt Margarete Singer heute und beschreibt dann doch recht atemlos, wie schnell alles gehen musste, wenn Voralarm war. »Meine Mutter holte mich dann aus dem Bett und stellte mich auf den Küchenstuhl. Weil ich noch ganz im Schlaf war, musste sie mich ermahnen, weil sie mich schnell ankleiden musste. Das konnte ich vor Müdigkeit meist nicht selber.« Mit zwei, drei Mänteln übereinander sind Mutter und Tochter dann in den Keller gestürzt. Oft krallte Margarete sich an ihre Mutter und wurde huckepack die Treppen hinuntergetragen.

An Schlaf war dann trotz der Erschöpfung kaum noch zu denken. Aber gerade Schlaf war oft das einzige Mittel gegen den Hunger. Wenn sie wach lag, dann spürte Margarete, wie ihr Magen rumorte. Manchmal schob die Mutter ihr in diesen Nächten ein Stückchen kostbaren Brots zu, das eigentlich erst für den nächsten Tag gedacht war.

Heute, als Fünfundsechzigjährige, hat sie ein Bild erschreckend abgeklärter Kinder vor Augen. »Wir waren die Bombennächte gewohnt. Wir waren schon so angepasst. Das war für uns Alltag. Es dröhnte, man hörte die Flieger und ein anhaltendes Pfeifen, und dann hoffte man, dass es einen nicht trifft.« Hat sie wirklich nie geschrien, wenn die Großmutter ihr den Kopf hielt? Oder hat sie nur die Erinnerung an die Angst aus ihrem Leben gedrängt? Ein Moment dieser Furcht muss für Maragrete Singer gekommen sein, als die vertraute Welt der Großeltern verschwand. Deren Haus am Völkerschlachtdenkmal erhielt noch in den letzten Kriegsmonaten einen Volltreffer. Die beiden besaßen nur noch das, was sie »auf dem Leibe trugen«. Völlig verrußt, mit schwarz verschmiertem Gesicht war der Großvater durch Leipzig mit dem Fahrrad zum Haus der anderen Großeltern gefahren. Weinend stand er in der Stube, die Tränen flossen über die kohledunklen Wangen, als er sagte: »Wir haben nichts mehr. Gar nichts.« Und die Großmutter war zu all dem auch noch von herabstürzenden Backsteinen verletzt worden.

Eine Bombe traf in der Endphase des Kriegs auch das Haus der Singers. Die Bombe durchschlug das Dach und blieb auf dem Fensterstock im Treppenhaus liegen. Der alte Herr aus dem Obergeschoss, der nie mit in den Keller ging, weil er glaubte, nichts mehr zu verlieren zu haben, schubste sie, bevor sie ihre verheerende Wirkung tun konnte, mit einer Schaufel vom Sims nach draußen – und rettete so die Hausgemeinschaft. Der Schaden am Haus hielt sich noch lang, war lange Jahre noch sichtbar. »Ich habe ihn immer sofort gesehen, wenn ich vorbeigelaufen bin in den Jahren danach.« Gebäuden, toter Materie, gestand man – anders als Kinderseelen – sichtbare Macken und Narben zu. Die Häuser waren nach und nach vergleichsweise leicht zu reparieren.

Im Flammenmeer: Die Angst vor Feuerwerken bleibt

»Ich will jetzt sterben« – hat sie diese Worte damals wirklich gesagt? Hat die siebenjährige Elisabeth Kluge in jener Nacht ausgesprochen, was viele in ihrer Verzweiflung gefühlt haben mögen? Sie kann sich heute nicht mehr mit Gewissheit daran erinnern. Aber daran, dass man es in ihrer Familie so immer wieder erzählt hat. Jedes Mal, wenn die Sprache auf jenen 4. Dezember 1944 kam, an dem in Heilbronn 6500 Menschen im Bombenhagel umkamen. 1000 von ihnen waren Kinder. Elisabeth Kluge, geboren 1937, ihre fünf Jahre ältere Schwester und ihr vier Jahre älterer Bruder überlebten im Keller jener Firma, bei der ihr Vater arbeitete. Im Knorrkeller, wie man in der Familie und in Heilbronn den tiefen Schutzraum des großen

Lebensmittelproduzenten in der ehemals freien Reichsstadt nannte.

»Wir schlafen jetzt immer beim Knorr im Keller«, hat Elisabeth damals der Großmutter und der Tante in der noch ungelenken Schrift der Erstklässlerin geschrieben. Denn der eigene Hauskeller, wo die Geschwister noch in einem riesigen Bett und die Mutter in einem Liegestuhl, den man zurückklappen konnte, die Nächte überstanden hatten, war zu unsicher geworden. Dieser eigene Keller war noch vergleichsweise gemütlich und gar nicht bedrohlich gewesen. Sogar einen kleinen elektrischen Ofen hatte es darin gegeben. »So wie die Kinder heute ins Kinderzimmer zum Schlafen gehen, sind wir in den Keller runtergegangen.« Im Keller nebenan, hinter dem Mauerdurchbruch, saß dann die Familie aus der anderen Doppelhaushälfte. Wie für manche andere Kinder auch, die das anfangs für ein seltsames Spiel halten mochten, anfangs, wenn das Sirenengeheul sich als falscher Alarm erwies, die Bomber an der eigenen Stadt vorbeizogen und man nach der Entwarnung in die unveränderte alte Welt zurückkehrte, »hat das einfach zur Realität gehört«.

In Elisabeth Kluges Erinnerung sind es ganze Tage und ganze Nächte, die sie in quälender Wartestellung im Keller verbracht hat. Aber die kindliche Alltagswelt ist sehr anpassungsfähig. »Meine Mutter war ja dabei.« Grund zur Sorge gab es aus Sicht des Kindes also nicht. Wie der sich ständig wiederholende Bombenalarm ins Leben eingebaut worden ist, zeigt ein Brief, den Elisabeths Mutter an die Großeltern geschrieben hat: »So, nun kommt die Fortsetzung meines Briefes von gestern. Wir saßen über eine Stunde im Keller und nachher war noch öffentliche Luftwarnung bis fast fünf Uhr. Jetzt scheint es wieder richtig loszugehen. Gestern fing es auch schon kurz nach 7 Uhr an und kam dann dreimal mit kurzen Pausen bis nach 12 Uhr.« Was folgt, sind Gedanken über die Versorgungslage, das Gemüse im Garten und wie sich Päckchen sicher verschicken lassen.

Aber die allmähliche nervliche Zerrüttung durch den Schlafmangel, der Abrieb des Willens durch die ewige Unsicherheit machten sich auch bei den Kindern bemerkbar. Dazu kamen die Nachrichten, die persönlichen Berichte und halb öffentlichen Gerüchte über das, was in anderen Städten geschehen war, über denen die Bomber ihre Schächte tatsächlich schon geöffnet hatten. Während in Heilbronn nur immer der so genannte »Bomben-Karle«, wie die Heilbronner vereinzelte Störbomber titulierten und in einem einzigen Flugzeug personalisierten, in unregelmäßigen Abständen auftauchte – ein effektvolles Mittel psychologischer Kriegsführung.

Kennzeichnend für den Stimmungsumschwung ist der Wechsel des Schutzraums bei den Kluges. Der Keller des Privathauses würde dem bang Erwarteten gewiss nicht standhalten können, so erkannte man nun, er schien nur noch ein Grab und Trümmerfeld auf Abruf. Der familiäre Raum wurde aufgegeben zugunsten des Schutzraums bei Knorr.

Vielleicht war dieser fensterlose Bunker gar nicht so viel bedrückender, beängstigender, unheimlicher als der Keller des Wohnhauses. Vielleicht war es das Symbolische des Schutzraumwechsels, das Elisabeths ältere Schwester zerrüttete, die Einsicht, dass das Kommende furchtbar werden würde, dass alle Vorkehrungen der Zivilisten hier unten nutzlos sein könnten gegen die Macht derer, die ihre Tötung planten. Für die Schwester jedenfalls wurde der Gang in den Keller zur seelischen Strapaze, sie zitterte am ganzen Körper, sie bekam weiche Knie, sie schaffte es kaum, durch die Tür zu treten. Einmal ist sie ohne Sinn und Verstand mitten im Geheul der Sirenen einfach losgerannt, fort vom Bunker, entgegen der Laufrichtung der Schutzsuchenden, hinein in die Gefahr. Bis ein paar ebenfalls zum Bunker Eilende sie zu fassen bekamen, sie mitzerrten in den Keller und trotz der eigenen Unruhe versuchten, beruhigend auf sie einzureden.

In einem Brief vom 19. November 1944 schildert Mutter Kluge den Alltag ihrer Kinder. Die werden

> *bei Tag bei Luftgefahr 20* (Die Zahl gibt jeweils die Minuten bis zum Eintreffen der Bomber an, A. d. A.) *aus der Schule heimgeschickt, und im Allgemeinen reicht es gut, dass sie heimkommen. Elisabeth geht hintenherum an der Zuckerfabrik, wo sie in gut fünf Minuten bis zum Mondamin-*

Ablenkung von den Bomben: Elisabeth Kluges Bruder hat den Krieg während eines Aufenthalts im Bunker gemalt.

bau, früher Tiernährmittelbau, kommt, wohin wir bei Tagesalarm gehen. Wenn gleich die Sirene tut und es sofort brummt, gehen sie in der Schule in den Keller. Das wird möglichst vermieden, damit nicht soviel Kinder beisammen sind, und weil auch die Keller in den Schulen eben nicht tief genug sind. Wilfried hat ja auch einen bedeutend weiteren Weg. Ihn nimmt oft einer auf dem Rad mit, oder er geht so schnell. Seine eigentliche Schule ist ja Lazarett, sodass er in der Robert-Mayer-Oberschule ist an der Friedenskirche (bei der Klinik von Gutmann). Er ist auch viel gewandter, wenn mal etwas ist, und ist sich bewusst, dass er gleich in ein Haus geht, wenn schon Alarm ist und er etwas brummen hört. Oft ist er auch schon während des Alarms heimgekommen, wenn es ganz ruhig ist. Ich rege mich da eigentlich nie auf, und bis jetzt ging es auch immer gut, sodass sie immer da waren, wenn es brummte. Ursula ist in einem guten Luftschutzkeller mit der Klasse. Alle die, die mehr als zehn Minuten heim oder zu irgendeiner Großmutter oder Tante haben, müssen mit der Lehrerin schon bei Luftgefahr 120 in diesen Keller. Nur wenn sie das Rad dabei hat, darf sie heim, aber auch nur, wenn es noch nicht gehupt hat. In der Mädchenschule sind sie sehr vorsichtig. Elisabeth hat nun morgens immer um halb neun Uhr Schule, wenn noch so oft Alarm war, weil bis auf sechs Kinder die ganze Schule im Keller schläft. Ursula hat eine Stunde später Schule, wenn nach acht Uhr abends Entwarnung ist, bei Wilfried erst, wenn nach zehn Uhr Entwarnung ist. Man versteht eigentlich nicht, dass das nicht einheitlich geregelt ist. Ursula muss auch meist die wegen Alarm ausgefallenen Stunden nachholen. Bei Wilfried geht das gar nicht, da ja zwei Schulen in einem Gebäude untergebracht sind.

Noch während die Mutter schreibt, geben die Sirenen neuerlichen Voralarm.

Eben hupt es zum vierten Mal für den heutigen Tag. Da gehen wir heut Abend zeitig hinüber, dass wir drüben sind, wenn es losgeht. Wir haben abends immer den Drahtfunk eingeschaltet, damit wir hören, wenn etwas in Aussicht ist. Und unser Sach ist sowieso immer gerichtet. Die Kinder ziehen sich spätestens um halb sechs um (Nachthemd, Pullover, Training) und die übrigen Kleider werden in den Rucksack, bez.-weise Turnister gepackt. So dürfen wir losziehen.

Auch knapp drei Wochen später, am 4. Dezember 1944, sind sie losgezogen, gerüstet für eine jener unbequemen Nächte, die nun schon stumpfe, auszehrende Routine geworden waren. Heilbronn, hingeschmiegt in einen Kessel aus Weinbergen, war bislang Mal um Mal davongekommen. In dieser Nacht aber wurde Heilbronn nicht verschont, ging es nicht nur darum, die Menschen in die Bunker zu scheuchen. Die Pfadfinderbomber der Royal Air Force markierten diesmal Heilbronn mit ihren Leuchtbomben, die Piloten der nachfolgenden schweren Lancastermaschinen hatten keine Schwierigkeit, die Stadt im Neckartal zu finden. In 37 Minuten wurden über 800 Tonnen Sprengbomben und mehr als 430 Tonnen Brandbomben über der Stadt abgeworfen. Der historische Stadtkern wurde ausradiert, der Gesamtvernichtungsgrad der Stadt später auf 62 Prozent geschätzt. In dem Keller, in dem Elisabeth Kluge und ihre Familien saßen, wurde die Luft knapp. Die Gebäude ringsum brannten, die Flammen fraßen den Sauerstoff in der Umgebung. Wer überleben wollte, musste gegen seine Instinkte handeln und ins Ungeschützte rennen. Schnell kommt die heute Fünfundsechzigjährige auf diesen Moment zu sprechen, denn es ist der furchtbarste ihres Lebens. Es ist der Moment größter Todesnähe. Draußen loderten die Flammen, sengten und zerrten an allem, entwickeln einen Sog, als wollten sie die verstörten Flüchtlinge aus den Bunkern reißen. Wer in jener Nacht verletzt wurde, hatte Schlimmes vor sich: als eines der ersten Gebäude waren die Städtischen Krankenanstalten draußen am Stadtrand, ganz nah am Wald, getroffen und in Brand gesetzt worden. »Man musste durch Flammen gehen«, erinnert sich Elisabeth Kluge. Es gab keinen anderen Weg. Die Siebenjährige war gezwungen, durch ein Spalier brennender Häuser zu flüchten, deren Flammenzungen nach ihr über den schmelzenden Asphalt leckten. »Das war sehr schlimm«, sagt sie, und fügt zurückhaltend hinzu: »Es war heiß.« Jahre danach noch ging es ihr wie vielen anderen Brandopfern. »Wenn ich verkohltes Holz gerochen habe, wenn ich diesen Geruch wieder in der Nase hatte, stand mir sofort das Flammenmeer vor Augen.« Erst mit der Zeit sind die Erinnerungen weniger quälend geworden, aber der Krieg hat für die Frau, die heute in Stuttgart lebt, einen unverwechselbaren Geruch bekommen. Bis heute sind ihr auch der Anblick und die Geräusche eines Feuerwerkes nicht geheuer. Noch als erwachsene Frau hat sie – meist vergeblich – versucht wegzuhören, wenn die Sirenen zu den regelmäßigen Übungen angestellt wurden. »Das war dieser schlimme und unangenehme Ton aus dem Krieg.« Trotzdem ist auch bei ihr die Bescheidenheit vieler ehemaliger Kriegskinder zu spüren. Auch sie sagt: »Ich habe ja nur die Bombardierung von Heilbronn erlebt …« Als gelte es, in einem Wettstreit der leidvollen Erinnerungen möglichst tiefzustapeln. Als versöhne die Tatsache, dass es anderen noch schlimmer ergangen ist mit den eigenen Erfahrungen. In Heilbronn, fünfzig Kilometer von ihrem Wohnort Stuttgart, ist sie seit der Evakuierung in Kindertagen nie mehr gewesen.

Weltuntergang: Scharlach im Krankenhauskeller

Kinder haben viele Wünsche. Als der Krieg zu Ende war, hatte die zwölfjährige Eva Bolzel noch zwei. »Ich wünsch mir eigentlich nur, mal durchzuschlafen.« Und dann, nach dem Aufwachen, ein anständiges Essen. Schlaf und Essen, diese Wünsche konnte sie formulieren. Vielleicht war da noch ein dritter, nicht ausdrückbarer: endlich aus dem Schneckenhaus des eigenen Inneren herauskommen zu dürfen, in das Eva Bolzel sich zurückgezogen hatte, wenn die Sirene den Weg in den Schlaf blockierte. Sie beherrschte die Flucht so perfekt, dass sie jederzeit im Alltag auf diese Technik zurückgreifen konnte. Sie schwieg und kroch in sich hinein, wenn die Eltern zu Hause stritten. So wie sie schwieg und sich abkapselte, wenn sie in der Kinderlandverschickung, in den sechs Wochen Kur, in denen ihre Lunge genesen sollte, Schläge bekam. Danach nahm sie eine Nagelfeile und ritzte als Vergeltung für die erlittene Pein Kerben ins Bettgestell. Ganz still für sich. Sieben Jahre war sie da alt.

In Nürnberg, wo die Familie Bolzel mit drei Töchtern wohnte, war es aber meist die Angst vor den Bombern, die den Rückzug erzwang. »Wenn es im Radio hieß ›Bombergeschwader über Kassel‹, dann zitterte man schon, dann saß einem irgendwie die Angst im Nacken.« Dann wusste man, dass der Anflug Nürnberg gelten konnte. Die Menschen gingen in den Keller. Das Leben mit gepackten Koffern, die in den Keller geschleppt und dann wieder in die Wohnung gewuchtet wurden, ein Jahr voller Alarme, hat Eva Bolzel in lebhafter Erinnerung. Immer traf sie im Keller auf Leute, die weinten und sie damit erst recht beunruhigten. Jede Nacht im Keller schabte mehr an den Nerven, entließ die Menschen erschöpfter. Nach zwölf Monaten hatte die Mutter genug. Sie beschloss den Umzug nach Dresden – in eine Stadt voller Kulturerbe, ohne Rüstungsindustrie, ohne Wert für feindliche Bomber. Von dort stammte sie, dort lebten noch ihre Eltern, dort hatte sie mit den Kindern früher oft Urlaub gemacht.

Eva kam hier in eine fast vergessene Welt zurück – in die

Eva Bolzel (rechts) erlebte den großen Angriff auf Dresden ohne ihre Familie im Bunker eines Krankenhauses.

bürgerlicher Geborgenheit. Ihr Großvater war Molkereidirektor, und die Gerüche seines Gewerbes waren für Eva der Duft ihrer frühesten Kindheit, die Aromen der verschiedenen Milchprodukte und der animalische Dunst der Karrengäule, die das Eis brachten. Dresden schien eine Insel des Friedens. Eva Bolzel muss heute lange überlegen, bevor sie Worte findet, um vom Ende dieser Illusion zu erzählen, »von dem Fürchterlichen«, wie sie es distanziert nennt. »Ich sage mir immer, es sind mehrere Leben, die ich gelebt habe, und dieses Leben ist nun lange vorbei. Ich bin schon im nächsten.«

Damals in Dresden, in diesem anderen Leben, wurde die Elfjährige trotz der neuen Geborgenheit und Ruhe ringsum mitten im Winter schwer krank. Sie bekam rote Flecken am ganzen Körper und hohes Fieber, gegen das keine kalten Wickel mehr halfen. »Ich bin dann von der Neustadt, wo wir wohnten, ins Krankenhaus in der Altstadt gebracht worden.« Damals fragte keiner in Krankenhäusern, ob Eltern bei ihren stationär eingewiesenen Kindern bleiben wollten. Evas Mutter hätte gar keine Zeit gehabt, sich auch nur länger ans Krankenbett zu setzen. Sie musste sich um zwei weitere Töchter kümmern. Die erste Nacht im fremden Krankenhaus sollte die fiebernde Eva eben tapfer sein. Sie nahm sich auch vor, nicht zu weinen und sich helfen zu lassen.

Es war der frühe Abend des 13. Februar, des Rosenmontags 1945, und auf den britischen Bomberbasen wurde der endgültige Wetterbericht ausgegeben. Seit mehreren Tagen hatte das Bomber Command, die unter dem Oberkommando von Arthur Harris stehende Bomberstreitmacht der Royal Air Force, auf günstige Bedingungen gewartet, um endlich auch verheerende Schläge gegen Städte im Osten Deutschlands zu führen. Churchill selbst hatte die Liste strategischer Ziele erstellt – der deutsche Rückzug aus dem Osten sollte im Chaos versinken. Auch an diesem Tag schien der geplante Einsatz gegen Dresden wieder gestrichen zu werden. Die enormen »Fliegenden Festungen« der Amerikaner hätten die Attacke mit einem Tagesangriff beginnen sollen, waren aber gar nicht erst gestartet – eine dicke Wolkendecke hüllte das Festland ein. Die aber begann am späten Nachmittag aufzuklaren, die britischen Meteorologen prognostizierten klaren Himmel über Dresden. Als Eva Bolzel sich mühte einzuschlafen, ließen 244 Langstreckenbomber auf den britischen Basen ihre Motoren an.

Das war eine verhältnismäßig kleine Zahl, oft waren 800 Bomber in der Luft über deutschen Großstädten. Aber Bomber Command hatte sich eine Überraschungsstrategie ausgedacht. Drei Stunden nach der ersten Welle, mitten in die Lösch- und Rettungsarbeiten, würde der Angriff einer zweiten, größeren, 529 Flugzeuge starken Welle folgen. So sollte die größtmögliche Zahl an Opfern gewährleistet werden. Was immer noch übrig sein würde von der Stadt und dem Lebenswillen der in die Bunker Verkrochenen, sollte dann durch eine dritte Angriffswelle der Amerikaner am helllichten Tage weggefegt werden. Aus Sicht des Bomber Command verlief der Angriff äußerst erfolgreich. So erfolgreich, dass Churchill seinem Generalstab ein Dankschreiben schickte: »Mir scheint der Moment gekommen, an dem das Bombardieren deutscher Städte einzig zum Zweck der Verbreitung von Terror, auch wenn wir andere Vorwände nennen, überdacht werden muss. Andernfalls werden wir die Kontrolle über ein vollkommen zertrümmertes Land übernehmen ...«

Was in dieser Nacht geschah, was sie mitbekommen hat vom Dresdner Feuersturm, das setzt Eva Bolzel in bewusst spröde Worte. Es soll drüben bleiben, jenseits einer Barriere, in einem anderen Leben. »In dieser Nacht kamen die Angriffe und man ging eben in den Keller.« Von Gehen konnte bei ihr allerdings keine Rede sein. Sie war so schwach, dass sie im Bett in den unterirdischen Schutzraum des Krankenhauses geschoben wurde. Es muss gedauert haben, bis all die Bettlägerigen hierhin gebracht waren, bis die noch Gehfähigen hier herabgehumpelt waren mit ihren Krücken und Infusionsständern, ihren Urinkathetern und Operationsbandagen. Die Bilder setzen sich, während Eva Bolzel erzählt, neu zusammen. »Ich seh mich noch vor der Eisentür liegen. Plötzlich ging die Tür auf, und es kam Feuer rein. Die Leute schrien wie verrückt. Dann hat jemand ganz schnell die Tür zugedrückt.« Für Eva mag das wie eine Halluzination ihres Fiebers gewirkt haben, das Hitzebilder schuf. Aber was nicht am Fieber liegen konnte, das war die Veränderung der Luft im Bunker. Die wurde immer dünner und unergiebiger zu atmen. Und noch etwas war nicht im Kopf allein. »Da war überall dieses furchtbare Getöse. Das werde ich nie vergessen. Ich dachte, die Welt geht unter.« Das Dröhnen bohrte sich ins Gehirn, drang bis ins Innerste, verschaffte sich Einlass in Evas Rückzugsraum. Es war in ihrem Kopf. Es ließ ihren Bauch vibrieren. Um sie herum kreischten die Erwachsenen. Schock und Panik ließen die Grenzen der Scham bersten. Eine animalische Angst verschaffte sich Gehör. Eva lag im Dunkeln und fragte sich, wie es wohl aussehen würde, wenn das Weltende dort oben auch hier durch die Tür dränge. In den Momenten, in denen die nackte Angst vor dem eigenen Versengtwerden einen Gedanken durchließ, war es die bange Frage: Was war mit den Schwestern, was mit der Mutter? Würden sie das alles überleben?

Subjektiv muss der Angriff eine Ewigkeit gedauert haben. Für die Bomberpiloten war die erste Welle eine flinke Operation. Vierundzwanzig Minuten waren die Maschinen über der Stadt, die nun weit ins Land hin im Schein wütender Feuer leuchtete. Als das Motorendröhnen verklang, verbreiteten sich drunten im Krankenhausbunker rasch die üblichen Gerüchte.

Das Gebäude darüber sei restlos zerstört, kein Fahrstuhl funktioniere mehr, alle Ausgänge und Aufgänge seien verschüttet. Man werde hier unten ersticken. Entgegen aller nachvollziehbaren Befürchtungen ließen sich die Türen öffnen. Eva bemerkte, dass einige den Bunker verließen und andere hereinkamen. Darunter waren besorgte Angehörige – auch Evas Mutter, die sich versichern wollte, dass ihre Tochter noch am Leben war. Doch ihr Kind zu beruhigen, ihm zu versichern, das Geschehene sei nur halb so schlimm, dazu hatte Evas Mutter keine Kraft mehr. Sie erzählte, was sie auf dem Weg ins Krankenhaus zu sehen bekommen hatte, von den brennenden Menschen etwa, die an der Elbe umherrannten und sich in den Fluss stürzten. Aber die Tochter lebte, das war in diesen Stunden das einzig Entscheidende. »Sobald ich kann, hole ich dich«, versprach sie Eva und ging.

Um 1.23 Uhr kam die zweite Angriffswelle. Vor ihr gab es, außer dem Lärm ihrer Motoren, keine weitere Warnung. Die Fernmeldeleitungen waren unterbrochen, die Sirenen funktionierten nicht mehr, die Reste eines irgendwie organisierten öffentlichen Dienstes waren beim Löscheinsatz draußen in den Straßen. Mit dem Dröhnen der Maschinen und den ersten Detonationen war Evas Gewissheit, dass die eigene Familie überlebt hatte, wieder dahin. In der neuen Angst muss ihr Fieber verglüht sein. Sie kann sich nicht erinnern, sich danach noch körperlich krank gefühlt zu haben. Aber die Elfjährige musste noch tagelang im Keller liegen, und mit jeder Stunde schwand ihre Hoffnung mehr. Droben sei rundherum alles kaputt, hat man uns erklärt.« Die Mutter kam nicht zurück. Eva war sicher, sie verloren zu haben. Draußen, in der zerstörten Stadt, befestigten die Dresdner ihre Lebenszeichen und Suchmeldungen, wo es nur irgendwie ging. Aber drinnen, im Bunker, kamen keine Nachrichten an. Stattdessen wurde darüber gesprochen, die Kinder zu verschicken, hinaus aufs sichere Land.

Inbrünstig hoffte Eva, die Mutter möge doch noch auftauchen. Bitte, lass sie kommen! Lass sie noch leben! So betete sie jeden Tag. Und dann kam die Mutter. Gerade noch rechtzeitig, bevor der Transport aufs Land aufbrechen sollte. Sie stand

Die völlig zerstörte Innenstadt Dresdens im Frühjahr 1945

da mit einem Leiterwagen, um ihre Tochter heimzuholen. Wie ein Triumphzug kam der Tochter diese Fahrt im Schlafanzug durch das zerstörte Dresden vor, trotz der Ruinenlandschaft. »Ich war so glücklich.« Dieses außerordentliche Glücksgefühl hat die Außenwelt zum Schemen verkümmern lassen. Die Mutter war da. Sie hatten überlebt. Das ließ sich nicht mehr überbieten, auch wenn ringsum nichts mehr von vertrauter Zivilisation zu sehen war. »Ich weiß noch ganz genau, wie selig ich war.« Eva Bolzel erinnert sich jedoch auch an eine Freundin der drei Schwestern, »die war nicht mehr da«. Und da war der Nachbarssohn, der in der Bombennacht seine gesamte Familie verloren hatte und für eine Weile bei den Bolzels blieb. Der Kontakt mit den weniger Glücklichen, der tägliche Anblick des Elends vertrieb das Hochgefühl bald wieder. Überlebt zu haben, das erschien nur als momentane Gnade, die in der nächsten Sekunde widerrufen werden konnte. Die Wochen nach den großen Angriffen schildert Eva Bolzel als Periode ständiger intensiver Angst vor weiteren Bomberwellen. Vor allem aber als eine Zeit ständiger Furcht vor Tieffliegern, die immer wieder in den Trümmerfeldern nach Zielen suchten. Ob sie sich mühten, ein militärisches von einem zivilen Ziel zu unterscheiden? Eva Bolzel verwirft schon die Frage. »Sie ballerten überall rein.« Am 3. März, dieses Datum hat die Frau mit großer Gewissheit im Gedächtnis, brachen die Geschosse der Bordkanonen durch die Außentür des Kellers, in den sich die Bolzels wieder einmal geflüchtet hatten. Evas Aufmerksamkeit blieb bei allem, was sie tat, auf die Umgebungsgeräusche gerichtet. Das Kind lauerte auf den unverkennbaren Brummton, den ihr die Mutter täglich als Todesboten einschärfte. Hinwerfen, hatte der zu bedeuten, sich flach auf den Boden pressen. Sie lebten in Furcht und gleichzeitig mit der Notwendigkeit, »sich mit den Gegebenheiten zu arrangieren«. Ein Stück Kindheit hat es Eva Bolzel »mit Sicherheit gekostet«, das Geschehen aus dem vorigen Leben, diese Erkenntnis aus den Bombennächten: »Ach, man muss ja sterben.« Sich mit den Gegebenheiten zu arrangieren, bis es so weit ist, das hat Eva Bolzel gelernt. Unbeschwerte Heiterkeit aber, das ist für sie eine Erinnerung aus Vorkriegstagen, ein verschwundenes Etwas aus einer anderen Zeit, wie die Karrenpferde der Molkerei.

5. Verlust der Heimat: Flucht und Vertreibung

Die Heimat und die ersten Menschen, mit denen man zu tun hat, die Landschaft, in der man aufwächst, das prägt einen – das kann man nicht einfach in den Papierkorb stecken.

Marion Gräfin Dönhoff in einem Interview

Sie waren zu Fuß unterwegs und mit Pferdewagen, in Zügen und auf Schiffen. In riesigen Trecks, denen immer neue kleine Gruppen zuströmten, suchten sie den Weg nach Westen. Sie kamen aus Ostpreußen, Pommern, Schlesien oder dem Sudetenland. Die Angst, eine der Furien des Krieges, trieb die Fliehenden voran. Das ist jetzt fast 60 Jahre her. Die Zeit heilt alle Wunden, sagt der Volksmund dazu schnell.

Vierzehn Millionen Menschen verließen vor oder nach Ende des Zweiten Weltkriegs in mehr oder minder großer Panik ihre Heimat. Sie flüchteten vor dem Vordringen der Roten Armee und der Rache jener, deren Land die deutsche Wehrmacht 1941 überfallen hatte. Viele von denen, die noch nicht fliehen wollten oder konnten, weil sie etwa krank waren oder auf ihr tatsächliches oder vermeintliches Unbeteiligtsein an den Verbrechen des Regimes vertrauten, wurden später unter Zwang davongejagt. Schon vor Ende des Zweiten Weltkriegs hatten sich die Exilregierungen Polens und der Tschechoslowakei mit den diversen Untergrundorganisationen sowie den Alliierten darauf verständigt, dass die deutsche Bevölkerung aus den zum

Teil in stark veränderten Grenzen wieder erstandenen Staaten Osteuropas verschwinden müsse. Auf der Konferenz von Potsdam vom 17. Juli bis zum 2. August 1945 besiegelten Russen, Amerikaner und Briten diesen Plan.

Zwei Millionen Menschen überlebten die gigantische, erzwungene Völkerwanderung nicht. Die Überlebenden aber hatten ihr Zuhause verloren, ihre soziale Verwurzelung, hatten auszehrende Märsche, Überfälle und Vergewaltigungen, Bombardierung und Beschuss, den Tod und die Ermordung von Verwandten, vertrauten Menschen oder gänzlich unbekannten Leidensgenossen erlebt. »Immer wieder stehe ich vor neuen Phänomenen, neuen Zusammenhängen, neuen, bislang unbekannten Spätfolgen von Traumen, die schon früh mit brutaler Gewalt in das so fein abgestimmte Räderwerk der Entwicklung eingegriffen haben«, beschreibt der Psychiater Peter Heinl in seiner Studie *Maikäfer flieg, dein Vater ist im Krieg ... – Seelische Wunden aus der Kriegskindheit* seine Erfahrungen im Umgang mit den Spätfolgen solcher Erlebnisse.

Auf den Bild- und Filmdokumenten aus der Zeit der großen Flucht sind Kinder zu sehen, die trotzig ihren Rucksack durch die Kälte tragen, und andere, die auf Bergen von Koffern sitzen und aufpassen, dass nicht noch das letzte Hab und Gut verloren geht. Mit leerem Blick schauen sie in ihre Zukunft. Es scheint, als könnten sie dort nichts erkennen, als sei diesen Kindern plötzlich ein essenzieller Bestandteil der Kindheit verloren gegangen: Zutrauen, Gewissheit, Neugier. Diese Kinder haben damals jedes für sich eine ungeheure Umwälzung erlebt, eine beängstigende Neuordnung ihrer Leben. Aber bis heute stehen diese Menschen im Windschatten der Geschichte.

»Über die Bewältigungsstrategien alternder Überlebender von Flucht und Vertreibung ist wenig bekannt«, schreibt Frauke Teegen, deren Hauptforschungsgebiet Belastungsstörungen aufgrund von Stress sind. In einer Studie an der Universität Hamburg hat die promovierte Psychologin zusammen mit ihrer Kollegin Verena Meister knapp 300 ehemalige Flüchtlinge und Vertriebene befragt. Alle Teilnehmer dieser Studie wiesen Grundbedingungen auf, die die Psychologie als Ursachen psychischer Störungen anerkennt. Nämlich Momente »außerge-

Eine Familie aus Oberschlesien versucht, sich im Januar 1945 vor der russischen Offensive in Sicherheit zu bringen.

wöhnlicher Bedrohung oder katastrophalen Ausmaßes, die bei jedem tief greifende Verzweiflung und potenzielle oder reale Todesbedrohung, ernsthafte Verletzung und Bedrohung der körperlichen Unversehrtheit bei sich oder anderen auslösen würden, auf die mit intensiver Furcht, Hilflosigkeit oder Schrecken reagiert wird«.

Wer solche Momente erlebt hat, dessen Psyche kann in ihren Grundfesten so erschüttert worden sein, dass die Kraft zur Bewältigung des Grauens kurz- oder langfristig überfordert ist. Über ein Drittel der Befragten (39 Prozent) in Teegen/Meisters Untersuchung lebte oder lebt mit ungünstigen und für das eigene Ich quälenden Bewältigungsstrategien. Sie versuchen zu vergessen und zu verdrängen. Mehr als die Hälfte versucht mit unterschiedlichem Erfolg, das Geschehen als Teil des eigenen Lebens zu akzeptieren, spricht mit Leidensgenossen und Familienangehörigen darüber oder schreibt die eigenen Lebenserinnerungen auf.

Die Zeit kann Wunden heilen. Aber dies ist kein automatischer Vorgang. Wer nicht über die Schrecken spricht, hindert sich selbst daran, das Geschehen in sein Leben einzuordnen. Wer sich seinen Erinnerungen stellt, kann sie zähmen und zu einem Teil seiner Identität machen.

Zyankali oder Flucht

In Friedeberg ging die Welt noch lange in den Krieg hinein ihren normalen Gang. Die Bomben fielen weit weg von dem kleinen Städtchen in der Neumark mit der eindrucksvollen, von zwei Toren durchbrochenen Stadtmauer aus Backstein. Als der Krieg erstmals spürbar ein wenig näher rückte, da sah er für Franziska Bernd noch aus wie eine düstere meteorologische Erscheinung. Einen glühenden Feuerschein bemerkte das zehnjährige Mädchen in der Ferne am Horizont, als Stettin, die Stadt in Pommern, bombardiert wurde. Jedenfalls glaubt sie, ihn gesehen zu haben. »Das war unheimlich« – aber auch weit genug weg, um die Beobachtung schnell wieder vergessen zu können. Auch was aus dem Piloten des englischen Flugzeugs wurde, das sie bei einem Spaziergang abstürzen sah, kann die Neunundsechzigjährige in ihrer Erinnerung nicht wiederfinden. Ganz undeutlich taucht dort ein umzäuntes Gelände auf, auf dem sich Menschen aufhielten. »Mir kam der Gedanke an einen Hühnerstall, als ich das sah.« Die Erwachsenen erklärten, das seien Kriegsgefangene aus Frankreich. Franziska konnte mit diesem Begriff nichts anfangen. Krieg, das war in Franziska Bernds vager Vorstellung »Kampf mit Feinden«. Ihr Konzept von dem, was ein Feind sei, stammte aus ihrer alltäglichen Erfahrungswelt. Feinde, das waren zum Beispiel die Jungen, die sie auf dem Pausenhof immer schubsten und hänselten, weil sie nicht nur eine mit ihrer Familie erst 1938 Zugezogene war, sondern auch noch wie eine kleine Dame mit einem Pelzmäntelchen zum Unterricht kam. Ihr Vater war Jurist, ein besser gestellter Staatsdiener gewesen, bevor er 1940 eingezogen wurde. Die Bernds konnten sich bessere Schulkleidung nicht nur leisten, sie legten wohl auch Wert auf sie als

Zeichen sozialer Abgrenzung. Was für Franziska Konflikte, Spannungen und Hänseleien mit den Schulkameraden zur Folge hatte. Ein Bild vom Krieg, das sich aus diesen Erfahrungen speiste, konnte einem Kind nicht als Vorbereitung auf die nackte Todesangst der Erwachsenen dienen, auf die Vorahnung eines Hasses der anderen, der mindestens die soziale, wahrscheinlich aber die physische Existenzvernichtung bezwecken würde.

Beim Umzug nach Friedeberg hatten die Bernds drei Kinder, 1945 waren es fünf. Franziskas jüngster Bruder war anderthalb, als der Krieg die Grenze der privaten Lebenswelt überschritt. Zuerst kamen nur immer mehr Kisten im Bernd'schen Haus an. Die Verwandten aus Ostpreußen und Berlin brachten ihr Hab und Gut vor Feinden und Bomben in Sicherheit. Dann kündigten sich die Menschen selbst an. Am 26. Januar hatte die Rote Armee das an der Ostsee gelegene Elbing eingenommen. Ostpreußen war damit auf dem Landweg vom Deutschen Reich abgeschnitten. Es hieß, der Flüchtlingszug würde durch Friedeberg kommen. Einen der zwei Räume, die sich die Kinder als Schlaf- und als Spielzimmer teilten, richtete die Mutter als Notquartier her. Die Kinder halfen beim Ausräumen. Dann sahen sie zu, wie die Mutter Stroh auf den nackten Boden schüttete. Das schien einem Kindergemüt nachvollziehbar. »Ich wusste schon, warum es Flüchtlinge gab. Die kamen, weil die Russen so weit vorgerückt waren. Da mussten sie eben gehen«, erinnert sich Franziska Bernd heute an die Perspektive ihres jüngeren Ich.

Das Notlager blieb, wie die ringsum in Friedeberg hergerichteten Unterkünfte, leer. Der Strom der Flüchtlinge nahm einen anderen Weg und machte anderswo Halt. Aber nach diesen Vorbereitungen auf die Not der anderen konnten die Erwachsenen ihre eigene Anspannung nicht mehr ablegen. Oder sie konnten die schon vorher da gewesene Angst nach diesen ersten greifbaren Umgestaltungen innerhalb der eigenen vier Wände vor den Kindern nicht mehr verbergen. Es gab keine Rückkehr zur Normalität, das spürte auch die zehnjährige Franziska genau. Es folgte ein Verharren in einem Ausnahmezustand, der keinesfalls der Vorläufer einer Normalisierung war, sondern die Wartezeit vor etwas noch viel Schlimmerem. Das konnte Franziska an der zunehmenden Nervosität der Mutter ablesen. Und es gab für die Älteste nun auch klare, scharfe Antworten auf die Frage, was denn Schlimmes zu erwarten sei. Es galt, »ja nicht den Russen in die Hände zu fallen«.

Die Angst davor war so groß, dass die Mutter, 37 Jahre, verantwortlich für fünf Kinder für den Ernstfall vorbaute. In diesen Januarwochen 1945 besorgte sie sich von einer befreundeten Apothekerin Zyankali – illegalerweise. Es war, während Männer Parolen für die Verteidigung der Heimat ausgaben, ein grimmiger Akt der Solidarität unter Frauen. Die Furcht vor Vergewaltigung und Verschleppung war immens. Sie lähmte das Denken, wo nüchtern geplant werden musste. Die Vorstellung des letzten und ungeheuerlichen Schritts war da wenigstens ein Fixpunkt im Wirbel der Ängste, ein düsterer Garant für die Wahrung einer letzten Souveränität. Allenfalls von der Grenze des Todes aus ließ sich wieder für das Leben planen.

Der erste Versuch, sich auf das Kommende einzustellen, vertraute noch auf ein Ende des Schreckens. Die Apothekerin hatte ihrer Freundin geraten, mit ihren Kindern in die Wälder um Friedeberg zu gehen und sich dort zu verstecken, bis die feindlichen Truppen durch das Gebiet gezogen seien. Eine Eruption der Rache für das von den Nazis Angerichtete schien dieser Frau also vorstellbar, die dauerhafte Vertreibung, die radikale Neuordnung der Welt durch den Krieg wohl nicht. Aber der Winter 1944/45 war von Minusgraden um die Zwanzigermarke geprägt. Sich unter diesen Umständen in der freien Natur zu verstecken, kam für Franziska Bernds Mutter nicht in Frage. Aus Sorge um ihren achtzehnmonatigen Sohn rückte Franziska Bernds Mutter von diesem Plan wieder ab. Sie fürchtete Krankheit und Tod des Kindes durch die Witterung im geplanten Versteck. Zugleich – und hierin wird die Absurdität in der verzweifelten Lage deutlich – hielt sie das Zyankali bereit. Das Gift war ihr ständiger Begleiter. Der Tod die einzig sichere Zukunftsoption. Der Widerspruch dieser Verhaltensweisen scheint ihr nicht aufgefallen zu sein. Sie hielt sich daran fest, wieder eine Entscheidungshoheit zu besitzen. Vor ihren Kindern allerdings hielt sie ihren Plan geheim. »Ich wusste damals nur, dass oben auf dem Schrank etwas war«, beschreibt Franziska Bernd die letzten Tage im Haus. Dieses bedrohliche, seltsame Etwas, das sich als kleines Päckchen in der Familie eingenistet hatte, war die stete Erinnerung, dass das Vertraute dabei war, auseinander zu fallen. »Wenn irgendetwas passiert wäre, wenn wir überrollt worden wären von den russischen Truppen, dann hätte sie uns allen das Gift gegeben und es auch selber genommen.« Die Gewissheit, mit der Franziska Bernd diesen Satz heute sagt, speist sich aus den Erlebnissen der späteren Flucht.

»Wir sind acht Tage bevor die Russen kamen, geflohen«, sagt die Neunundsechzigjährige gleich zu Beginn unseres Gesprächs. Das klärt die Rahmenbedingungen, nennt die große, frühe Zäsur in ihrem Leben. Manchen mag erstaunen, dass die Flucht, der endgültige Aufbruch, im Denken der Mutter nicht immer als erste Option vor ein gefährliches Versteck und die Auslöschung der eigenen Familie mit Gift getreten war, dass Zyankali überhaupt ein denkbarer Ausweg war. Aber die Flucht ließ sich im Reich der Nazis nicht beschließen und in die Tat umsetzen. Die Erlaubnis, fast alles zurückzulassen und das eigene Leben zu retten, musste je nach Ort, je nach Sturheit und Restmacht der Parteibüttel mehr oder weniger hart erkämpft werden. Denn nach dem Vorrücken der Roten Armee hatte das Regime in Berlin eine Sperre für Bahnreisen über 100 Kilometer erlassen. Fluchtvorbereitungen waren verboten. In Ostpreußen war im Herbst zuvor gar Anweisung an die Kreisleiter ergangen, jeden, der seine Flucht plane, zu melden.

»Meine Mutter brauchte vom Kreisgruppenleiter die Erlaubnis, mit dem letzten Zug wegzukommen.« Es galt also, sich gegen diesen einen konkreten Vertreter des Regimes durchzusetzen, einen Mann, der zwischen Gefahr und der letzten Chance zur Rettung stand. Das Gefühl, in existenziellen Fragen von anderen abhängig zu sein, die Ahnung, die nächsten Schritte könnten über Leben oder Tod entscheiden, die Erfahrung, dass man sich aus allem lösen muss, aus der Sicherheit des vertrauten Lebens, haben die Flüchtlinge geprägt. Vor einem Funktionär der Nazis wäre Franziska Bernds Mutter normalerweise zurückgewichen. Nun wagte sie es, ihn aufs Äußerste zu provozieren. »Warum darf Ihre Familie ausreisen und wir nicht?«, war die entscheidende Frage, mit der sie den Parteisoldaten in die Ecke drängte. Der Hinweis auf seine Doppelmoral war riskant, aber in diesem Falle auch erfolgreich. Sie bekam die Erlaubnis zur Abreise.

Doch diese Gewährung der Gnade, sich vor den Folgen der Mord- und Raubpolitik der Nazis in Sicherheit bringen zu dürfen, hieß ja noch nicht, dass auch die Möglichkeit dazu gegeben war. Aber die Bernds hatten Glück: Ein weiterer Vertreter des Systems, der Kreisbaumeister, bot ihnen an, sie könnten mit ihm und seiner Familie in einem Treck fliehen. Das klang wieder einmal wie eine letzte Chance, aber die Mutter zögerte. Sie fürchtete, ihre Kinder Gewaltmärschen auszusetzen, denen sie nicht gewachsen sein würden. Sie lehnte das Angebot schließlich ab. Die Ereignisse haben ihrer unguten Vorahnung auf schlimmste Weise Recht gegeben. Das erfuhren die Bernds, als sie später Überlebende trafen. Der Treck wurde von russischen Truppen überrollt und musste umkehren. Ihr Helfer, der Kreisbaumeister, wurde erschlagen. Seine Frau erlebte all das, wovor die Frauen sich so sehr gefürchtet hatten. Die Gedemütigte und Gebrochene fand später für das, was ihr geschehen war, auch gegenüber den ehemaligen Nachbarn keine Worte.

Franziskas Mutter setzte weiter darauf, sich und ihre Kinder mit dem Zug Richtung Westen zu retten. Franziska und ihren Geschwistern wurde beim Abschied von ihrem Zuhause versichert, was auch viele Erwachsen fest glaubten: »Es wird nicht endgültig sein.« Aber dass »die Russen« nur noch 20 Kilometer von Friedeberg entfernt waren, ließ keinen weiteren Aufschub zu. Wie wenig sich die Menschen vorstellen konnten oder wollten, was sie auch dann erwarten würde, wenn die Flucht gelingen sollte, zeigen die Prioritäten beim Packen. »Mein Bruder und ich mussten den Schultornister nehmen«, erinnert sich Franziska, und zwar so, wie sie für den Alltag bereitstanden: voller Hefte und Bücher. Babynahrung und Windeln für den Bruder wurden eingepackt, und das Silberbesteck schweren Herzens zurückgelassen. In vielen Familien war dieser teure Hausrat das Symbol für die guten Zeiten. Die Kinder und das Dienstmädchen vergruben es im Garten. Bald, so hieß es, bei der Rückkehr, würde es ja wieder ausgebuddelt. Nur einen einzelnen Teelöffel nahm die Mutter mit, als eine Art Talisman, ein Unterpfand für die Rückkehr. Als werde das Schicksal vielleicht Familien auf Dauer auseinander reißen, aber Respekt vor einem Silberbesteckset zeigen. Dann wurden die Kleiderschränke geleert. Koffer konnten die Kinder aber nicht auch noch schleppen: Franziska und ihre Geschwister zogen so viel Kleidung übereinander, wie sie irgend konnten, wie die Nähte und Säume zuließen.

Es waren seltsam aufgeplusterte Kinder, die sich da durch das Gedränge auf dem Bahnsteig schoben, vorbei an anderen Kindern, die ebenfalls unförmig dick in ihren zwiebelschalenartig übereinander gezogenen Kleidchen, Jacken, Hosen und Mänteln umherstapften. Diese dicke Isolierschicht aus Kleidung steht symbolisch für die inneren Beschwichtigungen, mit denen sich die Menschen damals gegen den endgültigem Verlust und den Aufbruch ins Ungewisse abpolsterten. Der Zug war völlig überfüllt, und immer wieder wurden die Kinder ermahnt, nicht Neugier oder Zappeligkeit nachzugeben und ein paar Schritte davonzugehen, fort aus dem Sichtfeld von Mutter und Oma. Es gab keine Gewähr, dass sie sich zurück gegen die schiebenden und blockenden Leiber der anderen noch einmal würden durchsetzen können, dass sie nicht verloren gingen, wenn der Zug unter Beschuss geraten sollte und evakuiert werden müsste. Die Lok zog ihre Wagenkette über Stettin, Mecklenburg, Bad Kleinen. Die Menschen übernachteten in Kindergärten, Frachtschuppen, provisorisch eingerichteten Lagern. Das Essen kam von der NS-Volkswohlfahrt. Es war meist Brotsuppe. »Das kannte ich nicht und das schmeckte auch ganz scheußlich«, erinnert sich Franziska Bernd an die kleine Katastrophe, die noch Platz fand im Windschatten der großen. Sie schliefen auf Sesseln und Sofas, immer in der Ungewissheit, »wie es wohl weitergeht«.

Das Ein- und Aussteigen, das Umsteigen waren die Phasen äußerster Anspannung. Um den kleinen Bruder im Kinderwagen kümmerte sich die Großmutter, den Rest der Familie musste die Mutter im Auge behalten. Doch wie hält man eine Gruppe von zwei Erwachsenen und fünf Kindern zusammen, wenn die Menge in alle Richtung drängt und schiebt und die Kleingruppe auseinander zu sprengen droht? Wie trug eine Zehnjährige ihr Gepäck durchs Gedränge? »Es war grauenhaft«, sagt Franziska Bernd. »Ich hab es noch in ganz entsetzlicher Erinnerung, dass ich meine Mutter dort habe weinen sehen.« Die Nerven waren bis zum Zerreißen angespannt, und die Kinder merkten, dass Mutter und Großmutter hier nicht mehr wie gewohnt die Probleme mit der Kraft und Abgeklärtheit der Großen bewältigen konnten, dass es Momente gibt, in denen der Mensch geschoben, gebogen und vielleicht zerbrochen wird, ohne dass sein Wille zur Gegenwehr etwas ausrichten kann.

Irgendwann in diesen vier, fünf Tagen, die sie unterwegs waren, auf dieser Fahrt, auf der sie aus Angst vor Bombenangriffen einen großen Bogen um die Reichshauptstadt schlugen, ist es dann passiert. Sosehr sie aufgepasst hatten, sosehr sie dies gefürchtet und immer wieder besprochen hatten: Sie wurden getrennt. Auf einem der Bahnhöfe, »weil wir so oft umsteigen mussten und die Züge so voll waren«, ging die Großmutter mit dem Jüngsten verloren. Die Bernds hatten Glück, das Schicksal meinte es noch einmal gut mit ihnen. Sie fanden einander wieder. Aber der Zehnjährigen und ihren Geschwistern prägte sich der Schrecken ein. Sie erlebten die Welt als gefährlich regellos, die Erwachsenen als hilflose Verwirrte und Schutz als etwas Zufälliges und Vorübergehendes. Selbst eine Begegnung mit dem Vater verstärkte dieses Gefühl noch. Die Familie traf ihn auf der Durchreise in Celle, wohin er auf einen Militärlehrgang abkommandiert war. Aber die zehnjährige Franziska »hatte kaum eine Erinnerung an den Mann«, den sie dort im Niedersächsischen flüchtig wiedersah. Und es gab keine Zeit für eine Wiederannäherung. In Celle war kein dauerhaftes Unterkommen möglich, die Irrfahrt ging weiter zu Verwandten auf ein Gut bei Duderstadt. Dort schliefen alle zusammen in einem Raum, Spannungen blieben nicht aus. Die Gastgeber waren kinderlos und sichtlich irritiert von einer Frau mit fünf verstörten Kindern auf der Suche nach Schutz und

Normalität. »Den Verlust von Geborgenheit habe ich damals sicher empfunden«, sagt Franziska Bernd. Dumpfe Rastlosigkeit und das Gefühl des Nichtgelittenseins, des Zurlastfallens, prägten die Tage. »Als Kind sucht man Harmonie«, benennt Franziska Bernd, was ihr damals fehlte. Als amerikanische Truppen im Mai den Ort einnahmen und die Familie für ein paar Tage ihre Bleibe räumen musste, weil sie zum Verwaltungssitz umfunktioniert wurde, brachte das kaum noch eine zusätzliche Verstörung. Es gab sowieso kein Gefühl von Daheimsein mehr.

Denn der Traum von der Rückkehr nach Hause war abrupt ausgeträumt. Die Hausangestellte aus Friedeberg hatte ihrer einstigen Herrschaft gemeldet, was mit dem Haus geschehen war: Vorrückende russische Truppen hatten es gesprengt. In Potsdam verhandelten die Siegermächte über eine Neuaufteilung der Besatzungszonen. Duderstadt, das die amerikanischen Truppen eingenommen hatten, lag nahe am Rand der sowjetischen Besatzungszone. Die Mutter war in größter Sorge, dass eine Neuaufteilung das Gebiet den Russen zuschlagen könnte. Von ihrem Mann war in dieser Lage weder Rat noch Trost, noch Hilfe zu erwarten. Der saß mittlerweile in englischer Kriegsgefangenschaft. Die Unruhe übertrug sich auf ihre Kinder. Sie spürten, dass sich Heimat und Zuhause völlig aufgelöst hatten. Nach Schlesien gehörten sie nicht mehr. In das südliche Niedersachsen, dem gegenwärtigen Unterschlupf, auch nicht. Franziska, das Mädchen, das noch vor kurzer Zeit als kleine Dame im Pelzmantel zur Schule gegangen war, lebte mit ihrer Familie nun in beengten Verhältnissen und musste sich ganz neu zurechtfinden. »Wir standen in der sozialen Skala plötzlich ganz unten.« Sie waren Flüchtlinge, ohne Freunde und Beziehungen, dazu noch evangelisch in einer vornehmlich katholischen Gegend und mit einem Mal wirklich arme Leute. Wenn es kalt war, glitzerte an den Zimmerwänden der gefrorene Atem seiner Bewohner, denn es gab keinen Ofen.

Das Gefühl tiefster Demütigung durch die neuen Lebensumstände hat Franziska Bernd lange begleitet. Eine Szene der Erniedrigung geht ihr noch immer nicht aus dem Sinn. Als Älteste der Familie war sie aus ihren Schuhen herausgewachsen,

Schuhe hatten die Flüchtlingskinder keine:
Franziska Bernd (oben rechts) und ihre Geschwister.

niemand konnte ihr passende weitergeben. Es gab keine andere Möglichkeit: Sie musste fortan barfuß gehen, wie viele Flüchtlingskinder im Ort. Sonntags aber kamen ihr beim Heimweg vom evangelischen Gottesdienst die gut angezogenen katholischen Kirchgänger entgegen. »Und ich hatte keine Schuhe an.« Sie empfand das als Schande, den Heimweg als Spießrutenlauf, und der Gedanke an die Begegnung mit neuen Nachbarn war nun einer der Angst vor neuer Scham. Armut tut weh. Und dieses Fehlen passender Kleidung war ja keine momentane Misslichkeit einer noch immer bürgerlichen Familie. Der eigene Status war völlig ungewiss, gewiss nur, dass es am Nötigsten fehlte. Für das Überleben der Familie mussten sich auch die Kinder ins Zeug legen. Als der Herbst kam, gingen sie »stoppeln«. Auf den abgemähten Getreidefeldern sammelten sie die liegen gebliebenen Ähren und tauschten sie gegen Mehl ein. Daraus kochte die Mutter Milchsuppe, deren Geschmack die Kinder mit dem des Elends gleichsetzten.

Dieses Ährensammeln entsprang bereits jenem neuen Denken, mit dem die Bernds wie viele Flüchtlinge und Vertriebene den Ausweg aus der Misere suchten: Alles, sagten sie sich, hänge von der persönlichen Leistungsbereitschaft ab. Leistung, das schien das Machtwort, mit dem sich die Souveränität über das eigene Leben zurückgewinnen ließ. Leistung, das war nun der Wert in jedem Bereich des Lebens. Die veralteten, auf der Flucht mitgeschleppten Schulbücher waren hier zwar wertlos. Aber Franziska Bernds Mutter hielt an der Wichtigkeit von Bildung und gedrucktem Wissen fest. Sie sagte den Satz, der für ihre Tochter zum Motor des Überlebens in den nächsten Jahren, zum Antrieb durch alle Momente der Schmach hindurch wurde: »Kinder, lernt was! Das kann euch niemand wegnehmen.«

Franziska war eine gute Schülerin. In der Dorfschule kam sie in die vierte Klasse und wunderte sich, »wie wenig die anderen wussten. Und dass man die Diktate schon vorher übte und dass sie trotzdem noch so viele Fehler machten.« Franziska war wissbegierig und begriff schnell, auch wenn sie schreckliche Angst vor Prüfungen hatte. Das Flüchtlingskind fand in der Leistung seine Chance, sich von den anderen zu unterscheiden, die – ohne es als Glück zu begreifen – Schuhe an den Füßen trugen. Diese Möglichkeit, durch Leistung in der Schule Selbstwertgefühl zu bekommen, war aber längst nicht allen gegeben – auch Franziska konnte nur deshalb weiterlernen, weil eine ihrer kinderlosen Tanten das Schulgeld übernahm. Frühmorgens fuhr das Mädchen mit dem Zug in die Oberschule, die in einem Kloster untergebracht war, abends wieder zurück. Es waren lange Tage für die Elfjährige. Das Essen gab ihr die Mutter im Henkelmann mit. Sie durfte es mittags auf den Herd der Klosterküche stellen und aufwärmen. Doch trotz der Anstrengungen und der Unbequemlichkeiten wurde die Oberschule ein Ort befreiender Erfahrung. Hier traf ein buntes Sammelsurium an Schülerinnen aufeinander. Franziska war nicht mehr das einzige Flüchtlingskind.

Und ab 1951 hatten Franziska und ihre Geschwister dann auch wieder beide Elternteile. Der Vater war zwar schon vor einer Weile aus britischer Kriegsgefangenschaft entlassen worden, aber hatte lange keine Erlaubnis für den Zuzug in die amerikanische Zone erhalten. Doch als er wieder mit seiner Familie vereint war, wollte auch Karl Bernd sich durch Leistung beweisen. In Hamburg, wo er Arbeit gefunden hatte, baute er ein Haus. Ein Familienvorstand, mag er sich gedacht haben, muss den Seinen ein Dach über dem Kopf bieten. Der Schutz und die Geborgenheit, die Frau und Kinder entbehrt hatten, sollten sinnbildlich wiederhergestellt werden. Aber das Geld reichte kaum für die Realisierung dieser Pläne. Die Familie zog in ein Haus, das noch nicht fertig war, und wohnte erst einmal im Keller. »Das war schlimm. Und mein Vater war ernst, sehr ernst, als wir wieder zusammenlebten«, erinnert sich seine älteste Tochter.

Wie so viele seiner Zeitgenossen hat auch Karl Bernd so gut wie nichts erzählt, auch nichts in dieser seltsamen Nachkriegssituation, die mitten im Wiederaufbau an das Leben im Kellerbunker erinnerte. »Und ich habe eigentlich nie gefragt. Aber das ist ja sowieso ein Merkmal unserer Generation«, sagt Franziska Bernd. Den Blick immer vorwärts gerichtet, vermieden es die Davongekommenen, die Wunden ihres Lebens zu entdecken und zu versorgen.

Franziska Bernd wurde, dem Vorbild ihres Vaters folgend, Juristin und hat an einem Verwaltungsgericht gearbeitet. 1977 fuhr sie mit ihren Eltern und Geschwistern in die ehemalige Provinz Posen, das frühere Ostpreußen und auch nach Friedeberg. »Da fühlte ich mich angerührt.« Ist hier Heimat? Sie antwortet mit einem Schulterzucken.

Franziska Bernds Mutter hat das Zyankali, das sie 1945 bekommen hatte, übrigens bis weit in die siebziger Jahre hinein aufbewahrt. Wie den Silberlöffel, das Symbol der nicht eingelösten Heimkehrhoffnung. Einer ihrer Söhne entwendete ihr dann das Gift – heimlich. Den Silberlöffel, der ihre Mutter ein Leben lang begleitet hatte und den sie stets in Benutzung hatte, wollte Franziska Bernd dann aus dem Pflegeheim, in dem ihre Mutter gestorben war, zu sich nach Hause holen. Er war nicht mehr auffindbar. Vom Pflegepersonal war er wohl weggeworfen worden – als wertloses altes Besteckteil.

Ein Überlebender zweiter Klasse?

Noch heute kann er die Anschrift im Schlaf aufsagen: Löwenstraße 18 in Hamburg-Eppendorf. Jede Familie hatte solch eine Adresse. Eine, die sich auch die Kinder ganz fest einprägen mussten. Einen Sammelpunkt, an dem sich die Angehörigen wiedertreffen wollten, sollten sie getrennt werden, ein Ziel, zu dem sich jeder durchschlagen sollte. Ein letztes, virtuelles Band der Familie, wenn es keine Nähe und kein Zurück mehr gab. Für Friedrich Knechtel und seine Mutter wurde im Frühjahr 1945 die Löwenstraße 18 die Kompasspeilung im Chaos. Auch wenn sie wie alle gehofft hatten, dass es für sie anders kommen möge.

Die Knechtels verstanden sich seit Generationen auf das Konditoren- und Bäckerhandwerk. Aus dem Familienstammbaum, den sie zum Nachweis arischer Abstammung für die Nationalsozialisten erstellen mussten, wird ersichtlich, dass ein Vorfahr bereits 1722 Bäcker war. Er hatte seine Brote am selben Ort, im Städtchen Tiegenhof in der Gegend zwischen Danzig und Elbing, aus dem Ofen geholt, an dem seine Nachfahren ihre Backstube betrieben. Das Knechtel'sche Bäckersein, das Leben der Sippe, das Treiben des Ortes im Danziger Werder zwischen Weichsel und Nogat schien eine Konstante über die Jahrhunderte, und nur die politische Großwetterlage, die Namen, die Flaggenfarben drum herum schienen sich zu ändern. Seit 1919 gehörte Tiegenhof zum Gebiet der Freien Stadt Danzig, die nicht mehr zur Weimarer Republik gehörte. So hatte das der Vertrag von Versailles 1919 festgelegt. »Mein Spielzeug kam aus dem Reich und musste reingeschmuggelt werden«, erinnert sich der einundsiebzigjährige Friedrich Knechtel.

Aber wie hätte Friedrich auch begreifen sollen, was die Siegermächte des Ersten Weltkriegs in dem Vertragswerk von Versailles ausgehandelt hatten? Er war ein Handwerkerkind, bestimmt, selbst eine solide Rolle in soliden Verhältnissen zu spielen. In Tiegenhof galten die Handwerker etwas. Es gab eine große Zimmerei, eine Schnapsfabrik, eine Käserei und die Konditorei und Bäckerei Knechtel. Friedrich war eigentlich bestimmt, zu einem weiteren Garanten des ewig gleichen Gangs des Lebens heranzuwachsen.

Aber noch der Erste Weltkrieg fraß aus einer fernen Vergangenheit vor Friedrichs Geburt an der Ordnung seiner Welt. Im Winter 1940 starb der Vater an den Folgen einer Verletzung aus diesem Krieg. Die Winter waren streng im Osten, und das Grab musste mit Spitzhacken ins tief durchgefrorene Erdreich geschlagen werden.

Friedrich war neun Jahre alt, als er Halbwaise wurde. Von nun an stand seine Mutter täglich noch länger als in den Jahren, in denen der Vater gekränkelt hatte, im Laden. Wenn der Junge viel freie Zeit hatte, in den Sommerferien, dann verbrachte er die auf dem nahe gelegenen Bauernhof seiner Großmutter, die sich ihm eher widmen konnte. Aber auch wenn er Schule hatte, machten sich seltsame Veränderungen bemerkbar, gab es Lücken im vertrauten Tagesablauf. Immer mehr Lehrer rückten mit Fortschreiten des Krieges ein, und allmählich stotterte die Apparatur der Wissensvermittlung. Nicht Stunden, ganze Fächer fielen aus. Bei Friedrich Knechtel kamen Chemie und Physik nie auf den Stundenplan. Die Fachlehrer lagen irgendwo in einem Schützenloch, hockten auf einer Schreibstube oder verwesten in einem rasch geschaufelten Soldatengrab. Was den kleinen Fritz besonders schmerzte, war die Einberufung des Musiklehrers. Denn das Bäckerskind hatte einen musischen Zug, und die Eltern hatten ihn gefördert – nicht selbstverständlich für eine Familie, in der die Lebenswege vorgegeben schienen. Friedrich hatte früh Geigenunterricht bekommen.

Und einer der letzten Wünsche des Vaters auf dem Sterbebett war es, erzählte ihm die Mutter, als gebe sie eine Verpflichtung weiter, »dass der Fritz bei der Geige bleibt«. Er blieb zumindest bei der Musik, aber nicht immer um ihrer selbst willen. Bei den Pimpfen konnten musizierende Jungen die begehrten Schwalbennester, die geflochtenen Schulterstücke, als Uniformschmuck bekommen. »Deshalb bin ich in den Fanfarenzug gegangen«, sagt Friedrich Knechtel. Als Zehnjähriger begriff er noch nicht, dass man ihn mit ein paar glänzenden, silberfadendurchwirkten Kordeln für die nationalsozialistische Jungenerziehung gewonnen hatte. Aber wenigstens sah Fritz ab und an auch eine gegenteilige andere Wirkung von Musik, eine, die nicht zur Uniform hin-, sondern von ihr wegführte. Immer wenn der Musiklehrer Heimaturlaub bekam, schaute er auf ein paar Stunden in der Schule vorbei. »Dann knöpfte er seine Uniformjacke auf«, wischte den Kriegsalltag beiseite, wurde für ein paar Augenblicke wieder Zivilist.

In der Zeit, in der die Lehrer aus der Schule verschwanden, wurden auch die Lebensmittel in den Geschäften immer weniger. Im Café der Knechtels ersetzte Wassereis das Milchspeiseeis, und viele kleine Gerichte verschwanden ganz von der Karte. Kriegszeiten waren magere Zeiten. »Wenn wir mal Fleischsalatbrötchen gemacht haben, waren die sofort weg«, erinnert sich der Mann, der dieses Café einmal hätte führen sollen. Die Zeit der Fleischsalatbrötchen war allerdings schon die Zeit von Herrn Krohn. »Mutter wollte wieder heiraten«, sagt der Sohn. Sie hatte sich darum an ein Eheanbahnungsinstitut gewandt – und passenderweise einen Koch kennen gelernt, ebenjenen Arthur Krohn. Der war zweiter Anrichtekoch auf dem NS-Vergnügungsdampfer »Wilhelm Gustloff«, dem 1937 vom Stapel gelaufenen größten Kreuzfahrtschiff seiner Zeit, das in der Folge für die NS-Freizeitorganisation »Kraft durch Freude« die Weltmeere befuhr. Als Mitglied der Besatzung war Krohn Zivilist und doch im kriegswichtigen Einsatz. Seit Ende 1943 kam er regelmäßig nach Tiegenhof und besuchte Friedrichs Mutter. »Ich bin immer zum Bahnhof gelaufen und habe ihn abgeholt. Dann haben die anderen Kinder geschaut, was da für ein großer Herr mit langem Mantel in Zivil kommt, wo doch alle anderen Leute Uniform getragen haben.«

Friedrich war stolz auf den neuen Mann im Haus, der ihm von seinen Schiffsreisen erzählte. Von seinen Schilderungen, die von Brasilien und anderen fernen Ländern handelten und viel interessanter schienen als eine Lehrstunde über die Eigenheiten des heimischen Backofens, konnte der Elfjährige nicht genug bekommen. Nicht nur die Mutter, auch der Sohn verlor das Herz an den Mann aus Hamburg. Drei Menschen hatten sich gefunden, die sich allesamt die Zukunft als Familie in den leuchtendsten Farben ausmalten. Nach dem Krieg wollten sie heiraten, Krohn wollte abmustern und ins Café Knechtel einsteigen. Friedrich würde wieder einen Vater haben. »Ich hätte heranwachsen können ...«, sagt er, und dann gerät seine Rede ins Stocken. Er mag nicht mehr beschreiben, wie dieses andere Leben eigentlich geplant war. Das Schicksal hat anders entschieden.

Die schöne neue Zukunft der Knechtels begann sich aufzulösen, als die ersten Flüchtlinge aus Ostpreußen Richtung Westen an Tiegenhof vorbeizogen. Nur wollte die Familie da noch nicht wahrhaben, dass sie selbst entwurzelt werden könnte. »Wir dachten uns nichts dabei«, erinnert sich Friedrich Knechtel an die Bilder von damals. »Wir haben nur dagestanden und geschaut.« Menschen auf Pferdewagen, deren Zugtiere müde vor sich hin wankten – die mussten aus einer ganz anderen Welt mit anderen Regeln und Notwendigkeiten kommen. »Wir fuhren ja Autobus oder Bahn«, erklärt Friedrich Knechtel. Aber es kamen immer neue Trecks, ihr Startpunkt lag immer weniger weit entfernt, und allmählich machte sich die Angst bemerkbar, die große Geschichte werde diesmal keinen Bogen um Tiegenhof und seine Handwerker machen. Mutter Knechtel packte den Hausrat zusammen. Denn am 26. Januar traf die Nachricht ein, russische Truppen hätten die ostpreußische Stadt Elbing eingenommen. Nur vorübergehend wollte man einem Sturm der Geschichte ausweichen, um dann in das alte Leben zurückzukehren. »Es hieß, wir flüchten erst mal vor den Russen. Wenn sie dann zurückgeschlagen sind, kommen wir zurück.« War das Zweckoptimismus, der den Abschied leichter machen sollte? Oder glaubten die Menschen wirklich tief im Inneren, nach einem baldigen Friedensschluss würden das gewohnte Leben und die alten Verhältnisse wiederauferstehen und alle Wunden des Krieges anderswo klaffen und vernarben?

Auch das Protokoll, das Friedrich Knechtel sieben Monate später über diese Tage der Flucht anfertigen sollte, gibt auf diese Frage keine Antwort. Ein Onkel hatte den Vierzehnjährigen im August 1945 gedrängt, seine Erlebnisse aufzuschreiben. Der bemühte sich, ein rechter Kerl zu sein, seine Gefühle hintanzustellen und möglichst staatstragend zu erzählen.

»Durch das immer weitere Vordringen der russischen Truppen wurden wir gezwungen, unsere notwendigsten Sachen zu packen, um mit meiner Mutter auf Befehl unsere Heimatstadt zu verlassen. Unser Ziel war nach langem Überlegen Fürstenwalde bei Berlin und Hamburg zu unseren Verwandten.«

Mutter und Sohn waren auf sich allein gestellt bei ihrer Flucht. Arthur Krohn war zurück auf See. Aber die Wohnung des neuen Mannes in der Familie war der Fixpunkt der Reise ins Ungewisse. Sollte irgendetwas schief gehen, sollten sie getrennt werden, wäre sie der Sammelpunkt. Löwenstraße 18 in Hamburg, das wurde der Schlüsselbegriff für den Glauben, es werde eine Zukunft geben. Das Schicksal, dachten die Knechtels, konnte sie doch nicht Herrn Krohn kennen lernen lassen und ihnen dann alles wieder nehmen. Mit solchen stillen Trostversuchen machten sie sich auf den Weg.

Es war Ende Januar und bitterkalt. Die Mutter hatte sich das Elend der Tage zuvor Durchziehenden gut genug angeschaut, um zu wissen, worauf es ankam. Sie hatte das dicke Bettzeug auf den Wagen gepackt. Für die Strecke, die man im Bus in Friedenszeiten in einer halben Stunde zurücklegte, brauchte die von Not und Zufall zusammengewürfelte Reisegemeinschaft mehrere Tage. Die Angst trieb sie an, aber sie war auch ein zäher Morast, der die Räder, Hufe, Beine festhielt. Immer neue Gerüchte nährten sie und machten die Menschen nervöser. Fritz begriff die panische Angst der Frauen nicht ganz, Vergewaltigung kam in seinem Wortschatz noch nicht vor. In seinen Augen waren sie auf der Flucht vor feindlichem Beschuss. Das war für ihn schrecklich genug, aber er spürte, dass da mehr an den Frauen nagte als die ihm vertraute Angst. Der Begriff, der ihm heute einfällt, wenn er die Fahrt im Treck beschreibt, ist »nicht geheuer, es war nicht geheuer«. Mehrmals wiederholt er die Worte, als wolle er kein Schweigen aufkommen lassen, während die Erinnerungen sich Raum schaffen.

»Es ging ja auch darum, ob die Pferde durchhalten«, sagt er dann. Ohne sie wäre ein Fortkommen nicht möglich gewesen, sie waren das A und O dieser Flucht. Sie brauchten ihre regelmäßigen Rasten, und die verzögerten das Weiterkommen. Was der Dreizehnjährige am Wegrand sah, war anders als die Gerüchte, es war echt, greifbar und verstörend neu. Am Straßenrand lagen verendete Pferde, gefrorene Kadaver, die Fritz mit einer deutlicheren Sprache als die Angst der Frauen zusetzten. Jedes tote Tier stellte die Frage, ob die eigenen Zugtiere es wohl schaffen würden. Denn der auf der Karte so kurze Weg schien nur noch aus endlosen Wirrungen zu bestehen. Von überall her kamen neue Wagen von Flüchtenden. Niemand wusste den Weg. Friedrich Knechtel erinnert sich an Satzfetzen wie »Wohin fahren wir jetzt?« oder »Komm, lass uns weiter geradeaus fahren!« »Ist da nicht die Wehrmacht«, entgegnete einer, der es besser zu wissen glaubte. So fuhr ein Karren dem anderen nach – bis fast gar nichts mehr ging, weil die Wagen sich im Gedränge gegenseitig blockierten. Die Energie der Menschen war aufgebraucht, lange bevor sie ihr Ziel erreicht hatten. Und mittlerweile ahnten sie auch, dass jedes Ziel nur eine Zwischenstation sein konnte. Eine solche erreichten die Knechtels nach einer letzten Strapaze. In seinem vom Onkel angeregten Bericht schrieb Friedrich damals nüchtern: »*Wir fuhren die ganze Nacht und erreichten erst am Morgen die Weichselfähre in Schöneberg. Meine Mutter und ich gingen über die Weichsel, um für die nachfolgenden Wagen Quartier bei einem Verwandten in Letzkau zu besorgen. Dieselbe Nacht waren wir von meinem Onkel aufgenommen worden.*«

Doch dieses Quartier, war die Mutter nun sicher, lag noch lange nicht außerhalb der Reichweite der russischen Truppen. Es folgten ein, zwei Tage unentschiedenen Wartens, dann fuhr sie mit ihrem Sohn im Zug nach Danzig. Dort kam ihnen zu Ohren, in den nächsten Tagen werde die »Wilhelm Gustloff« aus Gotenhafen, dem heutigen Gdynia, auslaufen. Damit war ihre Entscheidung gefallen. Sie wollten sich mit Arthur Krohn besprechen. Auf dem Schiff würden sie sicher sein, und Fried-

Das zu seiner Zeit größte Kreuzfahrtschiff,
die »Wilhelm Gustloff«, 1938 auf einer Probefahrt auf der Nordsee.

richs Beinahe-schon-Stiefvater würde auch wissen, wie weit und wohin man fliehen sollte, ob Hamburg, das Ziel vieler Bombergeschwader, denn ratsam sei oder wo in der Provinz man unterkommen könne. Der Mann kam schließlich herum, er sprach bestimmt mit vielen Menschen aus dem ganzen Reich. Er musste einfach Rat wissen.

Friedrich Knechtels Eindruck vom ehemaligen Kraft-durch-Freude-Flaggschiff in Gotenhafen war nicht gerade überwältigend. Mit Kriegseintritt war der Riese zum Wohnschiff für U-Bootfahrer umgebaut worden und seitdem eine Art schwimmende Kaserne. Bald sollte er die verbleibende U-Boot-Mannschaft des Großadmirals Dönitz evakuieren. Schnee lag in der Luft, als sie sich dem Hafen näherten. Es was ein nasskalter und ungemütlicher Wintertag. Der Himmel war grau und verhangen. Im Schneegestöber erfragten sich seine Mutter und er den Weg zum Liegeplatz der »Wilhelm Gustloff«. »Ein großes graues Schiff, ein richtiger Eimer« lag da am Pier – dies war einmal Nazideutschlands ultimative Illusionsmaschine von einer friedlichen Welteroberung gewesen. »Wir sind nicht im Bewusstsein auf die ›Wilhelm Gustloff‹ gegangen, mit ihr zu fahren. Wir wollten uns nur mit Herrn Krohn beraten«, betont Friedrich Knechtel immer wieder. Als mache ihm jemand zum Vorwurf, sich damals, als viele von einer rettenden Schiffspassage träumten, mit Beziehungen unlautere Vorteile verschafft zu haben.

In einem hatten die Knechtels Recht behalten. Arthur Krohn hatte einen anderen Überblick über die Lage als sie. Ihm war der Frontverlauf klar, er musste sich nicht auf Gerüchte verlassen. Das Schiff würde mit dem bevorstehenden Flüchtlingstransport wohl seinen letzten Einsatz fahren. Die Mannschaft rechnete nicht damit, Gotenhafen ein weiteres Mal anzulaufen. Für Krohn gab es keine Diskussion mehr darüber, wohin Friedrich und seine Mutter gehen und welchen Landweg sie vielleicht wählen sollten. Sein Schiff, entschied er, war der sicherste Ort im Chaos allgemeiner Auflösung. Die »Wilhelm Gustloff« hatte als Wohnschiff, als schwimmende Kaserne der deutschen Wehrmacht, keinen Zimmermann mehr: In der freien Dienstkajüte brachte Arthur Krohn nun seine zukünftige Frau und ihren Sohn unter. Bald sollte das Schiff auslaufen. Dass sein Name ein Symbol für den Horror des Krieges werden sollte, ahnte noch keiner.

Je mehr Flüchtlinge nach Gotenhafen drängten und um eine Passagemöglichkeit wetteiferten, desto deutlicher wurde den Menschen bewusst, dass das die letzte Möglichkeit sein konnte, vor den Russen davonzukommen. Die Mannschaft des Schiffes räumte immer weitere Stauräume frei, baute immer mehr Einrichtungsgegenstände ab, um Platz für weitere Flüchtlinge zu schaffen. Der ursprüngliche Plan einer militärischen Verlegung war etwas anderem gewichen: einer groß angelegten, aber improvisierten Evakuierung von Zivilisten. Über 1,5 Millionen Zivilisten und 500 000 Soldaten wurden so von Ost nach West transportiert. Der Ansturm auf die »Wilhelm Gustloff« erscheint heute wie der Inbegriff der Panik dieser letzten Kriegswochen im Osten. Den Knechtels aber müssen das große Schiff und die Nähe von Arthur Krohn etwas anderes vermittelt haben, ein grimmiges Gefühl der Organisierbarkeit auch des Unangenehmen und Beängstigenden, die Illusion, die

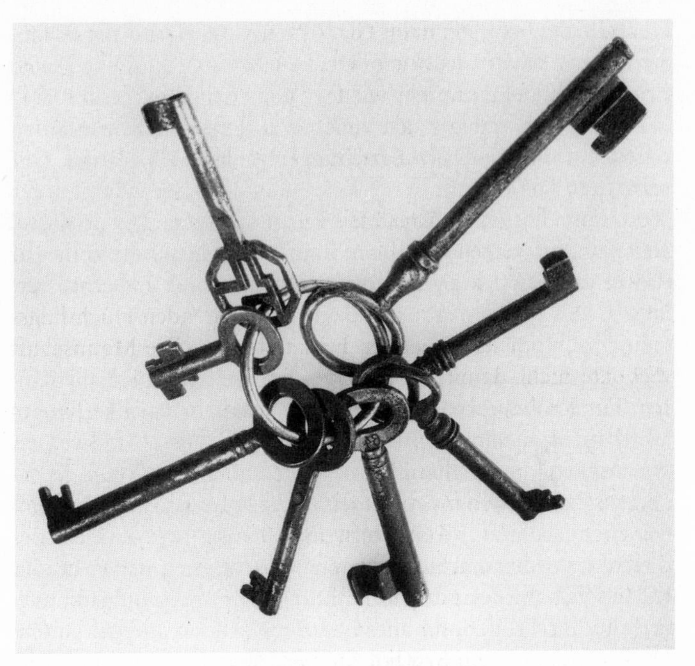

Erinnerungen an zu Hause:
der Schlüsselbund zum Haus in Tiegenhof.

momentane Phase der Instabilität alles Vertrauten werde bald zu Ende sein. Wie anders wäre der Entschluss zu erklären, den Friedrichs Mutter, kaum an Bord gegangen, fasste: Der Junge sollte die Fluchtmöglichkeit alleine nutzen. Sie selbst ging wieder von Bord, um in Danzig bei einer Verwandten zu übernachten. Von dort sollte es am nächsten Tag weitergehen – zurück nach Tiegendorf. »Sie wollte dort bleiben und unser Geschäft vor Plünderungen retten.«

Was mag in die Frau gefahren sein? Wollte sie sich daheim im Laden einschließen, die Tür von innen verrammeln und durch schieren Willen ertrotzen, dass der große Bruch in der langen Tradition ihrer Familie ausbleiben werde? Wir wissen es nicht. Über Nacht oder am nächsten Tag, als sie sich aufmachte und sich vielleicht schon im Gegenstrom zu all den

Flüchtlingen bewegte, hat sie der Mut verlassen oder der Wahn. Sie ist aufs Schiff zurückgekehrt. Den Schlüsselbund zu Haus, Laden und Backstube trug sie aber noch die ganze Flucht über in der Handtasche bei sich und bewahrte sie nach dem Krieg weiter auf. Heute besitzt Friedrich Knechtel die Schlüssel. Der verrostete Bund hängt in der Besenkammer seiner Hamburger Wohnung. Seit über 58 Jahren haben sie keine Tür geöffnet. Sie symbolisieren Verlust. Und den Trennungsschmerz, der so enorm war, dass die Mutter sich noch einmal in Lebensgefahr begab.

Friedrich Knechtel hatte am Tag, an dem er ohne Mutter war, das Schiff erkundet. Die über 208 Meter lange, 23 Meter breite »Wilhelm Gustloff«, die unter normalen Kreuzfahrtbedingungen Platz für 1463 Passagiere in 463 Kabinen bot, war voll mit Menschen und doch ein faszinierendes Technikunikum. Viele Kinder schoben sich hier durch die Menge: Die einen suchten ihre Eltern, von denen sie beim Einschiffen getrennt worden waren, die anderen hatten sich wie Friedrich auf Entdeckungstour davongemacht. Zu den beständigen Lautsprecherdurchsagen, die das Gedränge ordnen sollten, gehörten die Suchmeldungen nach Kindern. Friedrich hatte es leichter als andere – er konnte sich, sollte er den Weg verlieren, bei Mitgliedern der Mannschaft nach der Zimmermannskabine durchfragen. Zu den Dingen, die Friedrich bestaunte, gehörten auch die Rettungsboote. Ohne sich dessen bewusst zu werden, prägte er sich den Weg durch Gänge und über Treppen ein, der am schnellsten zu ihnen führte.

Die »Wilhelm Gustloff« lag tiefer im Wasser als ihre Konstrukteure das je geplant hatten, als sie am nächsten Tag auslief. U-Bootfahrer waren an Bord und Luftwaffenhelferinnen, viel mehr Flüchtlinge als jene, von denen die Mannschaft die Personalien aufgenommen hatte, denn ständig hatten sich unkontrolliert Knäuel von Menschen an Bord gedrängt. In letzter Minute, als die »Gustloff« schon als völlig überladen galt, war ein Lazarettzug von der Front eingetroffen. Die verwundeten Soldaten hatte man noch irgendwie an Bord gezwängt. Zwischen 8000 und 10 000 Menschen müssen am Ende auf dem Schiff zusammengepfercht gewesen sein.

In seinem Protokoll hat der Junge den vermeintlichen Aufbruch in die Geborgenheit trotz dieser chaotischen Lage wieder eher nüchtern beschrieben: »*Mittags liefen wir aus und schlängelten uns durch die Minensperren hindurch. Es war stürmisch, auch herrschte hoher Seegang. Nach einer Stunde waren wir schon seekrank und lagen in den Kojen.*« Arthur Krohn kannte seekranke Passagiere. Er kannte auch den ewigen Hunger Heranwachsender. Am frühen Abend schaute er in der Kabine vorbei und brachte Friedrich zwei Scheiben Weißbrot extra. Nur für den Fall, dass der Junge sich doch noch schneller als Erwachsene an die raue See gewöhnen sollte. Es war die liebevolle Geste des künftigen Vaters, des Mannes, der Fürsorge übernehmen wollte. Fritz und seine Mutter fühlten, dass es eine Zukunft nach all diesen Plagen und Ängsten geben würde. Als Arthur Krohn die Kabine verließ, rollte und stampfte das Schiff in die schwerer werdende See. Es war das letzte Mal, dass Fritz Arthur Krohn gesehen hat. Draußen pfiff ein schneidender Wind der Stärke sieben, die Temperatur lag zehn Grad unter null, das Wasser trug Eisschollen. Es war der Abend des 30. Januar 1945.

Das Datum ist Geschichte. Die tief im Wasser liegende, völlig überladene, schwerfällig voranmahlende »Wilhelm Gustloff« lief in dieser Nacht dem russischen U-Boot S 13 vor die Rohre. Sie wurde als Ziel identifiziert, angegriffen und versenkt. Immer wieder ist dieser Angriff als schlagender Beweis für Kriegsverbrechen gegen die deutsche Zivilbevölkerung angeführt worden. Die bittere Wahrheit ist, dass die »Wilhelm Gustloff« Geschütze trug, dass sie nicht mit einer Rot-Kreuz-Fahne als humanitärer Transport gekennzeichnet war und dass sie nach allem Recht des U-Bootkriegs als legitimes, wenn auch leichtes Ziel gelten durfte. Die deutsche Marine hatte keine Begleitboote für sie abgeordnet.

Es war zehn Minuten nach neun, als »ein dumpfer Schlag«, der den Schiffsrumpf beben ließ, Mutter und Sohn aus dem Schlaf riss.

»*... die obere Matratze aus meiner Mutters Bett fiel in großem Bogen heraus. Der Tisch war umgefallen und alles lag durcheinander...*«, hielt der kindliche Chronist der Ereignisse später fest. Der dumpfe Schlag war die Detonation des ersten von drei Torpedos, die in die Backbordflanke der »Wilhelm Gustloff« schlugen. Mehrere hundert Menschen kamen schon bei diesen Explosionen und dem sofortigen, massiven Einbruch der eisigen Wassermassen ums Leben. »Beim dritten Ruck«, so erinnert sich der Junge heute, »waren wir schon hoch.« Noch wussten sie nicht, was geschehen war. Auf der Steuerbordseite hatte noch niemand eine Ahnung vom Ausmaß der Katastrophe. Es herrschte beängstigende Stille. Die Schiffsmotoren liefen nicht mehr. Das große Bordlicht war erloschen, die Notbeleuchtung angegangen. Die beiden Hochgeschreckten zogen, ohne viel nachzudenken, die Rettungswesten an, die Fritz von seiner Schiffserkundung mitgebracht hatte. Weil es schneller ging, ließ der Junge die warmen Schnürstiefel stehen, die er zu Weihnachten bekommen hatte, und schlüpfte nur in seine Gummistiefel. Dann rannten Mutter und Sohn durch den Schiffsgang ins Treppenhaus. Menschen lagen dort auf den Stufen. Überall auf dem Boden schwamm Schaum. Vermutlich waren die Feuerlöscher aus ihrer Verankerung gebrochen und hatten ihren Inhalt über den Boden ergossen. »Es war glitschig. Ich erinnere mich an einen Mann in dunkelblauer Marineuniform. Er lag mit dem Gesicht nach unten.« War er nur ausgerutscht, verletzt oder gar schon erstickt? Die Gedanken schossen dem Jungen in Bruchstücken durch den Kopf, und er wollte keinen zu Ende denken. Alles ging durcheinander. Er zog seine seekranke Mutter, die sich vor Übelkeit kaum auf den Beinen halten konnte, durch die Menge an Leibern. Und er fand keine Antwort auf die Frage, wieso diese Männer und Frauen nicht wieder aufstanden. Aber sie taten es einfach nicht. Er blendete sie wieder aus seiner Wahrnehmung aus.

Trotzdem fährt der Einundsiebzigjährige heute fast entschuldigend in seinem Bericht fort: »Ich bin auf niemanden getreten. Das weiß ich ganz genau.« Dies festzuhalten, ist ihm ein deutliches Anliegen. Nein. Er hat nicht überlebt, weil er kaltblütig über Leichen ging. Er und die Mutter hatten nur Glück, hatten eine Kabine, die günstig lag. Sie erklommen die Treppe, bevor die Schotte dichtgemacht und der Rettungsweg abgeschnitten wurde. Er konzentrierte sich auf das, was er beeinflussen konnte. Auf die Aufgabe, möglichst schnell an Deck zu kommen. Weg vom Wasser, hin zur Luft. Alles andere war jetzt unwichtig. Friedrich erinnerte sich, wo die Rettungsboote lagen. Friedrich führte seine Mutter, die sich hinsacken lassen wollte, und rettete ihrer beider Leben. Sie folgten ihrem Selbsterhaltungstrieb und wären doch fast an einem bewaffneten Offizier gescheitert. »Nur Frauen und Kinder«, rief der Wächter bei den Booten, und drängte die Männer zurück. Er wollte nicht glauben, dass Friedrich noch ein Kind war.

»Das ist mein Sohn, der ist noch klein. Der ist dreizehn«, schrie die Mutter.

»Wie alt bist du?«

»Dreizehn.«

In diesem Moment hätte der Mann entscheiden können, dass Fritz schon ein kleiner Soldat war und zu warten hätte. Er ließ ihn passieren. Als Letzten. Nach ihm wurde das Boot herabgelassen. Wieder hatten die Knechtels Glück. An anderen Winden mühten sich die Mannschaften vergeblich, die Boote für die bangenden Menschen freizubekommen. Sie waren eingefroren.

Friedrich Knechtel hat die Bilder und Szenen scharf in Erinnerung, die er damals in sich aufgenommen hat, als das Rettungsboot von der »Gustloff« freigerudert wurde. Im Wasser trieben Menschen, Leichen, die es aus dem Schiffsbauch geschwemmt hatte, und Entmutigte, die sich vom Deck des mit immer stärkerer Schlagseite hängenden Schiffs hatten fallen lassen, weil es keine weiteren nutzbaren Rettungsboote mehr gab. Als die »Wilhelm Gustloff« sank, nicht einmal eine Stunde nach dem Einschlag der Torpedos, war gerade der Vollmond durch den von Schneewolken verhangenen Himmel gedrungen und hatte die Szenerie in sein Licht getaucht. Friedrich Knechtel kann dieses Bild ganz genau beschreiben. Wie eine Fotografie scheint es vor seinem geistigen Auge aufzuziehen. Doch die Szene war alles andere als malerisch. »Wir haben das Unfassbare nicht fassen können«, sagt er. Im Moment zuvor waren alle Lichter des großen Schiffs wieder angegangen. Jemand im Rettungsboot hatte gerufen, als ließe sich die Uhr zurückstellen: »Ein Zeichen. Wir sollen wieder zurückkommen.« Doch die Lichter erloschen nach diesem kurzen Aufflackern.

Die »Wilhelm Gustloff« versank in der schwarzen Ostsee und riss tausende Menschen mit sich. Niemand weiß, wie viele genau. Nur eines ist sicher: Es waren mehr als auf der »Titanic«. Und man weiß, wie viele gerettet wurden – 996 Männer, Frauen und Kinder.

War es das äußerste Grauen, was Friedrich Knechtel damals erlebt hat? Er winkt ab, wenn man ihn das fragt. »Wir brauchten ja nicht einmal unsere Schwimmwesten.« Richtig gelitten hätten die anderen. »Gegenüber denen, die lange im Wasser waren und halb erfroren sind, die aus dem Wasser oder von einer Eisscholle oder einem klapprigen Floß gerettet worden sind, steht man immer da, wie einer, der nicht dazugehört.« Er fühle sich wie ein Überlebender zweiter Klasse, sagt er.

Ist es das schlechte Gewissen der Überlebenden gegenüber den Opfern, das aus diesen Worten spricht? Seit Jahrzehnten besucht Friedrich Knechtel die Treffen der Überlebenden und hat insgeheim manchmal noch immer das widersinnige Gefühl, ein Aufschneider, ein Bluffer zu sein. Obwohl er die Erlebnisse dieser Nacht »immer im Kopf« hat. Eine Zeit lang waren sie ferner, diese Bilder. Aber seit Günter Grass den Roman *Im Krebsgang* geschrieben hat, wird er ab und an danach gefragt, und dann steigt alles wieder auf. »Früher hatte ich es emotional ruhiger«, überlegt Friedrich Knechtel. Aber früher war sein Tag als Bäcker – auch er ist einer geworden – mit Pflichten ausgefüllt. Die Erlebnisse der Kriegskindheit melden sich oft erst wieder, wenn die Menschen nach einem langen Arbeitsleben zur Ruhe kommen. »Aber vielleicht war trotzdem alles viel zu groß.« Mit Sicherheit zu viel und zu schlimm, um es für immer unbemerkt durchs Leben zu tragen. Das gelingt einem »Grübelheini«, als den Friedrich Knechtel sich selbst bezeichnet, erst recht nicht.

Das angstvolle Grübeln reicht weit zurück. Es fing gleich im Rettungsboot an. Was war mit Arthur? Saß sein geliebter Herr Krohn auch in einem der Boote? Würden sie in Hamburg wieder mit ihm zusammentreffen? Friedrich schrieb damals:

»*... wir hielten auf einen Kreuzer zu. Dieser drehte aber ab. Nun ruderten wir in der Dunkelheit auf ein Torpedoboot zu. Inzwischen konnte man die Schiffe untereinander blinken und*

Neuanfang in Hamburg:
Friedrich Knechtel als Dreizehnjähriger

Raketen sehen. Das Torpedoboot rief den Männern etwas zu, und es wurde an das Schiff heran manövriert. Bei jeder Welle wurde das Boot in gleiche Höhe mit dem Deck des Torpedobootes gebracht und dabei zogen uns die Matrosen aus dem Rettungsboot heraus. Wir wurden gut aufgenommen und fuhren die ganze Nacht hindurch. Nachmittags um 2 Uhr waren wir in Kolberg.«

Gerettet worden waren sie durch das herbeigeeilte Torpedoboot »T 36«, Teil des Geleitschutzes des Schweren Kreuzers »Admiral Hipper«, der ebenfalls überfrachtet mit Flüchtlingen aus Ostpreußen durch die Baltische See stampfte. Kurz nach dieser Aktion wurde »T 36« selbst von einem U-Boot attackiert. Der Kapitän brach die Rettungsaktion ab – wer noch im Wasser war, wurde zurückgelassen, um wenigstens jene zu retten, die es schon an Bord geschafft hatten.

Die Knechtels hatten mühevolle Tage vor sich. In einem Elendszug der Geretteten kamen sie in der pommerschen Ostseestadt Kolberg an, fanden bei der großzügigen Frau Ziegenhagen – »Den Namen werd ich nie vergessen«, sagt Friedrich Knechtel – einen Platz, sich für eine Weile auszuruhen. Dann schlugen sie sich über Berlin nach Hamburg durch zu ihrer Sammeladresse Löwenstraße 18. Wenn Arthur Krohn nicht selbst dort war, so würde dort eine Nachricht warten. Hofften sie und wussten doch, wie verwegen diese Hoffnung war. Schon am 5. Februar kamen sie in Hamburg an. Doch Arthur trafen sie hier nicht, nur dessen Mutter und Schwester. Vor ihnen spürten sie die Scham der Überlebenden, die nun endlich Gewissheit über den Tod Arthur Krohns hatten. Zwei Flüchtlinge, noch nie zuvor an Bord eines Schiffes, waren davongekommen. Der erfahrene Seemann nicht.

Verständlich, dass sie sich unter diesen Umständen nicht aufgenommen und aufgehoben fühlten. Hamburg war sowieso ein Ort des Schreckens. Die Stadt lag in Trümmern und wurde doch noch immer angegriffen. »Vor den Bomben hatten wir jetzt so viel Angst wie vorher vor den Russen«, sagt Friedrich Knechtel. Der hatte sich Arthur Krohns Hamburg als Stadt voll herrschaftlicher, prunkvoller Häuser vorgestellt. Nun fuhr er mit der Bahn durch Schuttfelder, deren Ausmaß er nicht begriff und nicht erfassen konnte. Doch dies war nicht das Einzige, was ihn erschütterte. Mehrmals in mancher Nacht tönte der Fliegeralarm. Und dann gab es in der Löwenstraße 18 stets Uneinigkeit und Streit, ob sie überhaupt mit in den Keller durften. »Die gehören nicht hierher«, protestierten die Hausbewohner. »Was wollen die Flüchtlinge hier«, zischten sie. »Die fressen uns alles weg, wo doch hier sowieso schon alles kaputt ist.« Aus dem verordneten Traum von der deutschen Volksgemeinschaft waren die Menschen hier fraglos erwacht.

Die Knechtels konnten tatsächlich nicht viel zu ihrem Unterhalt beitragen. Denn die Mühlen der Bürokratie blieben heil, wo alles andere in Trümmer fiel. Den Knechtels fehlte, um Anrecht auf Lebensmittelmarken zu bekommen, die Bescheinigung, auf der »Gustloff« gewesen zu sein. Der Zettel, auf dem ihnen irgendein Amtmann bestätigt hatte, »durch Feindeinwirkung« alles verloren zu haben, war verschwunden. Sie hatten ihn in irgendeinem Büro, irgendeiner Meldestube in ihrer Aufregung liegen lassen. Drei Wochen hielten sie es in Hamburg als Bettler und Bittsteller aus. Ihren Aufbruch und ihre Erlebnisse hat Friedrich Knechtel damals weiter in jenem Ton geschildert, der uns so tief in sein Bewusstsein davon blicken lässt, was von einem guten Jungen erwartet wurde. Ein guter Junge machte den Erwachsenen nicht noch zusätzlichen Kummer, indem er sich verletzlich zeigte, indem er seine Ängste preisgab. Ein guter Junge protokollierte.

Dann ließen wir uns von der NS-Volkswohlfahrt aufs Land verschicken. Wir kamen in das »Alte Land« nach Lühe, wo viele kleine Obstbauern lebten und das schönste und edelste Obst gezüchtet wird. Wir mussten dort alleine kochen, aber es waren keine Kartoffeln da, wodurch das Essen nicht so reichlich und gut wurde. Wir blieben zirka vier Wochen dort und da wir auch keine Beschäftigung hatten, nahmen wir das Angebot einer bekannten Dame aus Hamburg-Blankenese an, ihr unbewohntes Zimmer auf ihrer verpachteten, kleinen Landwirtschaft in Gribbohm am Kaiser-Wilhelm-Kanal zu benutzen. Hier fanden wir ein vollständig möbliertes Zimmer vor, in dem wir uns erst einmal von den Strapazen der Reise ordentlich ausruhten, da der Zugverkehr schon ganz ins Stocken geraten war und wir mehrmals von Tieffliegern angegriffen worden waren, wobei es mehrere Tote und Verletzte gegeben hat. Hier, bei dem Bauern Heutmann und seiner Frau, fanden wir gute Aufnahme und reichlich Verpflegung, so daß wir uns durch Ruhe gut erholen konnten. So sind wir vom 5. April 1945 hier in Gribbohm. Meine Mutter hilft der Bäuerin Kühe melken, essen kochen und andere Hausarbeiten; während ich dem Bauern draußen in der Wirtschaft helfe, soviel in meinen Kräften als vierzehnjähriger Junge steht.

Ein guter Junge schrieb auch nicht davon, wie sehr er unter dem Tod von Arthur Krohn litt. Ein guter Junge schaute stellvertretend für die Erwachsenen nach vorn, er hatte eine Stütze zu sein. Seinen Bericht schließt Friedrich Knechtel, indem er auch für die Mutter spricht.

»... geben noch immer die Hoffnung nicht auf, unsere Heimat wiederzusehen. Bettelarm sind wir geworden, haben alles verloren, unsere Wohnung, unser Vermögen – alles ist fort. Wir glauben doch, dass der Tag nicht allzu fern sein wird, an dem wir wieder in unsere Heimat zurückkehren können.«

Sie waren nie wieder in Tiegenhof. Nur der Schlüsselbund für Schlösser, die längst in Rost zerfallen oder eingeschmolzen sind, wartet noch auf das alte Leben. Friedrich Knechtel ist auch fern der Sippenheimat Bäcker geworden, schon mit vierzehn hat er seine Lehre begonnen. Und er hat auch den anderen Wunsch seines Vaters erfüllt. Er ist der Musik treu geblieben, in einem Chor, der Altonaer Singakademie. 1955 bekamen er und seine Mutter endlich eine Wohnung in Hamburg-Altona zugewiesen, dort lebt er noch heute. Die Mutter zog später in die Nebenwohnung. Die Frau, in die sich Friedrich verliebt und die er 1958 geheiratet hat, war selbst eine Vertriebene. Sie und ihre Schwestern waren in Danzig von russischen Soldaten vergewaltigt worden. Heute würden Ärzte vielleicht versuchen, zwischen dem unbewältigten Trauma und dem späteren Martyrium eine Verbindung herzustellen. Schon zum Zeitpunkt der Hochzeit klagte die Braut über Schmerzen im Bein. Die wuchsen sich schnell zu einer Nervenlähmung aus. Sie konnte kaum mehr greifen, auf Berührungen reagierte sie nicht mehr. Sie wurde, ganz jung und kaum verheiratet, schwer pflegebedürftig. Vierundvierzig Jahre, bis zu ihrem Tod, blieb Friedrich Knechtel an ihrer Seite. »Ich war immer da«, sagt der Witwer, und es ist eine Beschreibung, kein pathetisches Hervorkehren eines besonderen Verdiensts. Leben, hat er als Junge gelernt, ist das, was um einen her zusammenfällt, und dann ist man dazu da, einander durch die Trümmer zu führen.

Wurzellos

Die Frage, wo seine Heimat ist, beantwortet Jürgen Sorg mit einer Gegenfrage: »Was ist Heimat?« Die Kollateralschäden des Krieges – zu seinem Kummer findet er kein besseres Wort als dieses, das er im Verdacht hat, aus dem Denken einer anderen Zeit zu stammen – seien größer, als man glaube. Nicht nur Heimat selbst gehe verloren. Auch der Glaube an Heimat.

»In meinem Leben gibt es keinen Mittelpunkt«, sagt der Einundsechzigjährige. »Es gab Zeiten, da hätte ich mir einen gewünscht.« Viermal wurde er als Kind und Jugendlicher entwurzelt. Flucht ist sein zentrales Lebensmotiv. »Manchmal«, gesteht er, »ist die Fremdbestimmung, die über meiner Generation liegt, schwer zu ertragen.«

Ins Schwärmen gerät er, wenn er von dem »Traumhimmel« erzählt, der im späten Frühjahr 1945 über Schlesien lag. Ein Himmel »mit großen, dicken, fetten, weißen Wolken« war das. »Solche Wolken gibt es hier gar nicht. Ich träume manchmal von ihnen. Die sind ganz anders, die haben Ränder, klare Konturen. Richtige Wattebäusche sind das.« Mit Worten malt er die Wolken in den Raum als würde er Familienschätze vor seinem Gegenüber ausbreiten.

Der Rentner, der sich gerade an die neue Lebensphase, den Ruhestand, gewöhnt, spricht ohne Bitternis. Er ist keiner, der nachkarten möchte. Er hat für sich entschieden, dass auch die Bilder vom Verlust der Heimat eine Spielart von Tradition und Geschichte sein können. Jürgen Sorg hat daran gearbeitet, ein anderes Heimatgefühl zu entwickeln als jenes, das an einen Ort auf der Landkarte gebunden ist. Er war Buchhändler, und Bücher hat er nicht einfach verkauft, er hat immer schon in ihnen gelebt. Auch seine Familie war für ihn stets Heimat, jenes Rückzugsgebiet, wo man alles kennt und nichts mehr erklären muss.

Jürgen Sorg wurde im Herbst 1941 in Mallmitz, einem Dorf im niederschlesischen Kreis Sprottau, geboren. Das gemächliche Leben dort verlief innerhalb der Umgrenzung des Flusses Bober und der Eisenbahnlinie. Diese Grenzen, nicht der Krieg, waren in den Augen seiner Eltern die beiden großen Gefahren, denen das Kind ausgesetzt war. »Sei brav«, ist eine der Anweisungen, die Jürgen Sorg schon aus frühester Kindheit kennt. »Das war das Gebet unserer Mutter: Seid schön brav.« Bravsein, das hieß, dem Risiko aus dem Weg zu gehen. Die Liebe zum Risiko und die Liebe zu den Eltern standen sich jedoch entgegen. Für Jürgen Sorg gab es nichts Schöneres und Aufregenderes, als den Vater bei der Arbeit zu besuchen. Er war Eisenbahner. Auf den streng untersagten Ausflügen zu ihm kam sein Sohn den verbotenen Schienen nahe, die ein ideales Terrain für Hüpfspiele schienen. Die verbotenen Spiele auf den Gleisen sollten aber bald ein abruptes Ende finden. So wie sich ein anderes Element des Bravseins bald als nutzlos erwies: das Memorieren der eigenen Adresse, das flüssige Aufsagenkönnen des Ortes, der den Mittelpunkt des Lebens bildete und wohin sich Jürgen, so hatte man ihm eingeschärft, stets zurückfragen sollte, falls er je einmal, aus welchen Gründen auch immer, irgendwo verloren gehen sollte. »Ich heiße Jürgen Sorg und wohne in Mallmitz bei Schuster Gerlach« war der Errettungssatz, den konnte der Junge beinah im Schlaf aufsagen.

Er war dreieinhalb Jahre alt, als die ersten Flüchtlingsströme aus Ostpreußen durch das Dorf zogen. Seine Mutter bekam es, wie alle anderen in Mallmitz, mit der Angst. Sie füllte den geflochtenen Kinderwagen von Jürgens eineinhalbjähriger Schwester mit Kleidung und Papieren. Oben auf dem kleinen Haufen lag das Kind, mit einer Tischdecke an den Wagen gebunden, damit es nicht herunterrutschte. Diese traurige Karikatur eines Umzugs per Handkarren schob die Mutter zum Bahnhof. Ein Platz in einem Personenzug war nicht zu bekommen. Die Sorgs und andere Mallmitzer fuhren in offenen Güterwaggons. Es war Februar, und zum Schutz gegen die Kälte hatten die Frauen Planen und Bettlaken so gut es ging über die Wagen gespannt. Unter die Kinder hatten sie »Berge von Betten gestopft«. Das Ziel der Fahrt hieß Dresden.

Die Stadt an der Elbe galt als sicher. Sie war kein industrielles Zentrum, schon gar keine Rüstungsschmiede. Keine nennenswerten Truppen standen in der Stadt. Was der kleine Jürgen sah, war »ein großer Bahnhof voller Menschen und voller Züge«. Der Begriff Verkehrsknotenpunkt konnte dem Jungen noch nicht in den Sinn kommen, schon gar nicht die Ahnung, dies könne ein militärisches Ziel sein. Trotzdem machte der Ort, der überquoll von Flüchtlingen, dem Dorfkind Angst.

Jürgens Mutter ließ sich nicht einschüchtern. Sehr couragiert, glaubt Jürgen Sorg sich zu erinnern, dirigierte sie ihre Kinder durch die Menge, bugsierte den Wagen über die Gleise, und fand auch das, was viele suchten, einen Unterschlupf für die Nacht: in einem Lazarettzug, wo man die Hilfe der gelernten Krankenschwester gut gebrauchen konnte. Ihre Kinder akzeptierte man als Dreingabe. Die in ein rollendes Notkrankenhaus verwandelten Güterwagen blieben nicht im Bahnhof stehen, sie wurden weiter und weiter durch die Gleisanlagen rangiert auf der Suche nach einer Nebenstrecke, wo sie dem Verkehr von und nach Dresden nicht im Wege waren. Auf einer Höhe über dem Elbetal kam der Zug schließlich zum Stehen. Von hier oben hatte Dresden nichts Beängstigendes mehr für Jürgen. Er staunte die große Stadt an. »Ich war ja eine Landpomeranze«, sagt er heute. »Dresden war die erste große Stadt in meinem Leben.« Hierher also führten die verbotenen Gleise seines Dorfes, wenn man ihnen nur lange genug folgte. Jürgen Sorg war überwältigt von der Menge und Größe der Gebäude dort unten. Was er da vor sich sah, würden die Menschen ab dem nächsten Tag nur noch in Erinnerungen, auf alten Fotos, Gemälden und Postkarten bestaunen. Es war der 13. Februar 1945. Drei Wellen alliierter Bomber machten sich bereit, in der Nacht und am kommenden Tag Dresden auszulöschen, mit jener Abwurftechnik des Brandbombenfächers, der schon in Darmstadt die Hölle entfesselt hatte.

Die Szenen jener Nacht, als das Heulen der Sirenen drunten in der Stadt die Menschen im Zug aus dem Schlaf riss, stehen Jürgen Sorg ähnlich deutlich vor Augen wie die weißen Wolken, von denen er zu Beginn erzählt hat. »Ich erinnere mich noch mit Schrecken, dass die Luft anfing zu vibrieren.« Die Vibration übertrug sich. Auch der Boden fing an zu beben und rüttelte das Gleisbett. Die Eisenbahnwaggons auf den Gleisen wurden dadurch so geschüttelt, »dass die Mütter und Frauen die Kinder auf den Arm nahmen, damit wir nicht über den Boden kugelten«. Die Erinnerung könnte noch die an ein Naturschauspiel sein, an ein kleines Erdbeben, aber sie wandelt sich. »Dann ging an der Stelle, wo Dresden lag, ein orangegelber Pilz hoch. Er breitete sich nach oben aus und wurde immer röter, ging ins Violette über. Unten war er gelb und rot.« So blieb die Feuerwalze stehen. Die Menschen standen innerlich erstarrt in den schwankenden Waggons und blickten fassungslos auf die Stadt hinunter, die sich in eine gigantische Feuerschale verwandelte. Von dort unten lief eine Druckwelle herauf zum Zug der Verschonten. »Wir sind in unserem Waggon umgefallen.« Dort war mittlerweile alles gespenstisch ausgeleuchtet von dem fernen Brand. Die Gesichter der Menschen im Waggon waren erleuchtet wie am helllichten Tag. Nächte wie diese, in denen die Naturgesetze außer Kraft gesetzt waren, hatte es in dem kurzen Leben von Jürgen Sorg noch nicht gegeben. Die Glutwolke, die über der Stadt hing, war für den Jungen gewaltiger und Angst einflößender als alles bisher Erlebte.

Mit seinen dreieinhalb Jahren war er zu jung, um die Wirkung des Feuerorkans nüchtern einschätzen zu können. Aber er wusste genau, dass Feuer zerstören konnte, denn die Eltern hatten stets davor gewarnt. Nun stand eine ganze riesige Stadt in Flammen, und dieser Feuersturm hob zu einem Geheule und Gejaule an, das die ganze Nacht hindurch anhielt, unterbrochen nur von dem noch brutaleren Getöse der zweiten Angriffswelle. Für die Zuschauer im Zug wirkte die wie eine apokalyptische Geste sinnlosen Zorns – von hier oben schien von der Stadt sowieso nichts mehr übrig zu sein. In Dresden starben in jener Nacht wohl 25 000 Menschen. Die Zahl der Opfer variiert je nach Quelle. Keiner weiß genau, wie viele Flüchtlinge sich zu diesem Zeitpunkt in Dresden aufhielten. Zu 640 000 Stadtbewohnern addieren manche Chronisten noch einmal 400 000 Flüchtlinge, Obdachlose, Vertriebene und Versprengte. Die Leichen ließen sich nach solch verheerenden Angriffen nicht mehr zählen. Viele waren restlos eingeäschert.

Vielleicht hätten auch Jürgen Sorg und seine Familie noch zu den Opfern dieses Großangriffs gezählt, wäre der Zug noch ein wenig länger gestanden. Als am Tag die »Fliegenden Festungen« der Amerikaner über die verteidigungslose Stadt flogen, machten deren nicht benötigte Begleitjäger im Tiefflug Jagd auf solche Ziele, die den Bombenteppichen entgangen waren. Aber schon am frühen Morgen hatten die Reichsbahner den Zug über die noch benutzbaren Gleise fortrangiert von der noch immer brennenden Stadt. So kamen die Sorgs weiter in das damalige Sudetenland, nach Presnitz, und zusammen mit einigen anderen in einem Forsthaus unter. Mit dem Ende des Krieges wurden sie von dort zurück nach Mallmitz geschickt. Noch einmal kamen sie durch Dresden. Der Einundsechzigjährige erinnert sich an »eine qualmende Stadt«. Die Schwelbrände hatten ein Vierteljahr nach dem Bombardement noch immer nicht aufgehört. Die Stadt bestand aus stinkenden Trümmerhaufen, aus denen Schornsteine herausragten. Jürgen Sorg weiß noch genau, dass ihn der Anblick der brennenden Stadt, seiner ersten Großstadt überhaupt, in »Abgründe des Entsetzens« gestürzt hat. Straßenzüge und Prachtalleen hatten in seiner Vorstellung bisher als unzerstörbar gegolten. Der Junge begriff, dass eherne Gesetze nicht ehern sind, sondern immer ungeahnten Gewalten unterworfen.

Einen Teil der restlichen Strecke nach Mallmitz mussten seine Mutter und er in einem kleinen Grüppchen, das außer aus ihnen noch aus einer alten Nachbarin, deren Tochter und Enkeln bestand, zu Fuß zurücklegen. Die endlosen Märsche hat Jürgen Sorg nicht vergessen. Nur langsam näherte sich das Grüppchen seinem Zuhause. Die ängstlichen und erschöpften Heimkehrer fanden Wohnungen vor, die nicht geplündert worden waren. Sogar das Bügeleisen lag noch dort, wo Jürgen es versteckt hatte, im Backofen. Der Junge hatte für wenige Tage das Gefühl, alles sei wie früher. Doch dass das eine trügerische Hoffnung war, merkte er an der Panik, die die Erwachsenen schon bald wieder ergriff. »Wir müssen hier raus«, hieß die knappe Botschaft dieser Angst. Die Welle der Vergeltung, so war allen klar, war nicht gnädig über Mallmitz hinweggegangen. Sie war einfach noch nicht hier angekommen.

»Diesen zweiten Aufbruch habe ich als sehr viel schmerzlicher in Erinnerung als den ersten.« Der war für das Kind noch wie ein großes Abenteuer gewesen, das mit einer Bahnfahrt begonnen hatte. Jetzt gingen sie wieder zu Fuß, ein Notsortiment ihrer Habe diesmal auf einem Leiterwägelchen mit sich ziehend. Siebzehn Kilometer musste der jetzt knapp Vierjährige gleich am ersten Tag dieses Exodus zurücklegen. Es war die Masse apathischer Menschen, die ihn erschreckte. »Die Leute haben nicht gewusst, wo sie eigentlich hingehen«, beschreibt er ihre Orientierungslosigkeit. »Das war ein endloser Strom von Menschen.« Auf der Breite einer Autobahn zogen sie stumm neben- und hintereinander her. »Die Erwachsenen haben später erzählt, sie hätten gesehen, wie Alte und Kinder in den Graben gefallen und verreckt sind.« Der Rest lief weiter in die vorgegebene Richtung. In Richtung Oder und Neiße, wo es noch zwei intakte Brücken gab. Hunderttausende wollten über sie in den Westen. Das Drama spielte sich wieder unter einem traumhaft blauen Himmel ab. Das Land roch intensiv nach Frühsommer. Birken säumten die Alleen. Das war das Schmerzlichste und Unheimlichste. Die Heimat zeigte sich noch einmal von ihrer schönsten Seite und lachte in diesen letzten Maitagen 1945, obwohl ihren scheidenden Bewohnern zum Heulen zumute war.

Aus Furcht vor Seuchen bläuten die Mütter ihren Kindern ein, kein unabgekochtes Wasser zu trinken. Die ausgelaugten und vom Laufen erschöpften Kinder hatten plötzlich eine existenzielle Verantwortung für ihr eigenes Überleben. Niemand konnte sie dauernd im Auge behalten. »Eine Tante«, erinnert sich Jürgen Sorg, »hat durch Typhus in einem Auffanglager zwei Kinder verloren«. Magenknurren, weiche Knie, krampfende Waden, wund gescheuerte, blasige Füße und ein schmerzender Rücken – so sah die Welt der Kinder im Flüchtlingszug aus. Wer quengelte, wurde ermahnt. »Sei still! Halt den Mund! Wein nicht!« Denn wer weinte, machte Krach. Wenige trauten sich das. Ein stiller, schweigender Zug Menschen arbeitete sich voran. Nur das Schlurfen der Füße und das Rollen der Leiter- oder Kinderwagen waren zu hören. »Die Menschen waren deprimiert. Nach fünf Tagen waren sie erst 100 Kilometer weit und wollten eigentlich schon ganz woanders sein«, versucht Jürgen Sorg seinem Eindruck von damals eine erwachsene Interpretation zu geben.

Die Milchkanne der Familie Sorg war auf der Flucht vielseitig einsetzbar.

Kleine Dinge gewannen an Wichtigkeit: Eine Milchkanne aus Aluminium wurde zum wichtigsten Besitztum der Sorgs. Damit konnten sie Milch und Essen transportierten – und auch über dem Feuer warm machen. Not macht erfinderisch. Der russische Soldat, der den letzten Rest Magermilch bei einer Straßenkontrolle ausleerte, meinte es gut, als er diese Kanne wieder mit Metzelsuppe auffüllte. Die Fleischsuppe mit Fett »war natürlich zehntausend Mal mehr wert als die Magermilch«. Sie musste jedoch verdünnt werden. Diese hohe Dosis Fett hätten die entwöhnten Kriegsmägen nicht mehr vertragen.

Die Gruppe aß tagelang reihum von der Suppe, in die sie Rübenblätter schnitt.

Nach einem deprimierenden Fußmarsch erreichten die Sorgs Leipzig. Von nun an ging es nur noch darum, »jemanden zu finden, der weiß, wo jemand ist, der weiß, wo jemand ist«. Wer niemanden fand, musste improvisieren. In einem Dorf im Umfeld der zerstörten Großstadt kamen die Sorgs in einer Flüchtlingsbaracke unter. Ihr Neuanfang begann in der Sowjetisch Besetzten Zone.

Die Mutter suchte sich Arbeit und ging putzen – auch am Nikolaustag. Die Nachkriegszeit hatte übergangslos begonnen. Zum Nachdenken war keine Zeit. Überaus friedvoll war der Frieden auch nicht. Als es an der Tür der Baracke klopfte, traute sich der Junge nicht aufzumachen. Die Vermieterin ermunterte ihn von außen, die Tür zu öffnen. Der Nikolaus sei wirklich da, lockte sie. Als Jürgen einen Blick nach draußen wagte, stand da ein Mann mit Zehntagebart und einer Fellmütze, die ihm weit ins Gesicht ragte. Seinen Vater erkannte er in diesem Fremden nicht. Er erschrak nur fürchterlich. Aus Angst vor dem Finsterling auf der Türschwelle warf er die Tür wieder ins Schloss. Der Fremde musste draußen warten, bis die Mutter von ihrer Putzstelle nach Hause kam. Und auch die erschrak fast zu Tode. Sie hatte nicht gewusst, ob ihr Mann überhaupt noch lebte, geschweige denn, wo. Sie sah einen Wiederauferstandenen. Ihre Welten hatten in den letzten Jahren wenig Gemeinsamkeiten gehabt. In der Bemerkung des Vaters »Und mir hast du nicht einmal einen Anzug gerettet« kulminierte diese Fremdheit zwischen den beiden, die nie mehr zu Vertrautheit wurde. 1950 wurde die Ehe geschieden.

Frieden hieß Hungern. »Der Verlust einer Lebensmittelmarke kam einer Katastrophe gleich«, erinnert sich Jürgen Sorg und schätzt: »Die richtig schlechte Zeit fing 1946 an. Die Sowjetisch Besetzte Zone war ein zehnfach bestraftes Land.« Da gab es neue Strukturen und neue Befehlsgewalten. Wie Mehltau legte sich eine Normalität über das Land, die er nicht verstand. Denken war verpönt und verboten, so kam es ihm rückblickend später vor. »Die Menschen haben sich beharrlich geweigert, ihre Vergangenheit an sich ranzulassen. Denn dafür muss man das Herz und das Gemüt öffnen. Das konnte eine ganze Generation nicht«, sagt er nüchtern und gleichzeitig enttäuscht über diesen Mangel. Denn die verschlossenen Herzen enthielten ihm auch die Wärme vor, nach der er sich sehnte. Im Rückblick gibt es für Jürgen Sorg keinen Zweifel: »Die wenigsten haben diese Zeit ohne Schaden überstanden.« Auch seine Mutter sprach wenig über die Vergangenheit.

Jürgen und seine zwei Jahre jüngere Schwester wurden Schlüsselkinder. Mal wieder ist es nicht nur die große Weltgeschichte, die Verletzungen hinterlassen hat. Jürgen Sorg wird ein bisschen lauter: »Kein Mensch denkt drüber nach, was ein fünfjähriger Junge seiner dreijährigen Schwester antut, wenn er ihr die Haare kämmen muss.« Welche Bloßstellung mag der Junge empfunden haben, wenn die Direktorin der Schule ihn wieder mit der kleinen Schwester an der Hand nach Haus schickte, weil Jürgen bei ihnen beiden vergessen hatte, die Hausschuhe gegen Straßenschuhe zu tauschen.

Demütigungen und gnadenlose Überforderung haben diesen kleinen Alltag geprägt. Der Aufpasser war selbst noch ein Kind, das sich nach seiner Mutter sehnte und es kaum ertragen konnte, wenn sie schon morgens um fünf zur Arbeit ging. »Das war grausam.« Kein Wunder, dass seine Schwester nie eine Beziehung zur eigenen Mutter aufbauen konnte. Da war nichts Weiches im Verhalten der Frau, die eine große Aufgabe zu bewältigen hatte: Sie musste drei Menschen ernähren. Gefühle störten dabei nur, hätten Energien gebunden, die sie im Leben draußen so dringend brauchte.

1954 plante die Mutter die nächste Flucht. Sie wollte raus aus der ehemals Sowjetisch Besetzten Zone. Nur so konnte sie Jürgen und seine Schwester der Einflusssphäre des Vaters entziehen. Denn der machte zügig Karriere im Arbeiter- und Bauernstaat und mischte sich auch nach der Scheidung in vieles ein, was ihn nach Ansicht der Mutter nichts mehr anging. »Wenn ihr Muttertrieb geweckt wurde«, dann lief die einfache Frau, wie ihr Sohn heute konstatiert, zu Höchstform auf.

In einer tollkühnen Aktion bereitete die damals Siebenunddreißigjährige die Flucht in den Westen vor. Sie bewies darin ein logistisches Organisationstalent, das nur noch von ihrer

Dreistigkeit überboten wurde. In Dutzenden Paketen schickte sie den Hausrat portionsweise an die Westverwandtschaft. Damit das nicht auffiel, gab sie die Pakete über Wochen hinweg dem Postboten mit, der ein Auge zudrückte, auf Nichtverstehen umschaltete und sie an wechselnden Postämtern aufgab. Ihre Kinder schickte die Frau mit Freifahrtscheinen, die der Vater als Bahnmitarbeiter besorgt hatte, getrennt zur Verwandtschaft im Westen. Auf Erholungsurlaub, wie beide glaubten, als sie aufbrachen. Doch es war mal wieder eine Reise ohne Wiederkehr, die alle mühsam in der neuen Heimat gesprossenen Wurzeln kappte, bevor sie Halt geben konnten. Denn als die Ferien vorbei waren, machte sich ihre Mutter selbst mit der Mandoline und dem Lexikon im Gepäck auf, die Kinder wieder abzuholen. Angeblich, weil die nicht alleine Bahn fahren konnten. In Wirklichkeit aber, um sich selbst für immer gen Westen abzusetzen. Die neue Heimat hieß Bayern. Auch dort begann wieder ein Leben in einfachsten Verhältnissen. Baracken wurden für viele Jahre zum neuen Zuhause der Sorgs. Auch hier opferte sich die Mutter für die Familie auf und lebte doch an den Kindern vorbei. Sie erbrachte, was die Wiederaufbaugesellschaft zum höchsten Wert erkoren hatte, Leistung, aber sie blieb davon müde und leer zurück. »Ich hatte keine Mutter, aber ich hatte ja meinen Bruder«, sagt Jürgen Sorgs Schwester heute. Diese Nähe ist ein Leben lang geblieben. Solch eine Schicksalsgemeinschaft kann man nicht einfach aufkündigen. Bruder, Schwester und Mutter sind ein Leben lang nicht voneinander losgekommen, wollten einander ein Leben lang nicht aufgeben, hatten untereinander immer engen Kontakt.

Im dritten Lebensabschnitt haben sie sich alle wieder zusammengetan: der große Bruder Jürgen, die kleine Schwester Ingrid und die sechsundachtzigjährige altersverwirrte Mutter, die schon lange nur noch in der Vergangenheit lebt. Jetzt kann ihr niemand mehr Fragen stellen, die sie nicht beantworten will. Denn inzwischen ist die alte Dame selbst wieder in ihrer eigenen Kindheit angekommen.

Die Furcht vor dem Abschied für immer

Geblieben ist der immer gleiche Traum. Das Verkehrsmittel ist egal. Es kann ein Flugzeug sein, ein Auto, ein Zug. Aber sobald Birte Neubert in einem dieser Gefährte sitzt, überfällt sie dieses panische Gefühl: Ich bin auf dem falschen Weg. Da draußen fährt der richtige Zug, und ich habe ihn verpasst. Diese Angst und Sorge ist ihr immer geblieben und meldet sich regelmäßig bei Nacht, wenn der kontrollierende Verstand in Schlummer gefallen ist.

Der richtige Weg hätte Birte Neuberts Gefühlen zufolge immer nach Afrika, genauer gesagt, nach Namibia geführt. Dort hätte sie eigentlich geboren werden sollen, denn dort lebten ihre Eltern. Sie waren auf Deutschlandurlaub, als der Krieg begann, die Schiffspassage zurück nach Hause war schon gebucht. Aber Birtes Vater besaß noch einen deutschen Pass, und so wurde er umgehend und ohne Rücksichten zur Wehrmacht eingezogen. Auch Auslandsdeutsche hatten den Kriegsplänen der Nazis zu dienen. So wurde Birte 1940 in Deutschland geboren und nicht wie geplant »unter den Palmen in Namibia«. Sie lernte früh, »dass Heimat immer dort ist, wo man gerade nicht ist«. Für die heute Dreiundsechzigjährige liegen ihre Wurzeln in Windhuk, wo ihre Familie seit 150 Jahren lebt. Aber erst als Deutschland von seinen Allmachtsträumen und seinem Mordrausch befreit und besiegt war, konnte sie das erste Mal dorthin reisen. 1948 übersiedelten die Neuberts als erste Familie mit offizieller Genehmigung der alliierten Besatzungsmächte ins südliche Afrika.

Birte Neubert fiel ins Leben, wo sie im Rückblick nicht hätte sein wollen. In Lothringen, wo der Vater nach der faktischen Annexion des seit 1918 französischen Grenzgebietes erst einmal stationiert war. 1940 hatte sich das Deutsche Reich das Gebiet einverleibt. Das Elsass wurde dem Gau Baden, Lothringen der Westmark angegliedert. Von diesem Zeitpunkt an erlaubte die deutsche Zivilverwaltung seinen Bewohnern nur noch die Verwendung der deutschen Sprache, der Gebrauch der französischen Sprache war streng verboten.

In Lothringen kamen noch zwei Schwestern zur Welt. Birte Neubert erinnert sich an ein Haus mit Garten und eine Mutter, die ein wenig anders war als die treudeutschen Mägde der Propaganda, eine Frau, die sich einen zweiteiligen Badeanzug nähte und sich so freizügig in die Sonne legte. »Und ich durfte auf ihren Rücken springen. An dieses warme Gefühl unter meinen Fußsohlen erinnere ich mich noch«, sagt sie. »Wir hatten Orangen, die konnte meine Mutter mit den Zähnen schälen.« Die Frau, die bis Kriegsende in fünf Jahren vier Kinder zur Welt bringen sollte, war praktisch, burschikos und für ihre älteste Tochter eine Heldin. Sie lief mitten im Bombenalarm einen Umweg, um auch Linchen, die Puppe, mit in den Bunker zu nehmen. Der Vater musste, schon weil er nie da war, neben dieser energischen Frau verblassen.

Die Mutter war es auch, die im November 1944 die Flucht der Familie organisierte. Die Amerikaner und Briten rückten vor, die Franzosen übernahmen wieder die Macht im eigenen Land. Am 23. November 1944 sollten sie Straßburg erreichen. In Lothringen und dem Elsass, den einst umstrittenen Gebieten zwischen den Nachbarn am Rhein, das schien vielen Deutschen klar, würden sie nach dem Einrücken der Alliierten nicht mehr gelitten sein. Sie rechneten auch mit Vergeltung für deutsche Gräuel während der Besetzung Frankreichs.

Von der Nacht, als sie flüchteten, sind Birte Neubert viele Einzelheiten im Gedächtnis geblieben. In diesen Stunden wuchs das Gefühl in ihr, unter den Geschwistern die Große zu sein. Die Kleinen mussten schlafen. Sie aber, so empfand sie damals, konnte der Mutter zur Seite stehen. In Wirklichkeit schaute sie ihr lediglich beim Packen zu, weil sie ausnahmsweise länger aufbleiben durfte als ihre Geschwister. »Noch heute habe ich gegenüber meiner Mutter das Gefühl, verantwortlich zu sein, dass alles läuft.« Auch in diesen entscheidenden, letzten Stunden ging es darum, die richtige Weiche fürs Weiterleben zu stellen, den Anschluss an die anderen Flüchtlinge nicht zu verpassen. Die schwangere Mutter packte zusammen, was auf den Lkw geladen werden sollte, den sich die Neuberts mit einer anderen Offiziersfamilie teilten. Sogar einige Kisten mit Tomaten stellte sie bereit, als wolle sie auch rein gar nichts zurücklassen. Doch als der Lastwagen vorfuhr, war auf der Ladefläche nicht mehr genügend Platz für all das Gepackte. Nachdem die Kinder und der Kinderwagen mit der Kleinsten verstaut waren, musste doch vieles zurückbleiben.

Der Treck aus Lkws und Militärfahrzeugen hatte die Kehler Rheinbrücke als Fahrtziel. Die Sorge aller war, ob die Brücke halten würde, ob sie schon bombardiert war. So wie sich im Osten alle Hoffnung westwärts richtete, strömten die Menschen im Westen nach Osten. Das Deutsche Reich befand sich in rapider Schrumpfung. Von der Ladefläche des Lkw aus pochte Birtes Mutter mit einem Mal heftig an die Scheibe des Führerhauses – der Fahrer sollte anhalten. Die Schwangere kletterte herab, stellte sich im Dunkeln auf die Fahrbahn und versuchte, die im Treck mitfahrenden Militärfahrzeuge voller geschlagener und flüchtender Soldaten aufzuhalten. Die energische Frau mochte nicht verstehen, dass die Soldaten den Kampf aufgaben. »Meine Mutter stand da und versuchte, mit flammender Rede die Autos in den Krieg zurückzuschicken.« Die Offiziersgattin vom Lkw kreischte ihr zu: »Kommen Sie zurück. Die schießen! Die schießen!« Das Kind erlebte, wie zwei Frauen nicht unterschiedlicher hätten auftreten können. Die eine reagierte mit Hysterie auf die bedrohliche Situation. Die andere zeigte sich »in einer mir nicht verständlichen Weise« mutig, waghalsig bis an die Grenze des Verrückten, wohl auch fanatisch entflammt für die falschen Ideale.

Tatsächlich schoss einer der deutschen Soldaten, zur Warnung, aus Nervosität, aus Unmut. Da war der Flüchtlings-Lkw schon wieder angefahren, keilte sich hinein in den Strom der Kutschen, Kübelwagen, Lkws und Halbkettenfahrzeuge. Der Schuss traf den Kinderwagen, in dem die kleinste Schwester lag. Aber er durchschlug lediglich die Aluminiumschüssel, die ganz unten in dem Wagen lag. »Auf die Schüssel mit dem Loch waren wir später stolz.« Später. Denn erst aus der Distanz sind manche Abenteuer erträglich, verlieren ihren Ruch von Wahnsinn und Zivilisationsverlust.

Die Weiterfahrt durch ausgebombte und brennende Städte hat nur schemenhaft in Birte Neuberts Erinnerung überlebt. Auch das Kriegsende, das die Neuberts bei einer Freundin der

Mutter in der Rhön erlebten, hat Birte Neubert nicht als einschneidendes Datum im Gedächtnis, nicht als Katastrophe oder Niederlage. Sondern als eines von vielen Erlebnissen, auf das die Erwachsenen seltsam reagierten. Die Amerikaner kamen nicht im geduckten Laufschritt, mit entsicherten Waffen. Sie fuhren mit ihren Jeeps vor, kamen als freundliche Menschen, sie schenkten den Kindern Süßigkeiten. »Wir sind mit den Bonbons zu den Erwachsenen gelaufen. Die haben gerufen: ›Schmeißt sie weg‹. Und wir haben die Bonbons ins Gebüsch geschmissen.« Wie sollte das zusammenpassen? Hinter Menschen mit freundlichen Gesichtern sollte sich das Böse verstecken? Das kleine Mädchen spürte, dass hier etwas merkwürdig war, dass es eine andere Welt erlebte als jene, von der die Erwachsenen sprachen. Dass dieses Misstrauen, das auch ihm eingebläut werden sollte, nicht aus Kenntnis des Gefürchteten stammte, sondern aus Unkenntnis.

Lange genug hatte Birte in ihrem direkten Umfeld Misstrauen aufgesogen, auch dann, wenn die Erwachsenen weder glaubten noch beabsichtigten, dass die Kinder etwas von ihren Problemen mitbekamen. Birtes Skepsis gegenüber der Beständigkeit der Verhältnisse war mit jedem Mal gewachsen, wenn sie die Abschiedsrufe der Mutter hörte, welche die dem Vater nachschickte, der frühmorgens nach ein oder zwei Tagen Besuch zu Hause wieder zur Truppe musste.

Oft war der Vater wiedergekommen und hatte die Befürchtungen des Kindes Lügen gestraft. Und wie gern hatte sich Birte eines Besseren belehren lassen. Doch dann geriet der Vater auf dem Balkan, wohin ihn die Einsatzpläne der Militärstrategen verschlagen hatten, in Gefangenschaft. Er hat sie nicht überlebt, im Januar 1946 ist er gestorben. »Mein Vater ist erfroren. Wenn meine Mutter davon erzählt, und von den Abschieden, muss ich noch immer das Zimmer verlassen.« Das Leben mit dem Vater bleibe für sie so eine verpasste Chance. Das Gefühl, sich für immer verabschieden zu müssen, erträgt Birte Neubert auch als Erwachsene nicht. Ihre Arbeit in der Hospizbewegung begreift sie vor diesem Hintergrund als immer noch andauernden Lernprozess.

Die Nachricht vom Tod des Vaters erreichte Birtes Familie

an einem warmen Frühlingstag. Die Kinder spielten in der Heide. Da kam ihre Gastgeberin, eine alte Dame, gelaufen und rief mit belegter Stimme: »Kinderlein, ihr müsst nach Hause kommen.« Mit ernstem Gesichtsausdruck begleitete sie die vier. Daheim saß die Mutter schon in sich zusammengesunken. Die ältere Freundin übernahm die Aufgabe, den Kindern die traurige Wahrheit mitzuteilen. Sie sagte nur: »Euer Vati ist gestorben.« Die Befürchtungen, die Birte die Kriegsjahre über begleitet hatten, waren wahr geworden. Sie weiß den Gedanken noch, der ihr damals durch den Kopf schoss. »Zum Kuckuck, deswegen braucht sie uns doch nicht vom Spielen zu holen!« Schließlich hatte sie dieses böse Ende schon immer geahnt. »Ich hatte meine ganze Kindheit über das Gefühl, dass mir der Tod hinterherläuft.« In den Augen des Kindes hatte die Welt schon immer viel grauer ausgesehen, als die Erwachsenen ihm glauben machen wollten. Die Große wusste Bescheid. In ihren Augen war es nicht Besonderes, wenn jemand starb. Bei jenen war der Onkel gefallen. Bei anderen kam der Sohn nicht wieder. In anderen Nachbarhäusern gab es keinen Vater mehr. Puffert es gegen Schmerz, wenn man das Undenkbare immer schon vorausdenkt?

»Ich habe mich so geschämt für meine Gedanken«, sagt sie heute mit den jahrzehntelangen Erfahrungen aus der Arbeit mit Sterbenden und ihren Angehörigen. Sie weiß, dass jeder seinen eigenen Weg finden muss, Trauer zu verarbeiten. Über das sechs Jahre alte Kind, das seinen Vater verloren hatte, wunderten sich die Erwachsenen damals sehr. »Sie sagten, dass ich ein eigentümliches, gefühlskaltes kleines Mädchen sei.« Aber spielte sie da nicht nur die Rolle, die man ihr zugeteilt hatte? Sie war die Große, die tapfer und stark sein musste.

Obwohl ihr nichts entging in der provisorischen Ein-Zimmer-Unterkunft der Familie. Sie registrierte sehr wohl, dass ihre einst so starke und unkonventionelle Mutter schwer am Tod des Vaters trug. Das Kind merkte mehr, als die Erwachsene sich eingestehen wollte. Birte hörte, dass die Mutter, wenn sie glaubte, alle seien eingeschlafen, heimlich aus dem Fenster stieg, um erst spät in der Nacht wieder zurückzukehren. Ohne zu wissen, was Selbstmord ist, spürte das Kind, dass die

Mutter mit dem Leben haderte. Erdrückend war Birtes nächtliche Angst, dass auch sie nicht wiederkommen würde. Die Furcht vor dem endgültigen Abschied »hat mich immer begleitet«. Aber die Große musste tapfer sein, um die Kleinen nicht zu verstören. Erst viele Jahre später erfuhr sie, dass sie sich nicht getäuscht, dass sie nicht nur ihre eigene Verzweiflung auf die Erwachsenen übertragen hatte. Ihre Mutter hatte damals wirklich einen Selbstmordversuch unternommen. Der Schrecken darüber sitzt tief. Er besteht nicht nur aus dem »Was-wäre-wenn«-Gefühl, aus der nachträglichen Sorge, wie es mit ihr und ihren Geschwistern weitergegangen wäre. Sondern auch aus der verstandesmäßigen Einsicht, dass sie als Kind der Mutter kaum hätte helfen können. Dieser nachträgliche Schrecken speist immer neue Träume, in denen letzte Chancen verpasst, falsche Züge genommen, wichtige Anschlussverbindungen ins eigentliche Leben nicht mehr erreicht werden.

Die geplünderte Kindheit

Heute sagt sie, dass es vielleicht gut war, dass sie damals noch langes, zu Zöpfen geflochtenes Haar hatte. »Man sieht damit jünger aus.« Damals war Inge Löbel ein Kind, das Gewalt nicht fürchtete, weil sie sie nicht kannte. Die erste Veränderung vom Frieden zum Krieg, die Inge Löbel auffiel, war der Schwund mancher Waren und das Bersten der Schränke mit anderen. Ihre Mutter machte in Müglitz, im Sudetenland, wohin die Familie umgezogen war, Hamsterkäufe. Eine Weile blieb die Familie noch intakt, aber dann wurde erst der Vater 1940 eingezogen und schließlich auch die Mutter, eine zierliche Person, zur Arbeit für das Reich zwangsverpflichtet. Sie musste für Siemens Spulen mit weißem Seidenband umwickeln – für Flugzeugmotoren, wie es hieß. Inge, die mittlerweile zehn Jahre alt war und aufs Gymnasium ging, wurde zum Schlüsselkind. Morgens um sechs fuhr sie mit dem Bus zum Bahnhof, mittags um halb drei kam sie wieder zurück. Das Essen hatte die Mutter schon vorbereitet. Inge musste es nur warm machen. Den restlichen Tag war sie dann alleine – und das kleine, tägliche Warten auf die Heimkehr der Mutter addierte sich zum großen Warten auf das Ende des Krieges, auf das Ende der immer wieder weggeschobenen Furcht, der Vater könne aus dieser anderen Welt nicht wiederkehren.

In Inge Löbel setzte sich damals ein Gedanke fest, der vielleicht in den Grübeleien im Bombenkeller der Schule seinen Ursprung hatte. Denn immer wieder gab es Alarm, auch wenn in Müglitz keine Bomben fielen. »Wenn der Krieg vorbei ist«, dachte Inge Löbel beim Warten auf die Entwarnungssirene, »dann läuten in Deutschland alle Glocken.« Sie dachte an Siegesglocken. Aber das Radio, mit dem die Mutter heimlich den englischen Sender hörte, prophezeite eine andere Zukunft. Dort war seit spätestens Ende 1943 von Rückzug die Rede. Die Frauen bei Siemens hörten diese Meldungen sogar heimlich bei der Arbeit. Dann steckten sie Fähnchen auf einer Landkarte und hatten ihre Angst als Linie vor sich: Die Front kam näher. Die Front, das war »der Russe«. Die Kindheit des Mädchens mit den schwarzen Zöpfen neigte sich ihrem Ende zu.

Inge war damals dreizehn, und sie half der Mutter, eines ihrer drei Zimmer als Notquartier für Flüchtlinge auszuräumen. »Dabei wurden wir selbst ein bisschen bedrückt und fragten uns, was kommt wohl auf uns zu?«, erinnert sie sich an die letzten Wochen brüchiger Sicherheit. Im April 1945 nähte die Mutter provisorische Rucksäcke und packte Koffer. Bald darauf weckte sie der nächtliche Schrei, auf den sie gewartet hatten: »Der Russe kommt!« Früh am nächsten Morgen trafen sich Frauen und Kinder auf dem Marktplatz. Jede beladen mit einem Federbett, das sie in eine Decke gewickelt hatten. Das und die Rucksäcke waren die ganze Habe, die sie tragen konnten.

Ein Militärfahrzeug nahm Inge, ihre Mutter und eine befreundete Familie mit. Nach einigen Kilometern warnten die fliehenden Soldaten die Frauen: »Wenn uns das Benzin ausgeht, hauen wir ab.« Es sei besser, wenn sie alle in einer Ortschaft ausstiegen. »Wenn uns das unterwegs passiert, steht ihr auf der Landstraße. Dann seid ihr Freiwild.«

Die dreizehnjährige Inge Löbel.
Ihre Zöpfe ließ sie sich mit fünfzehn abschneiden.

Wie zum Hohn schien in diesen Apriltagen eine wunderschöne Frühlingssonne. Wie Schiffbrüchige saß das Grüppchen Flüchtender im damaligen Sprottau, wo die Soldaten zum Aussteigen gedrängt hatten, auf dem Marktplatz fest. Zwei Kinder und viele Frauen – vier Rumpffamilien, die nicht wussten, wie es weitergehen sollte. Eine ältere Dame hatte Erbarmen.

»Sie können hier nicht auf der Straße bleiben, wenn die Russen kommen. Das geht nicht«, mahnte sie und öffnete ihre Wohnung. Dankbar campierten die Gestrandeten auf zu Notbetten zusammengebundenen Sesseln und auf Sofas. Alles war besser, als draußen auf der Straße zu sein.

Nachts kamen sie wirklich. Die Frontsoldaten der Roten Armee. Mit scheppernden, rasselnden, dröhnenden Panzern fuhren sie durch die Stadt. Sie versuchten die eisernen Rollläden des unter der Wohnung gelegenen Ladens aufzubrechen. Ihre Schreie und das Gehämmer hallten über den ansonsten menschenleeren Marktplatz. »Das konnte man oben ganz genau hören.« Es war eine schlaflose Nacht. »Wir haben nur gewartet, dass es vorbeigeht«, erinnert sich die Einundsiebzigjährige an die bangen Momente. Damals passierte erst einmal gar nichts. Die massiven Fensterläden hielten den Einbruchsversuchen stand. Aber die dreizehnjährige Inge legte ihre Ohrringe ab, damit niemand sie herausreißen konnte. Wie hatte es in der NS-Propaganda geheißen? »Sie nageln dir die Zunge an die Wand.«

Nach ein paar Tagen unerwarteter Ruhe machte sich eine verwunderte und angespannte Erleichterung breit. Offenbar war das Gebiet von den Russen eingenommen. War dies der befürchtete Durchmarsch einer rachedürstenden Horde gewesen? Fand die Wut irgendwo anders, viel weiter im Westen, ihre Ziele? Würde sich die Lage im besetzten Gebiet nun rasch normalisieren? Die Frauen mochten diese Fragen noch nicht mit Ja beantworten. Aber die Lage im beengten Notquartier, im behelfsmäßigen Versteck, war unerträglich. Zögerlich beschlossen sie, nach Müglitz zurückzukehren. Dass die Bahn dorthin noch fuhr, war ein weiteres Indiz für anhaltende oder wieder eingekehrte Normalität. Aber unterwegs hatten die Reisenden ein Erlebnis, das ihnen klar machte, wie wenig die Lage mit Vorkriegsalltag zu tun hatte. Der Zug hielt an, und eine große Gruppe zerschundener, heruntergehungerter, sich eher durch verbissenen Willen als durch verbliebene Körperkräfte aufrecht haltender Männer stand ihnen gegenüber. Inge Löbel weiß nicht mehr oder hat damals nicht unterscheiden können, ob es befreite Insassen eines Konzentrationslagers, ehemalige

Kriegsgefangene oder der Knechtschaft entronnene Zwangsarbeiter waren. Aber sie kennt die Anweisung der neuen Fahrgäste noch: »Ihr müsst jetzt aussteigen. Ihr müsst zu Fuß weitergehen. Wir tun euch nichts, aber ihr müsst aussteigen.« Inge Löbel weiß auch noch, wie sehr sie damals erschrocken war. So verwüstete Menschen hatte sie zuvor noch nie gesehen. Es war ganz offensichtlich eine ganz andere Welt als jene, die sie beim Aufbruch zurückgelassen hatten.

Mühsam war der Heimmarsch. Sie schleppten einen Teil der Habe ein Stück, dann liefen sie zurück, um den Rest zu holen. So arbeiteten sie sich langsam voran. Eine Heimkehr wurde nicht daraus. Vor dem Haus, in dem sie bis vor kurzem gewohnt hatten, standen zwei russische Militärfahrzeuge. Auf ihren Kühlerhauben saßen Inges Puppen und ihr Teddy. Für Inges Mutter war damit klar ersichtlich, dass das Haus von Soldaten beschlagnahmt worden war. Für Inge drückte diese Szene etwas anderes aus: dass ihr mit einem Schlag die Kindheit weggenommen worden war. Puppe und Teddy in dieser grotesken Positur schienen die Wächter einer fernen Vergangenheit, die klar machten, dass eine Rückkehr ins Kinderland nicht möglich war. Nur Inges lange Zöpfe waren noch ein äußeres Symbol des deutschen Mädchens, des herausgeputzten Augensterns in einer niedlichen kleinen Welt. Eine der Frauen, mit denen sie unterwegs gewesen waren, nahm die Löbels mit zu sich.

In der Kleinstadt Müglitz sprachen sich die schlimmen Geschehnisse der vergangenen Tage schnell bei den Rückkehrern herum. So erfuhr die Dreizehnjährige, dass der Vater einer Schulfreundin seine gesamte Familie erschossen hatte. Erst seine Frau, dann die beiden Töchter, Inges Freundinnen, und dann sich selbst. Warum? »Er war ein ganz normaler Familienvater gewesen, der Angst hatte, seine Familie nicht schützen zu können«, sagt die Einundsiebzigjährige nüchtern. Die Verzweiflungstat fügte sich für das Kind schon damals in die Logik der Auflösung. Die Zeit des Aufbegehrens gegen die Ereignisse war vorbei. Sie hatte nicht lange gedauert.

»Mitte Juni wurden wir als so genannte Reichsdeutsche mit Pferdewagen und unter tschechischer Bewachung zur Grenze gebracht.« Es war die erste Ausweisung, die Inge Löbel erlebte. Während dieser ersten Vertreibungswelle hatten 450 000 Deutsche den sowjetisch besetzten Teil des Landes verlassen. Weil es hieß, sie würden nun den Amerikanern, den alliierten Partnern am Verhandlungstisch, übergeben, behandelte man die Weggescheuchten trotz des allgemeinen Hasses auf die Deutschen gut. Auch wenn sie unterwegs in Schulen und oft auf dem blanken Boden schlafen mussten. Sie kamen nach Oberhermsdorf, das bis zum Ende des Krieges an der Grenze zwischen dem Deutschen Reich und der Tschechoslowakei gelegen hatte und das sie kannten, weil sie dort schon gewohnt hatten – und dachten, sie seien in Deutschland angekommen, an einer Endstation, einem Punkt zum Rasten. Mit den Worten »Seht zu, wie ihr weiterkommt« überließen die tschechischen Bewacher die Gruppe unversehens ihrem Schicksal. Aber ähnlich barsch wurden sie von ihren unfreiwilligen Gastgebern empfangen. »Ihr könnt hier übernachten. Aber morgen müsst ihr weiter. Das Dorf wird ausgewiesen. Alle müssen hier weg«, waren die Worte des Bürgermeisters. Sie waren nur weitergereicht worden, jenseits der Grenze war die Zuständigkeit ihrer Transporteure erloschen. Und so befanden sie sich nun auf polnischem Staatsgebiet, waren noch immer Unerwünschte und Verhasste.

Nun schützte sie kein Gerücht mehr, sie würden an die Amerikaner übergeben. Jetzt waren sie, wie sie es immer befürchtet hatten, »Freiwild auf der Landstraße«, Beute für jeden, der das Recht des Stärkeren durchsetzen wollte. Sie mussten sich allein durchschlagen. Die Menschen machten sich auf den Weg zu den Orten, an denen sie auf Hilfe hoffen konnten. Das Ziel der Löbels lag im noch gut 300 Kilometer entfernten Örtchen Bockwitz. Es war der Bauernhof einer Tante, der als Verpflegungsstation für die russischen Truppen weiter betrieben wurde. Sie waren zwei Frauen – Inges Mutter und die Frau, bei der sie gewohnt hatten – und die Kinder, ein dreizehnjähriges Mädchen und ein zwölfjähriger Junge. Ihr Besitz passte auf den Handwagen, den Inges Mutter noch rechtzeitig vor der ersten Flucht gegen die Schlafzimmereinrichtung eingetauscht hatte. Es war heiß, der Belag auf den besseren Straßen und den geteerten Abschnitten der Wege war zäh und klebrig. Er brannte unter den dünnen Sohlen der Sandalen. Jeden Tag liefen sie an die 30 Kilometer durch ein Land, in dem im Nu die deutschen Wegweiser umgehauen, ausgerissen, verbrannt worden waren. Die in Kyrillisch geschriebenen Schilder konnten sie nicht lesen. Sie fragten sich durch und wurden »vor Russenlagern« gewarnt, um die sie dann furchtsam einen großen Bogen schlugen. Wenn der Hunger unerträglich wurde, mussten sie betteln. »Das war nicht einfach, denn die Bauern, die noch da waren, waren ziemlich geizig«, erinnert sich Inge Löbel an den Gewaltmarsch. Sie übernachteten in Scheunen. Sie liefen durch eine Landschaft, deren Wege gesäumt waren von den Toten des Krieges. In den Gräben verwesten Tierkadaver neben toten Menschen, die niemand beerdigt hatte. Ein bestialischer Geruch lag über dem Land. Überall brummten Fliegenschwärme, die von den Toten auf die Lebenden kamen. »Meine Mutter hat bis zu ihrem Tod jede Fliege gejagt, die sie umschwirrte«, sagt die Tochter. Die Fliegenklatsche legte sie in den Sommermonaten nie mehr zur Seite. Jede Fliege brachte Erinnerungen an die Tage der Flucht voll Angst und Grauen.

Mit welcher Klatsche aber vertrieb die Tochter später die Gedanken an die Tage des rechtlos Umhergestoßenwerdens, der steten Angst vor Gewalttaten, Übergriffen, Raub und Misshandlung? Hartmut Radebolds Beobachtung, dass die ehemaligen Kriegskinder unter der Maxime »Unseren Eltern ist es noch viel schlimmer gegangen als uns« weiterlebten und sich nicht um die eigenen Beschädigungen und Verletzungen sorgten, scheint auch auf Inge Löbel zuzutreffen. Das Kind, das vor kurzem seine Sommer noch ausgelassen in der Badeanstalt verbracht und das Böse nur als harmlose Würze aus Büchern oder den Mickymaus-Filmen im Kino kannte, gab sich alle Mühe, tapfer zu sein. Aber die trostlose Situation forderte eine Härte, die nur ein vor der Zeit erwachsen gewordenes Kind aufbringen konnte.

Dass man sie damals von vorbeifahrenden Autos aus gezielt mit harten grünen Äpfeln beworfen hat, gehört zu den vergleichsweise harmlosen Erinnerungen. Eine schrecklichere ist die an den Moment – von dem Mutter-Sohn-Paar hatten sie sich schon getrennt –, als plötzlich zwei russische Soldaten aus dem Straßengraben sprangen und den Weg verstellten. Der Beschützerinstinkt ließ Inges Mutter alle eigene Angst vergessen. Wie immer in den kritischen Situationen dieser Tage hängte sie mit einem Griff die Deichsel des Handwagens aus und ging mit diesem Knüppel laut schreiend und gestikulierend auf die Angreifer zu. »Wenn du mir etwas tust, erschlag ich dich.« Die kleine Frau und die fremden Männer standen sich Aug in Aug gegenüber. »Sie hätte zugeschlagen«, sagt ihre Tochter heute im Brustton der Überzeugung. Das Auftreten der Mutter ließ keinen Zweifel daran, dass die beiden Männer hier auf keine willigen Opfer treffen würden. Nach einer unendlich erscheinenden Zeit des Starrens wendeten sie sich von den Frauen ab. Die Löbels zogen weiter, aber der Blick der Frauen, der erfahrenen und der gerade noch Kind gewesenen, suchten den Wegrand und Horizont schon wieder nach weiteren Gefahren ab.

»Angst. Angst. Angst.« Inge Löbel sagt das Wort gleich dreimal, wenn sie an damals zurückdenkt. Angst und das permanente Gefühl von Erniedrigung prägten für sie jede Stunde. Sie hatten keine Wäsche zum Wechseln, aber das war keine Beschwer, sondern ein Vorteil. Es ging darum, die eigene Haut zu retten. Zu stinken war dabei nicht die schlechteste Hilfe. Möglichst unscheinbar zu sein, möglichst unattraktiv, auf andere eher wie Aas als wie Beute zu wirken – das war die Überlebensstrategie, durch die Mädchen eine brutale Form der Aufklärung erhielten. Durch diese Lumpenmaskierung und durch die Erzählungen, Gerüchte oder den Anblick von Vergewaltigungen.

Als die Löbels ihr Ziel erreichten, war die Tante tatsächlich noch auf ihrem Hof. Sie versorgte russische Soldaten, die ein Lager mit deutschen Kriegsgefangenen bewachten. Aber auch die Sicherheit auf dem umfriedeten Hof war eine mit Einschränkungen. Nachts schwand sie. »Wir waren chronisch übermüdet«, erinnert sich Inge Löbel, denn Geräusche, Gegröle oder auch nur näher kommende Schritte wirkten auf die Frauen wie früher die Alarmsirenen. »Wenn wir nachts etwas gemerkt haben, sind wir ins Maisfeld gerannt und haben uns dort versteckt.« Sie schliefen in der Kleidung, die sie auch tagsüber trugen. Für das nächtliche Ankleiden fehlte im Notfall die Zeit. Die reichte gerade, um sich Schuhe anzuziehen.

In diesen Tagen des dauernden Gehetztseins fand Inge einen Verbündeten, und sie mühte sich, auch so etwas wie einen Beschützer in ihm zu sehen. In den Wäldern um den Hof hatten sich in den letzten Kriegswochen zwei deutsche Deserteure versteckt. Die Dorfbewohner versorgten die beiden mit Nahrung. Als die russischen Truppen kamen, die Gefahr der standrechtlichen Erschießung durch SS, Feldpolizei oder einen verbitterten Wehrmachtsoffizier vorbei war, kamen die beiden aus ihren Erdlöchern. Sie verdingten sich auf den umliegenden Bauernhöfen und arbeiteten mal hier, mal dort als Knechte. Diese Tarnung war riskant: einem näher hinschauenden Russen musste früher oder später auffallen, dass diese gesunden jungen Männer den Krieg nicht mit Heumachen zugebracht haben konnten. Wenn es wieder einmal brenzlig wurde, wenn ein Rotarmist tagsüber zu lange auf den Mann am Hackklotz neben dem Brennholzstapel auf dem Hof gestiert hatte, kam Horst, einer der beiden Deserteure, zu Inge und flüsterte: »Komm, wir zwei müssen uns wieder verstecken.« Dann nahm er die Dreizehnjährige an der Hand und suchte mit ihr zusammen ein Versteck im Wald, im Maisfeld oder an irgendeinem anderen Ort, wo sie sich sicher vor Gefahr fühlten. Das war kein Moment sexueller Nachstellung. Auch heute noch schwingt viel Erleichterung mit, wenn Inge Löbel von diesen Episoden erzählt. Horst vermittelte ein wenig Sicherheit in unsicheren Zeiten, er gab ihr das Gefühl, ein paar Minuten nicht selbst für ihr eigenes Heil sorgen zu müssen. In seiner Gegenwart konnte sie, wenn auch nur für wenige Augenblicke, glauben, es sei wieder ein Mann, ein Beschützer im Haus. Und Horsts verschmitzter Wille, sich dem Diktat der Umstände und Verhältnisse zu entziehen, machte ihr Mut, wenn sie, was oft geschah, an ihren Vater dachte, von dem es keine Nachricht gab.

Aber es war dann nicht der Vater, den es als Nächstes traf, auch nicht Horst oder dessen Mitdeserteur. Es war die Mutter. Eines Tages kamen polnische Soldaten auf den Hof und holten ihre Mutter ab. Zum Ernteeinsatz, wie es hieß. Inge selbst hatte Glück gehabt, aber die Erleichterung mischte sich mit dem nagenden Schuldgefühl, nicht an der Seite der Mutter zu sein. Der polnische Nachbar hatte sie versteckt, damit die Soldaten nicht auch noch sie mitnehmen würden. Viel mehr als »Hoffentlich kommt sie wieder« vermochte die Tochter mehrere Tage lang nicht zu denken. Dann kehrte die Mutter zurück – unversehrt, wie sie versicherte. Es hatte sich tatsächlich um einen Arbeitseinsatz gehandelt. Aber auch ein dreizehnjähriges Mädchen hielt in diesen Tagen alles für möglich.

Ihrem jungen Beschützer Horst wurde das dauernde Versteckspiel zu viel. Ewig, so wusste er, würde er von den Russen nicht unentdeckt bleiben, auch sein Glück könnte einmal schwinden. Er brach auf, um sich in den Westen durchzuschlagen. In seinem Gepäck steckte ein Brief an Inges Vater. Die Adresse lautete Dresden – dort lag der vorab vereinbarte Sammelpunkt der Löbels. Horsts Glück hielt an, er kam durch. Auf seinem Weg nach Aachen gab er das Schreiben bei der Tante ab, die Dresdens Bombardierung überlebt hatte. Auch sie wartete noch auf ein Lebenszeichen von Inges Vater. Als es eintraf, wusste sie nun, wohin es weiterzuleiten war. Via Dresden ging das Schreiben aus der amerikanischen Kriegsgefangenschaft in das kleine Dorf, das jetzt zu Polen gehörte. Weinend lagen Inge und ihre Mutter einander in den Armen, so, wie die Redewendung das allzu oft nur behauptet. Der polnische Bauer, der den Hof der Tante betrieb, versuchte in holprigem Deutsch zu trösten: »No pani, du nicht weinen, dein Mann lebt doch! Sei du froh!« Aber in den Tränen entlud sich die Anspannung von einem ganzen Jahr Unsicherheit und Verzweiflung.

»Von diesem Moment an gab es für uns kein Halten mehr. Wir wollten ausgewiesen werden«, sagt Inge Löbel. Aber dieser Wunsch, noch einmal von Haus und Hof getrieben zu werden als einzige Form der erlaubten Reise, erfüllte sich erst im Mai 1946. Es folgte die zweite Ausweisung, auf die sich die Alliierten geeinigt hatten, als sie den Auszug der Deutschen aus den nun nicht mehr deutschen Gebieten verabredet hatten.

Die Löbels und andere Deutsche wurden in Viehwaggons der jetzt polnischen Bahn verladen. Noch plagte sie Unsicherheit, ob die Fahrt nach Westen oder nicht doch in den Osten, gar bis nach Sibirien gehen würde. »Was waren wir froh, als wir gemerkt haben, dass wir in den Westen fuhren.« Um sich vor Plünderern zu schützen, verschnürten die mitreisenden Männer die Waggontür von innen mit Wäscheseilen. Den Eimer, in den sie allesamt ihre Notdurft verrichteten, entleerten sie nur tagsüber. Nachts blieb die Tür zugebunden. Sie schliefen im Waggon, benutzten den Eimer neben anderen Schlafenden, verloren die anfängliche Scham. Zu kostbar war die körperliche Unversehrtheit. Sie wollten sie auf diesen letzten Kilometern nicht noch aufs Spiel setzen. Keiner wusste, was dort draußen wirklich vor sich ging, mit welchen Begegnungen jetzt noch zu rechnen war. Ein weit verbreiteter, tiefer Hass auf die Deutschen, etwas ganz anderes als die kurze Wut in den Nächten des Sieges, in den Tagen der herabgerissenen Hakenkreuzflaggen, schien ihnen nicht nur vorstellbar, sondern gewiss.

Einmal noch stockte die Reise. Der Zug kam auf freier Strecke zum Stehen. Der Lokführer wusste um Not und Angst seiner Passagiere. Er wollte Geld fürs Weiterfahren. Nun schlitzten sie die hie und da in Kleidung, in Säumen und Futter eingenähten Reserven hervor. Es war Geld, Schmuck, Handelsware für einen Neuanfang. Wenn sie jetzt nicht einen Teil davon hergaben, war der Neuanfang in Frage gestellt. Verdreckt, verschwitzt, am ganzen Körper mit weißem Entlausungspulver eingestäubt, kamen sie endlich in einem Sammellager im Westen an. Hier warteten sie auf die Zuweisung an neue Wohnorte. Und hier kämpften sie, nun gegen die Leidensgenossen, um die letzten paar Besitztümer. »Im Lager klauten sie wie die Raben.«

Als Inge und ihre Mutter in jenem kleinen niedersächsischen Dorf, dem man sie zugewiesen hatte, vom Pferdewagen stiegen, hörte das Mädchen, wie sich die Einheimischen Sätze wie »Die haben auch Polen gekriegt« zuriefen. Bei den Polen waren sie verhasste Deutsche. Hier waren sie nun Polen. Niemand war sonderlich darauf versessen, Flüchtlinge im eigenen Haus aufzunehmen. Inge und ihre Mutter bekamen ein Zimmer zugeteilt, in dem nichts als ein bisschen Stroh auf der Erde war.

Die Tochter des Hauses aber war selbst in Hannover ausgebombt worden und hatte Mitleid, weil sie sich in die Situation der beiden hineinversetzen konnte. Sie besorgte den Löbels eine Bettstelle. Die Anspannung aber verließ die Körper und Seelen damals nur allmählich. Wer monatelang immer nur gedämmert, aber nie tief geschlafen hat, der schreckt weiter bei jedem Türklappen hoch. Als nach der ersten Nacht der Hausherr zur Arbeit ging, fuhr Inges Mutter aus dem Schlaf auf und gab automatisch die vertrauten Kommandos an die Tochter: »Aufstehen! Anziehen! Die Russen kommen!« Erst die Stimme der Hausherrin konnte sie beruhigen: »Wir sind's bloß. Sie können weiterschlafen.«

Der Neuanfang war hart. Noch hatten sie in ihrem Zimmer kein Wasser und keinen Ofen. »Als wir im Winter einen bekommen haben, haben wir einen richtigen Freudentanz aufgeführt«, erinnert sich Inge Löbel. Die früher selbstverständliche Erfüllung eines Grundbedürfnisses war nun Anlass zu großer Freude, wurde gar als Gnade wahrgenommen. Die Maßstäbe hatten sich verschoben. Man war bescheiden geworden. Aber jeder kleine Schritt in Richtung Normalität trug einen fort aus der Vergangenheit. Über deren Bedingungen, über deren Voraussetzungen, über das, was zum Schrecken geführt hatte, wollte man wenig reden und nachdenken.

Das Mädchen, das vor zwei Jahren noch Ski und Schlittschuh gelaufen war, musste nun die Ziegen ihrer Vermieter hüten. Dafür bekam sie Brot – ein unverzichtbarer Verdienst. Die Portionen, die man mit Bezugsmarken erhielt, waren stets zu knapp bemessen. Wie so vieles andere auch. »Ich bin viel barfuß gelaufen, weil ich keine Schuhe hatte«, erzählt Inge Löbel. Dafür wurde sie von den Dorfkindern böse verspottet. »Wenn ihr zu Hause so viel hattet, warum habt ihr dann nichts mitgebracht?«, ist eine Bemerkung, die sie noch immer wütend macht. Als sie endlich ein Paar Schuhe hatte, wurden die Hänseleien nicht weniger. Es war ein ungleiches Paar – aus zwei verschiedenen Herrenschuhen. Die Lacher versuchte sie zu ignorieren. »Ich hab mir immer gedacht: Ihr könnt gar nicht mitreden. Ihr wisst gar nichts.« Aber erzählt hat sie ihnen nichts von ihrer Geschichte. Das hielten alle Flüchtlingskinder am Ort so. »Die Kinder und Jugendlichen schwiegen untereinander über die Schrecken, die sie erlebt hatten«, hat auch Hartmut Radebold bei seinen Untersuchungen festgestellt. Das hatte viele Gründe. So schützten sie sich auch »gegen die (Wieder-)Belebung ihrer Erinnerungen, Erfahrungen und die damit verbundenen vielfältigen beunruhigenden, erschreckenden, bedrohlichen und schmerzlichen Gefühle aus dieser Kriegs- und Nachkriegszeit«.

Inge hungerte nicht nur nach Brot und sehnte sich nicht nur nach unauffälliger Kleidung. Knapp zwei Jahre war sie nun schon nicht mehr zur Schule gegangen. Dabei wollte sie lernen. Aber im Dorf gab es nicht nur kein Gymnasium. Es gab auch keinen Bus in die Stadt. Von ihrem Traum, einmal zu studieren, um Studienrätin am Gymnasium zu werden, musste Inge Löbel in diesen Tagen Abschied nehmen. Sie ging stattdessen noch ein paar Wochen in die Volksschule, um wenigstens irgendein Abschlusszeugnis zu haben. Es war kein Geld da, um eine höhere Ausbildung zu finanzieren. Auch nicht, als der Vater im Herbst 1946 aus der Kriegsgefangenschaft heimkehrte. Das war die Erfüllung eines Herzenswunsches, aber erst einmal keine wirtschaftliche Verbesserung. Der Vater war zunächst arbeitslos, als kleiner Beamter des alten Regimes konnte er nicht einfach wieder seinen Dienst aufnehmen.

Inge arbeitete drei Jahre als Haushaltshilfe bei einer Familie, die ein Lebensmittelgeschäft betrieb. »Das war mir wichtig, dass ich wenigstens ein bisschen mit Zahlen zu tun hatte«, sagt sie heute. Aber die Enttäuschung und Trauer über den gekappten Lebenstraum empfand sie schon damals stark und bitter. Viele Jahre lang sieht man die Trauer auf allen Fotos, die es von ihr gibt. Ihre neuen Träume waren düster: »Jetzt hast du keinen Beruf und musst anderen Leuten den Dreck wegräumen. Das war erniedrigend.« Als der Vater seine Fortbildung zu Ende gebracht hatte und wieder eine Anstellung am Zollamt in der Kreisstadt fand, zog die Familie dorthin um, in eine eigene Mietwohnung. Es ging ein wenig besser, und die Eltern taten für ihr Kind, was eben möglich war. Inge ging noch einmal auf die kaufmännische Handelsschule. Aber Lehrerin wurde sie nie. Sie tröstete sich damit, »noch am Leben zu sein und den ganzen Schlamassel überstanden zu haben«. Geredet wurde wenig über die Vergangenheit. »Ich hatte mit mir selbst zu tun und dem, was ich erlebt habe.« Ihre Zöpfe ließ sie sich 1947 abschneiden. Die waren das Zeichen einer Kindheit, die lange schon zu Ende war.

Die gespenstische Stille des Friedens

Es war ein Grollen in der Luft, Tag und Nacht, ein nimmer endendes Geschützgewitter jenseits des Horizonts. Die Luft war rauchgeschwängert und lag schwer auf der Lunge beim Atmen. Es war klar, es ging dem Ende zu und trotzdem hofften die Menschen im schlesischen Michelsdorf, der unwirkliche Schwebezustand möge eine halbe Ewigkeit dauern und dann in Frieden kippen. Sie pflügten. Sie säten aus. Sie hofften, im Herbst zu ernten. Und die Kinder wurden unter einem Choral aus Haubitzendonner und Granatwerferhusten konfirmiert und noch am 20. April 1945 feierlich in die Hitlerjugend aufgenommen. Eines von ihnen war der vierzehnjährige Helmut Sander.

Auch die Sanders hatten auf ihrem Hof Flüchtlinge aufgenommen, eine Frau mit zwei jugendlichen Töchtern war bei ihnen eingezogen. Man half sich gegenseitig und lebte in einem Wechselspiel zwischen Ausnahmezustand und ewig gleichem Alltag. Dann wurden die Risse im täglichen Leben auch für die frisch vereidigten Hitlerjungen unübersehbar. »Mein Vater und der Lehrer hatten beschlossen, sich im Wald zu verstecken«, erinnert sich Helmut Sander. Das war wenige Tage bevor der Krieg in Europa offiziell zu Ende ging. »Am 5. oder 6. Mai wollten sie anspannen.« Der voll beladene Wagen stand schon in der Scheune. Zwei Familien, fünf Kinder und fünf Erwachsene, wollten sich zusammen verstecken, um aneinander ein wenig Schutz und Trost zu haben. Die Pferde sollten die Wagen mit der Habe in den Wald ziehen, die Menschen zu Fuß gehen. Und dann? Ja, was dann? Hofften sie wirklich, die Weltgeschichte werde an ihnen vorüberziehen? Das lässt sich nicht mehr ergründen, und Helmut Sander hat es schon damals nicht gewusst. Er weiß nur, dass der Vater, ein Landwirt, mit einer längeren Phase des Versteckens gerechnet haben muss. Denn er war bereit, die Kühe im Stall sich selbst zu überlassen – ein großer Schritt für einen Bauern. Porzellan und Silberbesteck hatten sie vorsichtshalber in einer großen Truhe vergraben.

Aber dann vereitelte die Angst doch noch diesen Plan des Abtauchens. Die Propaganda hatte viele Gräuelbilder in die Köpfe der Fliehenden gepflanzt. Wäre es nicht genauso gefährlich, von den fremden Soldaten im Wald aufgebracht zu werden? »Ich hätte alles gemacht, was die Eltern gesagt haben«, erinnert sich der heute Zweiundsiebzigjährige. In dieser extremen Situation gab es kein Diskutieren, nur Gehorsam. Aber nun bestimmten nicht mehr die Eltern, auch nicht mehr die Gedankenvergifter des Regimes. Nun traf die Gewalt der Umstände alle Entscheidungen. Zwei Bauernfamilien im Wald zwischen Koffern und Säcken, ein paar Rotarmisten mit Maschinenpistolen, die herzutraten – dieses Bild im Kopf mündet noch eher in ein Blutbad als das Bild von der Plünderung der Höfe. Auf einmal hieß es: »Wir bleiben.« Es wurde abgeladen. Das Warten begann. Am 8. Mai kam dann die lang ersehnte Stille. Am 7. Mai hatte der deutsche Generaloberst Jodl im Hauptquartier des amerikanischen Generals Dwight D. Eisenhower in Anwesenheit eines russischen Vertreters die Gesamtkapitulation für die deutschen Streitkräfte unterzeichnet. Beruhigend war die Stille, die dieser Akt einläutete, nicht. Sie war gespenstisch. Überall Getuschel und Gerüchte. Und furchtsames Spähen die Straßen entlang. Abwarten. »Wir dachten alle nur eins: Der Krieg ist jetzt aus. Jetzt müssen die Russen kommen.« Aber die ließen auf sich warten.

Helmut wurde vom Vater in den kleinen Laden geschickt, der 150 Meter entfernt lag. Niemand ging jetzt mehr gerne vor die Tür. Einem Kind, so dachte man, würde noch am wenigsten geschehen. Zwanzig Mark hatte Helmut bekommen und den Auftrag, »die restlichen paar Zigaretten und Zigarren oder Tabak ohne Marken zu kaufen«. Als Friedensangebot an die fremden Soldaten. Aber die Besitzerin weigerte sich. Tabak war

Russische Panzer nehmen ein Dorf in Ostpreußen ein.
Um dem zu entkommen, flüchteten die Menschen im Osten.

begehrtes Gut. Helmut bekam nur Ware für fünf Mark. Auf dem Heimweg sah er überall weiße Fahnen hängen. Das Dorf rüstete sich für die Übergabe. »Alle hofften, dass man uns nicht das Zeug kaputtschießt.«

Dann kamen sie. Morgens zwischen halb elf und elf hörte man ihr Rasseln. Wenig später fuhren fünf russische Panzer durchs Dorf. Helmut sah sie schon von weitem. Auf der Straße, die eine S-Kurve machte, fuhren sie auf das Dorf zu. Auf den Panzern saßen Soldaten, zehn, zwölf Mann auf jedem Fahrzeug. Jetzt war niemand mehr auf den Straßen. Ängstlich saßen die Familien in ihren Häusern und lugten durch die Gardinen. Kein Soldat stieg von den Panzern. Aber die Geschütztürme schwenkten unruhig, zielten mal hierhin, mal dorthin. Die Rotarmisten fürchteten, die Kinder und alten Männer des Volkssturms könnten dem letzten Aufruf der Nazis folgen und ihr Dorf verteidigen. Lag irgendwo ein Zehnjähriger mit einer Panzerfaust im Gebüsch, spähte ein vernagelter Greis mit einem Karabiner in der Faust von einem Heuboden? Fünf oder vielleicht zehn Minuten, so schätzt der Junge heute, dauerte dieser drohende Auftritt. Dann fuhren die Panzer weiter. Und die Menschen glaubten: »So schlimm sind sie gar nicht.«

Zwei Stunden später sollten sie ihr Urteil ändern. Die Truppen kamen mit Panjewagen. Immer ein Pferd, ein Wagen, zwei Soldaten. Sie waren betrunken und plünderten, was das Zeug hielt, griffen sich die Frauen ohne Ansehen des Alters. Sie traten Türen ein, rissen Schränke auf, nahmen mit, was ihnen gefiel. Kriegsrecht, so begriff der Vierzehnjährige, ist das Recht des Stärkeren. Jede Situation war nun neu und folgte anderen Gesetzen als die vorangegangene.

Er lernte schnell. »Das Erste, was ich geguckt habe, war, ob mein Gegenüber eine Pistole im Stiefelschaft stecken hat. Das hatte fast jeder. Wenn man mal einen gesehen hat ohne, war man schon erleichtert.« Am zweiten oder dritten Tag des Zustandes, der offiziell Frieden hieß, holten die Rotarmisten die beiden Pferde vom Hof. An Schlaf war in den Nächten nicht mehr zu denken. Nicht für die Frauen und Mädchen. Aber auch nicht für die Männer und den Jungen. »Wir sind nachts in den Wald schlafen gegangen, haben die Betten mitgenommen. Wenn es dunkel wurde, waren wir weg«, erinnert Helmut Sander sich. Normalität gab es nicht mehr. Jeder Tag war eine neue Herausforderung, die mühsam bestanden werden musste. Aber der Vierzehnjährige versuchte, sich in diesem Chaos zu behaupten. Er begriff schnell, worauf es ankam. Von Stund an platzierte er sich, egal wo er hinkam, immer so, dass er sofort die Flucht ergreifen konnte. »Nie hätte ich mich so an einen Tisch gesetzt, dass ich eingeklemmt war.« Und auch wenn es ein warmes Frühjahr und ein heißer Sommer war, ging er nur noch mit übereinander gezogener Kleidung aus dem Haus. »Man wusste ja nie, was noch da war, wenn man zurückkam.«

Eines Nachts, als die Sanders ausnahmsweise doch im Haus übernachteten, traten Soldaten die Haustür mit ihrem schweren alten Kastenschloss ein. »Da bin ich vom Hochparterre aus dem Fenster gesprungen.« Durch das Splittern des Holzes aufzuwachen und zu springen war eins gewesen. Denn Helmut ging schon seit einiger Zeit, wenn er sich überhaupt ins Bett legte, nur in Kleidung schlafen. Er war mit vierzehn für die

Soldaten fast schon ein Mann, ein potenzieller Feind, ein potenzieller Partisan des Hakenkreuzes. »Wahrscheinlich müssen Soldaten so sein«, überlegt er heute. Damals hat er die Rotarmisten gehasst. Auch sechzig Jahre danach kann er sich ohne Grübeln an die Details jener Nacht erinnern. »Sie haben mich dann gesucht. Aber nicht der, der die Tür eingetreten hat. Nein, da müssen mehrere gewesen sein. Einige haben die Schränke durchwühlt und Sachen mitgenommen. Dann waren sie wieder weg. Aber einer ist mir nachgejagt.« Jetzt zahlte sich aus, dass er stets ein neugieriger Erkunder der Gegend gewesen war und als einziger Sohn jeden Grashalm auf dem Besitz der Eltern kannte. »Das war mein Vorteil«, sagt er. »Erst mal bin ich gleich in einen kleinen Graben gesprungen. Der war tief, aber es war kein Wasser drin. Nur bei Regen lief Wasser durch.« Dort wartete er und sondierte die Lage. Denn sein Verfolger hatte eine Dynamotaschenlampe und leuchtete die Gegend nach Helmut ab. Doch der Junge blieb in seinem Versteck unentdeckt. Ihm muss wohl klar geworden sein, dass er mit seiner Lampe, wäre da ein kleiner Hitlerjungenpartisan vor ihm davongelaufen, längst selbst ein brauchbares Ziel im Dunkeln abgegeben hätte. Es fiel kein Schuss, also war er auch hinter keinem Werwolf her, wie sich die Mitglieder der nationalsozialistischen Untergrundbewegung gegen die Alliierten nannten. Auf jeden Fall verlor er die Lust an der Jagd und stapfte davon. Irgendwann robbte Helmut den Graben hoch – »ich weiß noch genau, das Gras war nass« – und setzte sich auf die Deichsel eines Wagens. »Ich habe gedacht, ich darf mich nicht gegen den hellen Horizont setzen. Sonst sieht er mich, wenn er um die Ecke kommt.«

Woher weiß ein Junge, der bisher vergleichsweise behütet aufgewachsen ist, wie er sich in Gefahrensituationen wie dieser zu verhalten hat? »Man entwickelt einen siebten Sinn. Plötzlich denkt man an alles«, sagt Helmut Sander mit großer Selbstverständlichkeit. Wer nicht mitdachte, war verloren. Die Welt, begriff der Vierzehnjährige, funktionierte nach dem K.-o.-System. Nach zwei, drei Stunden kroch er durchs Fenster des Elternschlafzimmers zurück ins Haus. Solche Angst einflößenden Vorkommnisse wurden nicht die Regel. Allmählich normalisierte sich die Lage ein wenig. Und die Menschen gewöhnten sich langsam an den Ausnahmezustand.

Auf dem Hof zog als vorübergehend neue Besitzer eine Gruppe polnischer Männer mit zwei jungen Frauen ein. Als Quartier nahmen sie die ehemals gute Stube. Die Anwesenheit der beiden Frauen stimmte die Hausgäste nicht ziviler, wie alle gehofft hatten. Rotarmisten gingen nun auf dem Hof der Sanders ein und aus. Nächtliche Trinkgelage waren die Regel. Helmut Sander hätte sein Leben beinahe an diese Mitbewohner verloren in einem banalen Missgeschick ohne große Dramaturgie. Bei einem Trinkgelage der Einquartierten im Sommer schoss einer der beiden in die Decke, niemand weiß, ob im Zorn, aus Jux, aus Freude. Das Geschoss durchschlug die Dielen von Helmuts Zimmer und riss das Bild des im Ersten Weltkrieg gefallenen Onkels auseinander, das über Helmuts Bett hing. Den Jungen verfehlte es um Haaresbreite. Als der gereifte Mann 1984 auf einer Reise der Aussöhnung seine alte Heimat besuchte, da fand er das Bauernhaus wieder und im Haus in seinem alten Zimmer noch immer das Loch in der Wand.

Das Leben war zu einem Überlebenskampf geworden, in dem der Vierzehnjährige trotz allem nicht verzweifelte. Woher nahm er damals die Kraft? »In manchen Situationen ist man einfach über sich hinausgewachsen. Und jedes Mal ein Stückchen mehr.«

Doch es gab auch die Phasen, in denen die Kraft aufgebraucht war. So wie an dem Tag, an dem plötzlich wieder alles auf der Kippe stand. An dem ein Trupp russischer Soldaten ins Haus kam und nicht nur schaute, was sich aus dem Schrank oder vom Tisch nehmen ließe. Die Männer wirkten finster, sie winkten mit den Waffen. Sie bedeuteten den Erwachsenen, sich nun allesamt mit ihnen ins obere Stockwerk zu begeben. Helmut wollte dabei sein. Er spürte am Eisklumpen im Magen, dass die Situation einen ganz anderen Ernst hatte als sonst. Barsch stießen ihn die Männer zurück. Die Mutter verschwendete keinen Atem an tröstende Worte. »Wenn sie uns jetzt erschießen, dann geht ihr zur Großmutter«, war ihre lapidar-pragmatische Anweisung – kein Satz, den jemand gezwungen werden sollte, zu einem Kind zu sagen. Helmuts Antwort war nicht minder deutlich. Auch sie ersparte der Mutter nichts, sondern malte nüchtern die Optionen aus. »Nein. Dann hänge ich mich auf.« In ihm klingt dieser kurze Wortwechsel nach, als sei er gestern gewesen. »Ich bin überzeugt, wenn ich Schüsse gehört hätte und meine Eltern wären tot gewesen, dann hätt ich einen Strick genommen und mich aufgehängt. Garantiert!«

Die verzweifelte Überzeugung ist noch immer spürbar. Eine grausam lange halbe Stunde, schätzt er, wartete er einst vor der Tür. Die Schwestern waren irgendwo im Haus untergetaucht. Die Welt blieb stehen in diesen Minuten. Die Zeit gerann. In Helmuts Kopf liefen makabre Planspiele. »Ich hab schon überlegt, an welchem Haken ich mich aufhäng. Da war so ein Balken ...« Er unterbricht sich und spricht den Satz nicht zu Ende. Es kam ja nicht so weit. Es sind keine Schüsse gefallen. Er hat auch nie erfahren, was in jenem Zimmer an jenem Tag geschehen ist. Seine Eltern haben danach nie darüber gesprochen. Und er, mit der typischen Haltung dieser Überlebenden, die nicht rühren wollten an dem, was überstanden war, hat sie nie gefragt. Aber er hat gespürt, was es heißen würde, ohne Eltern sein zu müssen. Der kleine Kosmos, in dem er sich ausgekannt hatte, dieser Bauernhof, auf dem er jede Geländeerhebung kannte und von dem er noch heute einen genauen Plan zeichnen könnte, war ein fremder Ort voller existenzieller Unsicherheit geworden.

Es war nicht der Verlust materieller Güter, der ihn niederdrückte. Es war das Gefühl totaler Ohnmacht. Was ließ sich tun, wenn Männer mit Gewehren kamen? Niemand konnte dann helfen. Die Eltern ihren Kindern nicht und die ihren Eltern noch weniger, »auch wenn man oft das Gefühl hatte, sie beschützen und beruhigen zu müssen«. Ohne Angabe von Gründen konnte man im Keller der Miliz landen. Freunde von Helmut hatten dort mehrere Tage ohne Nahrung gesessen und waren geprügelt worden, bis ihre Eltern sie freikaufen konnten. Er träumt noch heute vom Ausgeliefertsein, vom Gefühl völliger Schutzlosigkeit. Dass Menschen einfach von der Bildfläche verschwinden konnten, ohne dass es jemanden kümmern durfte, weil Widerstand dagegen zu gefährlich war, das hat ihn geprägt. Der Keller der Miliz, der Schrecken aller im Michelsdorf jener Zeit, ist ihm ein Sinnbild für den bedrohlichen Keller geworden, der unter dem Gebäude der Zivilisation gähnt. Es war die gleiche Erfahrung, hat er später begriffen, die andere Menschen mit den Kellern der Gestapo gemacht hatten.

Dass sich etwas ändern würde, war allen klar. Es änderte sich dramatisch, und zwar auf dem eigenen Hof. Dort kamen neue Herren an, endgültige: keine Besatzer, sondern Besitzer. Sie stammten aus Galizien, waren selbst vertrieben, und dieses Gut war ihnen als Eigentum zugesprochen worden. Von einem Tag auf den anderen waren die Sanders praktisch besitzlos und nur noch geduldete Störenfriede auf dem eigenen Hof. Von nun an durfte Helmut abends nicht mehr in den Stall gehen, um das Vieh zu füttern. Dafür sollte er mit dem Familienoberhaupt der Neuankömmlinge allabendlich Schach spielen. Und er musste dessen Freund chauffieren, der einen Bauernhof nahebei zugesprochen bekommen hatte, gern und oft bei den anderen Galiziern vorbeischaute, aber schwerer Trunksucht wegen keinen Karren lenken konnte. Schon gar nicht in der ihm noch unvertrauten Gegend. Helmut spannte das Pferd an und ging auf bedrückende Fahrt. Denn der Vierzehnjährige durfte nicht draußen bei dem Gaul warten, bei dem er sich wohl gefühlt hätte, bis die fremden Männer ihr Saufgelage beendet hatten. Nein, sie beharrten darauf, er müsse mit am Tisch sitzen – wo sie ihn im Auge behalten konnten. Aber Helmut saß immer – treu seinen Erfahrungen und seiner steten Erwartung des Schlimmsten – mit dem Blick zur Tür und achtete darauf, zur Not schnell entwischen zu können.

Seine Sorge erwies sich als berechtigt. Es kam der Abend, an dem die Trinkerrunde sich in Rage redete. An dem ein Messer von Hand zu Hand ging. Helmut überlegte nicht – er stürzte zur Tür hinaus. Zu seinem Glück waren die Männer derart betrunken, »dass sie sich kaum auf den Füßen halten konnten«. Sein Fahrgast kam ihm nachgestolpert, das Messer in der Faust, und versuchte mit der Sturheit des Besoffenen, den Jungen zu erwischen. Es war ein Tanz um den Wagen, der zu anderen Zeiten und ohne das Messer wohl komisch gewesen wäre. Der Erwachsene wankte dem Jungen nach, der hielt die Kutsche zwischen sich und dem Verfolger. Mal um Mal hackte das Messer durch die Luft. »Ich weiß nicht, was geschehen wäre, wenn ich stehen geblieben wäre.« Stehen blieb schließlich der andere, besser, er fiel besoffen und klagend um. Der Junge schleifte und stemmte ihn mühselig auf die Sitzbank und fuhr ihn nach Hause. Helmut überlebte auch diesen Abend. Seine Albträume jedoch hatten frische Nahrung bekommen.

Im Mai 1946 geschah dann, was die Sanders befürchtet hatten, was aber nur die harte logische Konsequenz aus der erfolgten Neuverteilung der Güter war. Die polnischen Behörden wiesen sie aus als unerwünschte Deutsche. Drei Tage blieben den Ausgewiesenen, um zu packen. An dieser konsequenten Praxis der Bereinigung der Verhältnisse hielt der polnische Staat bis Ende 1947 fest. Für Helmut war es keine traurige Nachricht mehr. Es war das Ende mit Schrecken, das dem Schrecken ohne Ende vorzuziehen war. Die ständigen Repressalien würden ein Ende nehmen. An einen Abschied für immer aber mochte auch er nicht denken. Er verbot sich jeden Gedanken an die Dauer der Vertreibung. Das lag nicht an Liebe zur Heimat, an Angst vor dem Neuen. Es hatte einen viel konkreteren, lebendigeren Grund. Einer, hatten die Eltern nämlich entschieden, konnte nicht mit: Murkel. Auf diesen Namen hörte der Foxterrier, den Helmut zu seinem zehnten Geburtstag geschenkt bekommen hatte und den er ohne Zögern, ohne flaue erwachsene Ironie seinen besten Freund nannte. Murkel war zutraulich, freundlich, fraß mit den Hofkatzen aus einem Napf und begleitete früher den Zeitungsausträger auf seiner Runde. Aber die Eltern fürchteten, in den Viehwaggons, die man ihnen avisiert hatte, werde es schon kaum genug Platz für die Menschen geben. Murkel sei dort, redeten sie Helmut zu, nur im Wege.

Helmut Sander hat Murkel daheim eingeschlossen, auf der Toilette. Er sollte auf seinem altvertrauten Hof bei dessen neuen Besitzern bleiben. »Er hätte sonst auf dem Bahnhof gestanden und nicht mitdürfen«, erinnert sich der Zweiundsiebzigjährige an seine Sorge von damals. Jan, den ein Jahr älteren Sohn der neuen Besitzer, zog er ins Vertrauen. »Ich hab ihm gesagt, dass ich den Hund eingeschlossen habe und dass er ihn nicht rauslassen soll.« Auf keinen Fall, solange er noch in der Nähe war. Damals hat ihn das weniger bekümmert als später, in der Erinnerung. »Ich habe nicht darüber nachgedacht. Das waren Dinge, die ich nicht ändern konnte.« Der Junge funktionierte nach Plan – und fragte sich später oft, wie es dem Tier wohl ergangen sein mochte. Mit dem Hund seiner Tochter verbindet ihn heute eine innige Zuneigung, die ein halbes Jahrhundert in ihm geschlummert hat. Ein Kreis hat sich geschlossen, ein Lebensast darf weiterwachsen.

In Säcken, an denen Gurte befestigt waren, trugen sie damals das, was sie noch mitnehmen durften. Dreißig bis fünfzig Kilo Gepäck waren je nach Kontrolleur erlaubt. In der Kreisstadt wurden sie kontrolliert und wieder und wieder durchsucht, bis sie am nächsten Tag in einem Güterzug auf die Reise gingen. Etwa 1200 bis 1700 Menschen fuhren pro Zug, getreu der Vereinbarung der Alliierten, in eine der vier deutschen Zonen. Die Details hatten diese Vereinbarungen nicht geregelt. Im Waggon der Sanders gab es kein Licht, nur am oberen Rand eine Klappe, eine Art schmales Fenster, einen Lüftungsschlitz. Dort hing Helmut und blinzelte nach draußen. Die Lok schob sich erschreckend langsam voran. Für eine Strecke, die man im Auto heute in einer Stunde zurücklegt, brauchten sie die ganze Nacht. Ab und an hielt der Zug, dann stürzten alle nach draußen, um sich zu erleichtern. An der Grenze, in der Gegend um Görlitz, wurden sie entlaust. Das war eine hygienische Notwendigkeit. Es war auch eine Geste, die zeigen sollte, was man von ihnen hielt. »Wir haben ausgesehen wie die Müller. Ich habe gedacht, dass ich nie wieder sauber werde. Sogar in den Hosenschlitz haben sie das Zeug mit einer Druckluftpistole gesprüht.« Die Freude über den Grenzübertritt konnte diese Prozedur nicht ersticken. »Die Leute haben gesungen«, erinnert sich Helmut Sander. Der Bahndamm war übersät mit jenen weißen Armbinden, die die Deutschen zur Unterscheidung von polnischen Staatsbürgern auch noch auf der Fahrt hatten tragen müssen.

Ihre erste Station war das Lager Helmstedt, die nächste ein Dorf in Niedersachsen. In der Wohnung einer allein stehenden

Dame wurde den Eltern Sander, Helmut und seiner jüngeren Schwester ein Zimmer zugewiesen. Die Zeit des Hungerns begann. Schon am vierten oder fünften Tag ging der Sohn zusammen mit anderen Flüchtlingskindern bei einem Bauer arbeiten. Seine Verpflegung für den Tag musste er selbst mitbringen. An manchem Morgen hieß es: »Junge, ich kann dir heute keine Schnitte mitgeben. Wir haben nichts.« Aber es gab auch mitfühlende Zeitgenossen. Bei dem Dachdecker, dem er eine Weile half, musste er nur ein einziges Mal seine Scheibe Brot trocken essen. Am zweiten Tag brachte ihm der Mann ein dick mit Wurst belegtes Vesperbrot mit. Aber die Flüchtlingskinder sorgten auch selbst für ein wenig Abhilfe gegen den ewigen Kohldampf. Sie ließen manchmal das Scheunentor auf, damit die Hühner hineinflogen und drin im Dunkeln ihre Eier legten. Dann verscheuchten sie die Hennen laut schimpfend, als sei ein Missgeschick passiert, sammelten die Eier für die Hofherrin ein und zwackten dabei ein paar für die eigene Familie ab. »Das war der Selbsterhaltungstrieb«, sagt Helmut Sander. Und er hatte Verständnis, wenn er ihn bei anderen antraf. Als Hungrige den Zuckerrübentransport bestehlen wollten, den er bewachen sollte, blieb ihm nichts anderes übrig, als sie gewähren zu lassen. »So war das halt«, sagt er, und es tut ihm auch heute noch immer nicht Leid.

Aushilfsarbeit war leicht zu finden. Die Suche nach einer Lehrstelle gestaltete sich hingegen schwierig. Es gab nicht viel Auswahl in der landwirtschaftlich strukturierten Gegend. Der Junge, der einmal hatte Landwirt werden wollen, so selbstverständlich, wie ihm klar war, dass er sich eines Tages rasieren würde, musste umdenken. Er zögerte Monat um Monat. Der Entschluss, sich auf die Suche nach einem anderen Beruf zu machen, bedeutete auch, sich einzugestehen, dass an Rückkehr in die alte Heimat nicht zu denken war. Das spürte auch der Vater, dem dieses Eingeständnis schwer fiel. Lange klammerte sich der wider alle politischen Entwicklungen an die Hoffnung auf eine Wiederaufnahme des alten Lebens.

Der Maurermeister des Dorfes wollte Helmut nicht ausbilden, weil er ihn mit mittlerweile 18 Jahren für zu alt hielt. Der Tischler sträubte sich. Beim Steinmetz hätte Helmut eine Chance bekommen, aber Steine klopfen wollte er nicht. Sein Vater, der gern Bauer gewesen war, gab ihm Recht. Sie suchten weiter. Und als sie fündig wurden, besiegelte der Weg des Sohnes den Abschied vom Hof. Über Beziehungen bekam er eine Lehrstelle als Schlosser, danach ging er auf die Ingenieurfachschule. Er richtete sich ein auf eine Welt der Fabriken, der Büros, der Technologie. Der Sohn eines Landwirts war endgültig angekommen in seinem neuen Leben. Zehn Jahre später zog Helmut Sander mit seiner Frau nach Süddeutschland. Noch nie hatte einer aus seiner Familie so weit von den anderen Verwandten gelebt.

6. Die verlorenen Kinder

Wo sind diese Jungen und Mädchen? Tausende von Kindern sind in den Wirren des Zusammenbruchs von ihren Eltern getrennt worden. Gibt es eine schönere Aufgabe, als ihnen zu helfen? In unserer Zeitschrift Pinguin *haben wir bisher die Bilder von mehr als 70 verlorenen Kindern veröffentlicht und in mehreren Fällen die Mütter dieser Kinder gefunden. Mit diesen Bildplakaten hoffen wir unserer Aufgabe in noch größerem Maße gerecht zu werden: diese unglücklichen Kinder ihren Eltern wiederzugeben.*

Die Gewißheit, daß die verlorenen Kinder zum größten Teil in sicherer Obhut sind, berechtigt uns zu der Hoffnung, daß es gelingen wird, sie eines Tages heimzuführen. Den Eltern, die ihre Kinder heute noch vermissen, rufen wir also zu: Gebt Eure Hoffnung nicht auf, es ist in den weitaus meisten Fällen nur eine Frage der Zeit, bis der jetzige Aufenthaltsort eurer Kinder ermittelt werden kann.

Im Namen der oft verzweifelt suchenden Mütter und Väter richten wir den dringenden Appell an alle, die ein verlorenes Kind zu sich genommen haben: meldet diese Kinder dem Suchdienst, damit sie ihren Eltern wiedergegeben werden können.

Dieser Text stand unter der Überschrift »Eltern suchen ihre verlorenen Kinder« auf einem Plakat zu lesen, das der Kindersuchdienst der Zonenzentrale München ab 1946 verbreitete. Es klebte auf Ruinenmauern, an den Wänden von Amtsstuben, neben Fahrkartenschaltern und in Omnibussen. Die Helfer dieser Organisation, hinter der das Rote Kreuz, die Caritas und die Hilfswerke der Evangelischen Kirche in Deutschland standen, hatten nicht nur mit Plakatkleben alle Hände voll zu tun. Vierzehn Millionen Deutsche waren aus den ehemals deutschen Ostgebieten geflohen oder vertrieben worden, ein Großteil davon Frauen und Kinder. Im Chaos der Völkerwanderung wurden mindestens 300 000 deutsche Kinder von ihren Eltern getrennt. Wenn die Verirrten Glück hatten, wurden sie von anderen Flüchtlingen mitgenommen und in den zentralen Auffanglagern abgegeben. Einige fanden schon dort ihre Eltern wieder. Durchsagen nach vermissten Angehörigen waren fester Bestandteil des täglichen Radioprogramms. Zehn Sender beteiligten sich an der Sucharbeit und leisteten durch ihre hohe Reichweite wichtige Hilfe. Der Versuch der Familienzusammenführung war kein Phänomen der Trümmerjahre. Erst ganz allmählich verschwand die öffentliche Vermisstensuche aus dem Alltag der Nachkriegsrepublik. Der Norddeutsche Rundfunk strahlte noch bis 1997 vierzehntägige Suchmeldungen aus. Dann stellten auch die Hamburger als Letzte diesen Service ein.

In etwa 300 Fällen konnte der Suchdienst des Internationalen Roten Kreuzes in München die Vermisstenakten bis heute nicht schließen. Fast 60 Jahre nach Ende des Krieges sind die Chancen verschwindend gering, diese Schicksale je noch aufklären zu können. Die Betroffenen, die längst erwachsen sind und nun eigene Familien haben, werden wohl nie mehr erfahren, was aus ihren Ursprungsfamilien geworden ist. Aber auch jene Kinder, die ihre Familien irgendwann wieder fanden, konnten nicht nahtlos an die Zeit davor anknüpfen. Bei manchen von ihnen schmerzt die Erfahrung des Verlorenseins noch heute.

Lebendig begraben: Auf der Suche nach Wärme

Schmerz, körperlicher wie seelischer, habe ihre Kindheit bestimmt, sagt Erika Koch, ohne zu zögern, mit klarer, fester Stimme, wenn man sie nach dem beherrschenden Element ihres Lebens fragt. Sie redet sich ihre Vergangenheit nicht schön. Alles, sagt sie, sei in Schwarz getaucht gewesen. Das Kind, von dem sie erzählt, hat Schlimmes erlebt. Noch immer hat die heute Zweiundsechzigjährige Angst, verloren zu gehen, wenn sie in einer Gruppe unterwegs ist. Kind und erwachsene Frau sind einander noch immer ganz nah. Zu Hause im Regal steht ein Bild von ihr als Dreijährige. Krakau, steht auf der Rückseite. So wie auf ein paar der anderen Fotos, die als Teil einer Hand voll Erinnerungsstücke die Wirren von damals überdauert haben. Mit diesen Bildern stemmt sich Erika Koch gegen den Sog, der ihre ersten Lebensjahre vollends in ein dunkles Loch des farb- und konturenlosen Vergessens zu zerren sucht.

In Krakau, im damaligen Deutschen Generalgouvernement Polen gelegen, verbrachte sie offensichtlich ihre ersten Lebensjahre. Sie wüsste gern mehr darüber. Aber mit der Mutter, einer modernen und emanzipierten Frau, gebürtig aus Dresden, die sich früh die Haare kurz schneiden ließ, Zigaretten rauchte und in ihrer Jugend Malunterricht bei Max Liebermann hatte, konnte sie über diese Zeit nie reden. Die Mutter blockierte sehr bewusst. Die Verweigerung ging so weit, dass die hochbetagte Dame einmal bei einem Besuch im Haus ihrer inzwischen verheirateten Tochter ein angeschaltetes Kofferradio mit sich herumtrug. Es sollte keine Stille entstehen, aus der heraus ein Gespräch hätte beginnen können. »Sie wollte mit mir nicht über die Vergangenheit reden.« In der Beziehung der Kochs regierte jenes Schweigen, das in den Nachkriegsjahren häufig anzutreffen ist. Heute verwendet Erika Koch ihre Energie als Psychologin darauf, Menschen bis zur Wurzel ihrer Probleme zu begleiten. Wie mühselig die Suche nach dem sein kann, was das eigene Ich beschwert, hat sie an sich selbst gelernt.

Ledig, aber mit zwei Kindern, jedes von einem anderen verheirateten Mann, lebte Erikas Mutter Anfang der vierziger Jahre in Krakau. Doch was sie in dieser Stadt, von der aus das niedergeworfene Land verwaltet wurde, getan hat, erfuhr ihre Tochter nie. Erika Koch weiß nur, dass die Mutter früh zur Arbeit ging und spät am Abend wiederkam. In einer aus ihrer Sicht wohl schwachen Stunde hat die Mutter Erika, ihrer Jüngsten, viele Jahre später einmal verraten, dass sich ein polnisches Kindermädchen um die beiden Schwestern kümmerte. Ansonsten ist Erika Kochs Kindheit ein Konstrukt, ein Kartenhaus, das die Psychologin sich aus Andeutungen, Vermutungen und Wahrscheinlichkeiten gebaut hat. Seelische Geborgenheit, nimmt sie heute an, erfuhr sie bei ihrer polnischen Kinderfrau. »Ihr verdanke ich wohl, dass ich das alles überstanden habe.« Dieser Unbekannten hat die Psychologin einst ihre Diplomarbeit gewidmet.

»Das alles« begann im Herbst 1944. Auch in Krakau dachten die Deutschen angesichts der näher kommenden Roten Armee an Flucht aus dem von ihnen überfallenen und besetzten Land. Erikas Mutter bildete da keine Ausnahme. Ob sie nur angesteckt war von der allgemeinen Angst oder ob sie ganz persönliche Vergeltung fürchtete, ob sie ein Rädchen im totalitären nationalsozialistischen Herrschaftsapparat gewesen war, darüber kann ihre Tochter noch immer nur spekulieren. Erika war dreieinhalb Jahre alt, ihre Schwester sechs, als die Mutter völlig unvermittelt floh – ihre beiden Kinder ließ sie zurück. Was sie vorhatte, ob sie sich wirklich ganz von ihren Kindern trennen oder ob sie bald wiederkommen wollte und die Mädchen bis dahin bei der Kindfrau bestens aufgehoben glaubte, auch das hat Erika Koch nie in Erfahrung bringen können. »Ich weiß nicht, was damals in meiner Mutter vorgegangen ist.« All diese Geheimnisse – von denen Erika Koch denkt, dass sie auch ihr Leben gewesen wären – hat die Mutter mit ins Grab genommen.

In den dramatischen Tagen des Verlustes setzt die früheste eigene Erinnerung der Zweiundsechzigjährigen ein. Sie liefert Bilderfetzen von einem Flüchtlingstreck, Erinnerungen an Panik und Verwirrung. Erika Koch vermutet, dass das polnische

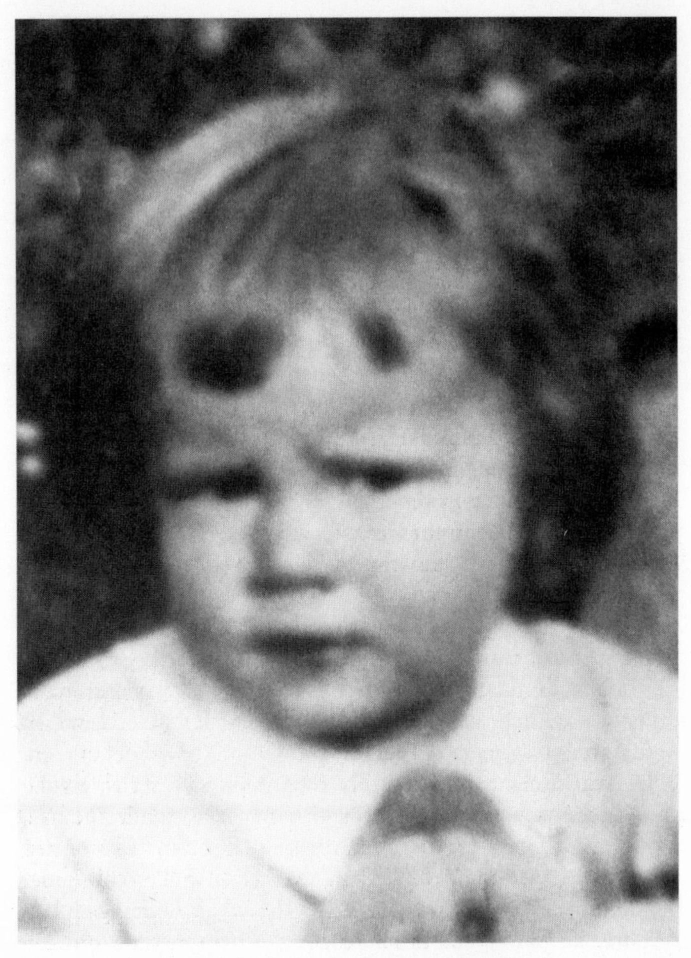

Das Bild, durch das die dreijährige Erika Koch ihre Mutter wiederfand.

Kindermädchen sie und ihre Schwester aus Angst vor Übergriffen ihrer Landsleute doch noch zum Treck gebracht hat. Die Schwester ging augenblicklich in der Menge aufgeregter, schreiender, aufgelöster Menschen verloren. In Erika Kochs Erinnerung aus dieser Zeit gibt es keine vertraute Bezugsperson mehr. Nur das Gefühl einer grausam leeren, wenn auch drangvoll menschenreichen Welt. »Es war von einer Sekunde auf die andere alles weg. Auch der Teddybär. Nicht einmal den hatte ich mehr. Ich war völlig allein auf der Welt.« Nicht einmal das geliebte Stofftier konnte mehr mit seinen wolligen Pfoten eine Verbindung zur alten Umgebung, zum gewohnten Leben suggerieren. Der tröstliche Teddy wurde unter irgendjemands Füßen in den Rinnstein getreten und von irgendwelchen Karrenrädern zermahlen. Oder, wer weiß, von einer Mutter im Vorbeigehen aus der Gosse geholt und einem anderen weinenden Kind in den Arm gedrückt. Vielleicht war dieser Teddy in einem anderen kleinen Leben noch eine große Stütze. Das Gefühl, das sie damals packte, hat Erika Koch später in einem Text der Weltliteratur wiederentdeckt, in einem auch für Kinder geschriebenen, in Hans Christian Andersens Märchen *Die Schneekönigin*. Beim Lesen, an der Stelle, als ein kleiner Junge seiner Familie geraubt wird, da »packte es mich wieder eiskalt. Ich konnte mich nicht mehr bewegen«, erzählt sie.

»›Frierst du noch immer?‹, fragte die Schneekönigin, und dann küsste sie ihn auf die Stirn. Uh! Das war kälter als Eis, es drang ihm bis ins Herz, das ja schon halbwegs ein Eisklumpen war. Er fühlte es, als sollte er sterben.« Andersen hat da unwissentlich auch einen Moment aus der Kriegskindheit beschrieben.

Der verlorenen kleinen Erika erbarmten sich damals wildfremde Menschen. Für eine Nacht kam sie in einem Zelt voller Soldaten unter. Geborgen fühlte sie sich nicht. »Es war mir, als sei ich lebendig begraben. Als läge ich in einem Sarg unter der Erde.« Zwischen dem kleinen Mädchen und der Welt waren alle Verbindungen gekappt. Sie saß zwischen all den Erwachsenen, die mit ihrem eigenen Kummer beschäftigt waren, verstand nicht, was geschah, hörte aber die Bedrückung der Großen, als die auch noch ein Abschiedslied sangen, »Lieb Heimatland, ade«.

Mit weiteren Fremden kam Erika in einem Eisenbahnwaggon unter. Die Menge zog sie mit sich, sie ließ sich treiben. Als Dreieinhalbjährige kann man keine Entscheidungen für die eigene Zukunft treffen. »Ich erinnere mich noch, dass der Großteil der Mitfahrenden stand.« Das Kind, das zu niemandem gehörte, hatten Umstehende auf die Säcke gesetzt, die sie mit sich trugen. Keiner ringsum kannte ihren Namen, und sie war zu verweint und verschreckt, um ihn zu nennen. Erika Koch war ein Stück Treibgut im Strom der Geschichte geworden.

Doch da war ein Paar, das sich bald mehr für das Mädchen verantwortlich fühlte als die anderen und es aus diesem Strom, bevor es ganz untergehen konnte, wieder ans Ufer einer individuellen Biografie zog. Diese beiden Menschen verband eine destruktive Hassliebe. »Die Frau war irrsinnig liebevoll zu mir«, erinnert sich Erika. Der Mann wiederum liebte es, seine Gefährtin und später auch Erika zu quälen. Aber in dem Gefühl, alles verloren zu haben, hätte Erika nach der ausgestreckten Hand wohl auch dann gegriffen, wenn sie das Kommende hätte ahnen und begreifen können. Denn die Säle, in denen die Flüchtlinge campierten, wären selbst in Begleitung ihrer Mutter enorm einschüchternd gewesen. Zu viele Menschen waren jeweils unter einem Dach versammelt, zu niedergeschlagen und gereizt zugleich war die Stimmung. Schon der Gang zur Toilette wurde für das Kind zur Tortur. Es musste bei jedem Schritt Angst haben, im Gedränge seine so kurz erst vertrauten Menschen wieder aus den Augen zu verlieren, wieder nur in unbekannte Gesichter zu starren. Sich seinen Weg durch eine fremde Umgebung und fremde Menschen bahnen. Sie wurde ja nicht einmal an der Hand genommen. »Lass sie alleine gehen! Lass sie alleine gehen!«, befahl der künftige Stiefvater seiner Lebensgefährtin, die Erika so gern geholfen hätte. Die Frau war es schon gewohnt, solche Bevormundungen hinzunehmen. Erika musste sich ohne Hilfe durch die Menge kämpfen. Und neben der Angst auch noch die Scham überwinden. Die Toilettenschüssel war viel zu hoch und groß für sie. Sie musste fremde Menschen, die in der Nähe der Toilettentür ihren Platz gefunden hatten, um Hilfe bitten. Davor war ihr bang, sie hat sich immer wieder die Gesichter angeschaut, sie hat gewartet, bis der Druck im Bauch ihr keinen Ausweg mehr ließ, als die Scheu zu überwinden. Der Körper kann sich lange an solche Momente der Pein erinnern, lange, nachdem das Bewusstsein glaubt, alles durchdacht, überwunden, eingeordnet zu haben. Erika Koch hat ihr ganzes Leben mit einem sturen, oft verstopften Darm zu kämpfen – als empfinde ihr Organismus noch immer jeden Gang zur Toilette als Bedrohung. Aus den Gesichtern der Erwachsenen von heute schaue ihm die frühe Kriegskindheit entgegen, sagt der Psychiater Peter Heinl, wenn er sich mit solchen noch immer anhaltenden späten körperlichen Folgen des Krieges bei seinen Patienten konfrontiert sieht.

Erika Kochs Irrfahrt endete in einem hessischen Dorf bei Fulda. In der Stube eines Bauernhofes wurden sie und ihre neuen Begleiter als Familie einquartiert. Niemand hier erfuhr, dass Erika ein Findelkind war, nach dem vielleicht schon jemand verzweifelt suchte. »Meinen Vornamen hatte ich ihnen wohl sagen können«, rekonstruiert sie die Ereignisse. Aber mehr nicht. Das Paar gab Erika als eigene Tochter aus. Im bürokratischen Chaos des zusammengebrochenen Nazistaates, bei so viel verbrannten, zerbombten, auf Nimmerwiedersehen ausgelagerten, an Orten unter fremder Herrschaft zurückgelassenen Akten und Papieren war das kein Problem. Für eine Weile galt das gesprochene Wort, auf bloße Behauptung hin bekamen Durchsetzungsfähige einen ersten Stempel, der dann weitere nach sich zog, bis jedes Lügengebäude die muffige Solidität der Verwaltungswahrheit annahm. Erika bekam den Nachnamen ihrer Fluchtbekanntschaften und damit eine neue Identität, ohne weitere behördliche Kontrollen. Wo sie herkam, suchte Erika niemand. Wo sie nun lebte, kannte sie niemand. Die Spur der alten Erika war verwischt.

Doch es gab in der neuen Umgebung Menschen, die gut zu Erika waren und denen das Kind schnell vertraute. Es herrschte allgemeiner Hunger, und Zuneigung ging durch den Magen. Das erste große warme Essen, das Erika wieder vorgesetzt bekam, hat sie nicht vergessen. Es waren Bratkartoffeln, die sie von einer Frau in ihrem neuen Heimatdorf bekam. Dieses für jene Zeiten fürstliche Mahl markiert einen Neuanfang. »Wenn ich heute Bratkartoffeln esse, kann ich gar nicht aufhören«, sagt Erika Koch. Dem ersten warmen Essen folgten damals dreieinhalb magere Jahre, in denen das Kind oft Gelegenheit bekommen sollte, sich das Knurren des leeren Magens mit

Bratkartoffelbildern wegzuträumen. Auf dem Esstisch im Wohnzimmer der Frau, die sich heute nach Belieben satt essen kann, liegt ein Stein. Er hat die Form eines angeschnittenen Brotlaibs. Es ist kein Zufall, dass sie gerade den bei einer Wanderung aufgelesen hat.

Ihr Stiefvater gehörte nicht zu den Menschen, die ihr Herz gewannen. In Erika Kochs neuem Leben gab es keine Nestwärme. Die Kleinfamilie war Fassade. Das Kind war zwischen die Fronten eines Ehekriegs geraten. Gute Zeiten erlebte Erika nur, wenn der Mann, der sich als ihr Vater ausgab, einen Gelegenheitsjob annahm. Wenn er also wenigstens ein paar Stunden außer Haus war. Denn dieser Stiefvater war ein habitueller Schläger. Seine Prügelorgien und Drohungen bestimmten den Tag, die Woche, den Monat. Es gab keine Grenzen für ihn, und so hat er eines Tages sein noch ungeborenes Kind getötet. Er hatte seiner Frau, Erikas Stiefmutter, mehrere Tritte in den Bauch versetzt. Die Dorfnachbarn waren neugierig zusammengelaufen, die den Sanitätern aufgetischte Geschichte vom häuslichen Unfall glaubte niemand. Als Tochter dieses brutalen Kerls wurde Erika gemieden. Als setze der Kontakt mit ihr andere Kinder einer Gefahr aus, als sei es aber in Ordnung, dass sie selbst beständiger Misshandlung unterworfen war. Eine eigenartige Doppelmoral bestimmte den Umgang der Menschen miteinander. Viele sahen, dass der Mann viel zu grob und brutal war, aber lieber duldeten sie das Extrem, als am Prinzip des elterlichen – und vor allem, des männlichen – Züchtigungsrechtes zu zweifeln. Kinder muss man hart anfassen, das war die Lehre der Nationalsozialisten, die sich in den Köpfen hartnäckig hielt. *Die deutsche Mutter und ihr erstes Kind*, ein Standardwerk schon der braunen Jahre, wurde auch nach dem Krieg emsig neu aufgelegt und in überarbeiteten Fassungen bis 1987 weiter verkauft.

Doch was der grausame Prügler Erika antat, überschritt die Grenzen der härtesten Erziehung. Am Nikolaustag schloss er das Mädchen ein – dafür brauchte es kein Vergehen, nur eine seiner Launen – und schlug mit Ketten Furcht einflößend von außen an den Fensterladen und die Tür. Als er endlich das Haus verließ, schrie das Kind noch immer so erbärmlich, dass Nachbarn schließlich die Tür aufbrachen, um es zu beruhigen. Doch diese Grenzüberschreitung blieb ein Einzelfall und brachte den Mann nicht zur Einsicht. Schläge waren sein beständiges Mittel, seinen Willen durchzusetzen, und sein Wille war es oft, die beiden Frauen in der Familie zittern, beben und weinen zu sehen. Immer neue Quälereien ließ er sich einfallen. So musste ihm Erika die Lappen um die Füße binden, die er mangels Socken in die Schuhe zog. »Wenn ihm dabei etwas nicht gepasst hat, wenn der Lappen nicht stramm genug oder zu stramm saß, schlug er so zu, dass ich durch das Zimmer flog.« Als die Linkshänderin endlich in die Schule kam, da zwang er sie, mit der rechten Hand zählen und schreiben zu lernen. Das war damals nichts Ungewöhnliches, Linkshändigkeit galt als zu behebender Defekt. Aber er schlug dazu seinem Kind die Hände blutig. Die Narben davon trägt Erika Koch noch heute. Es gab kein anderes Vorbild als das der Stiefmutter, wie man sich in solchen Situationen zu verhalten hatte: Und diese empfing die Quälereien hilflos und halb gelähmt, durch ständige Wiederholung in die Benommenheit geprügelt. Auch für Erika gab es meist keine andere Rettung mehr als den Zustand gnädiger Ohnmachtsnähe, des Wegsackens in Taubheit und Willenlosigkeit.

Doch es gab Tage, da fand sie noch ein wenig Kraft – und hatte noch ein wenig Glück. »Manchmal, wenn es mir gelang, bin ich zur Tür rausgewitscht und bin ins Dorf gelaufen.« Das Herz klopfte ihr dann bis zum Hals. Sie hatte das Gefühl, sie renne um ihr Leben. Hinter ihr wurde die Ersatzmutter an ihrer Statt verdroschen. Und so weit reichte das schlechte Gewissen der Nachbarn, dass sie Erika dann kurz Asyl gewährten. Solange sie nicht zugeben mussten, warum das Kind zu ihnen kam, solange die Fiktion erhalten blieb, dies sei einfach das zutrauliche Hereinschauen eines armen kleinen Dings, bei dem daheim nicht so viel auf den Tisch kam wie anderswo. Dabei waren Erikas Besuche nicht nur der Versuch, sich vor schwerster körperlicher Misshandlung in Sicherheit zu bringen. Sie waren auch Betteln aus purer Not.

Denn dies gehörte zu den Anweisungen des Ziehvaters: Das kleine Mädchen mit den sehr dünnen Armen und Beinen – ihm war sehr wohl klar, wie viel Mitleid dieser Anblick bei anderen erregen konnte – sollte ringsum im Dorf um Essen bitten. Was sie dann heimbrachte, nahm er ihr weg – so wurde er satt, und das Kind blieb in bettelfähigem Jammerzustand. Auch hier rührte sich wieder die hilflose Doppelmoral. Niemand schritt offen dagegen ein. Aber man gab Erika lieber nichts mehr mit. Man ließ sie höchstens ab und zu an dem eigenen Tisch sitzen und stellte ihr dort einen Teller hin. So sagt Erika Koch heute »Das war einer der großen Momente in meinem Leben« zu einem Ereignis, das Außenstehenden eher beiläufig erscheinen mag. Sie hatte gerade draußen den Teller Wassersuppe, den es zu Hause allenfalls gab, voller Ekel auf den Misthaufen geschüttet. Nach dieser Brühe, wusste sie aus Erfahrung, wäre es ihr schlechter gegangen als vorher. Da stand mit einem Mal die Bauersfrau hinter ihr, die das mit angesehen hatte. »Komm«, sagte sie nur, schob das Kind in die eigene Küche und setzte ihm einen Teller richtiger Suppe vor. Es war ein Trost ohne viele Worte, der von Herzen kam und lange durch Erikas Qualen leuchtete – als Zeichen, dass draußen doch jemand Anteil nahm.

Auch der Pfarrer, dessen Kinder zu den wenigen gehörten, mit denen Erika öfter spielte, kam an einen Punkt, wo er nicht mehr wegsehen konnte. Das bestialische Gebrüll, die enthemmte Grausamkeit des vermeintlichen Vaters überstieg seine Vorstellungen von dem, was eine Familie sein konnte. Vielleicht war im Getobe des Vaters auch einmal hinausgeschrien worden, dass Erika doch nichts weiter als ein hergelaufener, elender Findling sei, der dankbar sein solle, aufgenommen worden zu sein. Der Pfarrer studierte die Suchmeldungen des Roten Kreuzes. Er fand eine, die ihn stutzen ließ, und trat in Kontakt mit einer Frau, die bald auf Grund seiner Beschreibungen glaubte, Erikas Mutter zu sein. Er drängte, sie müsse das Kind, das ihre Tochter sein könnte, so rasch als möglich sehen. Genau an Erikas siebtem Geburtstag, im März 1948, kam der gleichaltrige Pfarrerssohn Friedhelm gelaufen und kündigte eine Sensation an.

»Komm rauf, deine Mutter ist da!«, rief er.

»Aber das darf ich doch nicht«, entgegnete seine verschüchterte Freundin.

»Doch, deine richtige Mutter ist da«, wiederholte er.

Es war mehr das Essen, das im Pfarrhaushalt immer bereitstand, als die seltsame Nachricht, die Erika lockte. Ihre Mutter, die kannte sie doch. Glaubte sie zumindest. »Doch dann saß da eine fremde Frau und der bin ich um den Hals gefallen«. Es war mehr Ahnung als Gewissheit, die Erika in die Arme dieser Frau trieb. Auch wenn die, um ihrer Tochter das Erkennen zu erleichtern, den Schal umgebunden hatte, den sie früher immer trug.

Als Erika noch einmal zurück zu den Pflegeeltern ging, fand sie nur die Nennmutter in der Waschküche. Die Frau, die es immer gut mit ihr gemeint hatte, sich jedoch gegen den Jähzorn ihres Mannes nicht hatte durchsetzen könne, kniete vor ihr nieder und flehte sie an: »Bleib bei mir.« Dieses Bild von der Frau, die vor ihr auf dem Boden kniete, »habe ich mein Leben lang nicht vergessen«, sagt die Zweiundsechzigjährige. »Das war ein ganz schrecklicher Anblick.« Einer, der von Ohnmacht und völliger Überforderung beider Beteiligter erzählt.

Ihre zwei kostbarsten Besitztümer, eine Puppe aus Holz, die zynischerweise der Stiefvater geschnitzt hatte, und ein Holzroller mit Gummirädern, auf dem sie durchs Dorf gefahren war, ließ Erika bei ihrer Pflegemutter zurück. Die beiden Teile waren zu sperrig für die Bahnfahrt, und die Frau, die sich dreieinhalb Jahre lang als ihre Mutter ausgegeben hatte, versprach, die geliebten Spielzeuge mit der Post nachzuschicken. Erika hat lange auf das Paket gewartet, vergeblich. »Sie hat mich belogen. Das war eine bittere Erfahrung.«

Es war nicht die letzte. Denn nicht nur der Stiefvater, auch die leibliche Mutter erwies sich als unfähig, Gefühle für ihre Töchter aufzubringen. Bis zu ihrem Tod hat sie nicht einmal die Frage gestellt: »Wie ist es dir ergangen in diesen dreieinhalb Jahren?« Erikas Schwester war schon zwei Jahre früher auf gleiche Weise wiedergefunden worden. Die Mutter ließ sie zunächst bei den beiden Lehrerinnen, die sie aufgenommen hatten. Als auch Erika wieder auftauchte, nahm sie beide Kinder zu sich – für wenige Tage. Und gab sie dann zusammen in ein Heim der evangelischen Kirche, nicht weit von ihrem

Wohnort München entfernt. Das vermeintlich glückliche Ende des Verlorenseins erwies sich als kurze Durchgangsphase zu einer neuen Zeit der Trennung. »Aber das war ein Segen«, sagt Erika Koch bitter. Das Alleinsein war ihr in Fleisch und Blut übergegangen. »Das war nicht schlimm. Ich habe mich nur gefragt, warum sie uns so gut wie nie besucht hat.« Die Mutter kam nicht einmal an Ostern oder Weihnachten. Sie hatte um sich eine Mauer errichtet, die niemand einreißen konnte.

Es gibt viele Ansätze, diese Eiseskälte zu erklären. Die Frau, die aus besten Dresdner Verhältnissen stammte, hatte alles verloren und verkraftete den sozialen Absturz bis an ihr Lebensende nicht, könnte man argumentieren. Die wirtschaftlichen Verhältnisse hätten ein Familienleben schwer gemacht: die Mutter wohnte in diesen Jahren zur Untermiete in einem kleinen Zimmer, wo ihre beiden Töchter keinen Platz gefunden hätten. Sie arbeitete als »Privatsekretärin«, wie sie später stets etwas verschämt erklärte. Als sie einmal kurz vor ihrem Tod in München in der Öffentlichkeit zusammenbrach, war ihre größte Erleichterung, dass es bei Dallmayr und nicht bei Hertie passiert war. Doch reichen solche äußeren Faktoren als Begründung für dieses dramatische und grausame Ausmaß einer derartigen Blockade aus? Konnte die Mutter vielleicht nicht verwinden, dass die nationalsozialistische Ideologie, in die sie ihre Lebensträume investiert haben mag, zusammengebrochen war? Erika Koch hat das nie ergründen können, denn die Mutter hatte sich vorausschauend Komplizen für ihr Schweigen gesucht. Auch Erika Kochs Patentante erstarrte und verstummte, als das Patenkind einen vorsichtigen Versuch unternahm, Licht ins Dunkel ihrer Kindheit zu bringen. »Ich bin loyal. Das habe ich deiner Mutter versprochen«, war ihre einzige Auskunft. Diese Loyalität wahrt sie auch über den Tod der Mutter hinaus. Und dieses Gebot des Nicht-darüber-Redens hat auch die Kinder geprägt und eingeschüchtert. Zwischen den Schwestern herrscht bis heute Schweigen über das, was sie erlebt haben, als sie voneinander getrennt waren.

Zwei Jahre verbrachte Erika im Kinderheim, eine Zeit, die ihr ermöglichte zu überleben. So nüchtern möchte sie es heute sehen. Hier wurden wenigstens ihre elementarsten Bedürfnisse befriedigt. Hier bekam sie zu essen. Als sie im Heim ankam, was sie spindeldürr. Das erste Frühstück hat sie im Gedächtnis behalten. »Als die anderen Kinder den Saal verlassen haben, bin ich sitzen geblieben. Und bin dann von Tisch zu Tisch gegangen und habe alles aufgegessen, was noch da war.« Außer Essen und einem Dach über dem Kopf gab es eine klein wenig berechenbare, verlässliche Geborgenheit, die nicht von Launen abhängig war und nicht als Strafmaßnahme immer wieder entzogen wurde. Fast euphorisch hat sich Erika Koch in der Festschrift zum Jubiläum ihres Heimes erst vor kurzem über die glücklichen Jahre dort geäußert. Das Heim bedeutete ihr Heimat.

Und es war tatsächlich ein Verlust an Heimat und Geborgenheit, als die Mutter sie und ihre Schwester wieder zu sich holte. Die Mutter hatte eine zusätzliche Kammer angemietet, in der die Mädchen schliefen. Aber sie war das Leben mit Kindern nicht gewohnt, und sie entwickelte brutale Techniken, ihre Unzufriedenheit auszuleben, die der mittlerweile neunjährigen Erika nur allzu vertraut waren. »Eine Wahnsinnsleidenszeit von fünf Jahren begann«, umreißt die Erwachsene heute das nächste Kapitel ihres Lebens. Hemmungslose Schläge und böse Vorhaltungen wurden Alltag. Die Mutter prügelte besonders ihre jüngste Tochter gern und viel mit dem Teppichklopfer. »Im Turnunterricht habe ich immer versucht, die kurze Hose weiter nach unten zu ziehen, damit niemand meine blau und schwarz geschlagenen Beine sieht.« Kein Lehrer schritt ein. Die Nachbarn hörten weg, wenn Erika kreischte, weil die Mutter ihr den Arm bis weit über die Schmerzgrenze hinaus verdrehte. Jenseits der Familie begegnete Erika nur Desinteresse, wieder war sie allein unter vielen Menschen. Sie blieb das ewige Findelkind, dessen Leid und Kummer niemand sah. Ihre Leistungen in der Schule wurden katastrophal. Niemand verstand das als Signal. »Sie könnte, wenn sie wollte«, stand in ihrem Zeugnis. Mit diesem Kommentar war sie für die Erwachsenen hinreichend definiert. »Aber niemand hat gefragt, warum ich nicht will.«

Mit zehn Jahren war sie am Ende ihrer Kraft. Sie war fest entschlossen, sich umzubringen. Sie wusste nur nicht, wie. Bis ihr der Gasbackofen einfiel. Dort den Kopf hineinzulegen, nachdem sie den Knopf auf große Flamme gedreht, aber kein Streichholz ins Zündloch gehalten hatte – das schien ihr ein guter Plan. Es würde ein wenig stinken, aber dann würde sie schlafen – und vielleicht träumen. Sie hatte keine Angst vor diesem Schritt. Sie hatte nur Angst vor etwas, das vielleicht wehtäte oder nicht sicher wäre, sie zurückstieße in diese Welt. Doch dann kroch ein anderer Gedanke in ihre kindliche Planung. Wie giftig war dieses Gas eigentlich? Wie viel strömte da aus, wie weit schlich es durchs Haus, wen brachte es noch um? Und ab wann war genug davon beisammen, um zu explodieren? Erika fiel ein, dass ja noch andere Kinder im Haus waren. Kinder, die nicht so litten wie sie. Besonders eines dieser Nachbarskinder hatte sie sehr gerne. Ihr wurde angst um diese anderen, die Grenze ihres eigenen Todes schien ihr nicht mehr kontrollierbar, er schien bedrohlich in die Leben der anderen hineinzugreifen. »Aber einen anderen Weg, es zu tun, außer mit Gas, wusste ich nicht.« Aus Unvermögen, sich umzubringen, blieb Erika am Leben und hungerte weiter – nach Zuneigung und ein wenig nachfragendem Mitgefühl.

Vielleicht war es der Mangel an Nähe und Geborgenheit, der dieses mit allem unterversorgte Mädchen, das oft an Bratwurststände ging und den Kunden dort so lange auf das Essen stierte, bis die ihr ein Würstlein kauften oder einen Zipfel der eigenen abgaben, in die Welt der Bücher führte. Denn Erika entdeckte das Lesen, und die Buchstaben reihten sich zu einer neuen Flüchtlingsstraße aus der Wirklichkeit. Sie flüchtete, wann immer es ging, hinüber in andere Welten. Aber nicht in »blöde Mädchenbücher, richtige Jungenbücher, Karl May und so«.

Ihre Mutter hat auch dieses Lesen mit Misstrauen beobachtet. Vielleicht war das ein Glück für sie – denn irgendwann hat auch in der Schule jemand bemerkt, dass dieses lesefreudige Kind zu Hause keine Förderung erfuhr. Als Erika vierzehn Jahre alt war, zog sie auf Empfehlung einer Lehrerin zu Hause aus und begann in einem Internat eine hauswirtschaftliche Ausbildung. Was andere als Eingesperrtsein empfanden, war für sie eine Befreiung. Auch in den Weihnachtsferien blieb sie lieber alleine im Internat zurück, als ihre Mutter zu besuchen. Sie hat dann Bücher gelesen – traurige am liebsten. Immer weiter trug sie ihr eigenes Leben nun fort von der Mutter. Sie absolvierte eine Ausbildung als Krankenschwester, ging in die Schweiz, heiratete, studierte Psychologie. Eine Aussöhnung sollte es auch nach Jahren des Abstands nicht geben. »Wenn sie nur einmal gesagt hätte, dass ihr Leid tut, was passiert ist«, seufzt Erika Koch. Aber dieser Wunsch blieb unerhört. Einmal hat die längst Erwachsene gewagt, ihren leiblichen Vater im Gespräch zu erwähnen. Auch dieser Moment erwies sich, wie vermutlich jeder andere, als der falsche. Ihre Mutter hat ihr nicht geantwortet. Sie hat ihr nur sofort die Bestrafung für diese Unbotmäßigkeit zukommen lassen. Sie hat sie enterbt.

Aus der Welt gefallen

Das lädierte Ohr, auf dem er nach einer Operation nichts mehr hört, verstärkt den Eindruck. Den Eindruck, dass Rudolf Laubert den Mittelpunkt des Lebens nicht in der Konversation mit anderen sieht. Er war nie einer, der gern viel Worte machte. Auch als er noch besser gehört hat, wollte er bei Gesprächen und in Gruppen nie im Mittelpunkt stehen müssen. Er sagt gern »Ja, ja«, und wenn es nach ihm ginge, wäre damit genug gesagt. Dann könnte er wieder schweigen und weiter durch die Welt der Bilder in seinem Kopf spazieren. Oder im Geiste schon mal skizzieren, was er später aufs Papier bringen wird. Der Sechsundsechzigjährige hat sein Geld als Werbegrafiker, als Gestalter unzähliger Buchcover und Zeitungstitelseiten verdient. Aber er entspricht kein bisschen dem Klischee des Medienmenschen, des vorlauten Egomanen in einer Branche der ellbogenbewehrten Selbstdarsteller. Im Moment sitze er, nur so für sich, an Illustrationen zu *Der Wolf und die sieben Geißlein*. Er sagt das fast beiläufig beim Abschied. Als habe sie keine tiefere Bedeutung, diese Geschichte von »dem einen Geißlein, das übrig blieb«. Das überlebte, weil es sich in der

Standuhr versteckte, als der Wolf sie überfiel und seine sechs Geschwister verspeiste. Die Wahl dieser Geschichte dürfte keine zufällige sein. Ist er mit 66 Jahren auf die Suche nach seiner eigenen Geschichte gegangen? Ja, ja, sagt er und zieht sich schweigend den Mantel an.

Rudolf Lauberts Geschichte ist die eines Kindes aus Ostpreußen. Von dort, wo das Land flach und billig war und die Ländereien deshalb größer ausfielen als im Westen; wo es im Winter schneidend kalt und im Sommer erstickend heiß war; wo der Großvater mit einem Opel zwischen seinem Gasthaus mit Laden und seinem Gutshof pendelte und den Enkeln stets Bonbons mitbrachte, wenn er auf Besuch kam. »Wir sind ihm immer schon entgegengerannt«, hatte Rudolf Laubert vorhin noch erzählt. »Aber bei uns ging man nicht so sehr verzärtelt miteinander um.« Es war ein eher raues Landleben, das die Familie in dem kleinen Dorf Tischen führte.

Damals waren sie drei Brüder. Rudolf war der älteste und wurde 1944 noch in die benachbarte Dorfschule eingeschult. Mit der gleichaltrigen Tochter eines Ehepaars aus den Arbeiterhäusern ging er Hand in Hand dorthin. »Braut und Bräutigam« haben die anderen dann gerufen. Der Vater, der in Frankreich als Soldat stationiert war, schickte seinem Sohn Schreibzeug mit roten Stiften zum Schulanfang. Mit diesen paar Details sind seine verbliebenen Erinnerungen an die Zeit in Tischen fast vollständig aufgezählt. Es fehlen nur noch zwei Bilder. Die gelegentliche Flucht der Erwachsenen vor Flugzeugen in die Wassergräben hinein. Und wie er selbst dasteht und zum Horizont lauscht, wo es grummelt und donnert und murrt wie hungrig erwachende Riesen. Aber auch der kleine Rudolf hat schon gewusst, dass es da nicht um Märchengestalten ging. Dass dieser Unhold Front hieß und bald bei ihnen sein würde.

Für die Erwachsenen waren diese Geräusche so etwas wie eine akustische Sanduhr, ein bedrohliches Phänomen, das ihnen bei Erreichen einer bestimmten Lautstärke, Dichte, Nervenzerrüttung die Stunde des Aufbruchs nannte. Im Oktober 1944 endete Rudolf Lauberts Kindheit in Ostpreußen. Die Mutter packte, wie viele Mütter packten, lud Unverzichtbares und vermeintlich Wichtiges auf eine Karre, ließ die Kinder so viele warme Sachen wie möglich anziehen, und schnalzte mit einem Gefühl, als griffe schon jemand nach ihrem Nacken, die Pferde vom Hof. Die Lauberts lenkten nicht nur einen Planwagen in den Konvoi, die Mutter hatte auch noch ein weiteres Pferd mitgenommen, auf dem sie von Zeit zu Zeit ritt. Den kleinen Bruder, noch kein Jahr alt, behielt sie dabei auf dem Arm, Rudolf und sein vierjähriger Bruder Hans saßen im hinteren Teil des Wagens. Das diente der Entlastung der Zugpferde. Aber vielleicht wollte die Mutter auch ein Kind stets bei sich haben, weil sie jederzeit mit dem Ärgsten rechnete. Auch damit, diesen Wagen irgendwann im Stich lassen zu müssen.

Aber die Fahrt bis ins weiter westlich gelegene Paterswalde verlief ohne Katastrophe. Warum die Mutter gerade diesen Ort als vorübergehendes Domizil gewählt hat, ist Rudolf Laubert nicht in Erinnerung geblieben. Aber hier wurde man einquartiert und nahm notdürftig wieder ein Leben auf, Rudolf ging sogar weiter zur Schule. Bis die Front nachrückte, bis die apokalyptische Klanguhr aus Geschützkrachern und Granateinschlägen, aus Gebell der Panzergefechte und dem Poltern der Bomben auch hier das nahe Ende ausrief. »Am 20. Januar 1945 ging's dann weiter«, sagt Rudolf Laubert und schaut zur Vorsicht auf den Zettel, auf dem er sich die Eckdaten seiner Kindheit notiert hat. Nur musste der Siebenjährige dieses Mal seinen Platz auf dem Wagen der Mutter räumen. Er sollte mit den Großeltern fahren. Auf drei Kinder aufzupassen, war für die Mutter auf Dauer zu anstrengend. Der mittlere Bruder aber wollte nicht, er wehrte sich gar mit Händen und Füßen. So fiel die Wahl auf Rudolf, den Großen und Vernünftigen. »Du gehst dahin«, bekam er zu hören. Damit war die Sache entschieden. Es war keine Zeit für Diskussionen. Einer musste gehen. Die beiden Wagen sollten hintereinander fahren. Wo lag das Problem?

Rudolf kam im Pferdewagen der Großeltern auf einem Sack Zucker zu sitzen. Das war kein schlechter Platz unter diesen Bedingungen. Sie fuhren die Nacht hindurch. Ständig kreuzten deutsche Militärfahrzeuge den Weg. Auch sie befanden sich auf dem Rückzug. Im großdeutschen Rundfunk hieß das noch immer »planmäßige Frontverkürzung«. Vor Ort war es ein hektisches Chaos. Die Fahrbahn war zu schmal, die Wege viel zu eng für die Menge an Flüchtlingen, und die Wagen der Zivilisten wurden immer wieder beiseite gedrängt, wenn Lastwagen oder Zugmaschinen der Wehrmacht sich Richtung Westen schoben, irgendwohin, wo es Auffangstellungen geben sollte.

»Wir haben die anderen verloren«, sagt Rudolf Laubert lapidar. Der Satz markiert eine Wende in seinem Leben. Damals wollte er das nicht wahrhaben. »Sie sind eben vor uns«, versuchte er sich zu trösten. Aber dieses Vorne erwies sich als uneinholbar. Der Treck überquerte das zugefrorene Haff, in dessen dicke Eisschicht Karren um Karren tiefe Riefen gefräst hatten. Diese Spurrillen mit den keinerlei Haftung bietenden Rändern konnten Wagen zum Umstürzen bringen oder Achsen, Deichseln und Räder zerbrechen lassen, wenn die Pferde quer zum Wagen zogen und das schwer beladene Gefährt sich nicht aus der Rille lösen konnte. Wo ein Unfall eine noch tiefere Kuhle in die Eisfurche geschlagen hatte, lauerte nun ein tückisches Schlagloch, in dem ein Rad versacken konnte. Hufe und Räder fanden dann nicht genug Haftung, das schräg verkantete Gefährt wieder freizuziehen. Dieses Missgeschick ereilte auch seine Großeltern. Der Gaul legte sich vergeblich ins Geschirr, die herabgekletterten Menschen stemmten sich gegen die Speichen und das Heck des Karrens, aber der kam nicht voran. Schließlich kamen weitere Helfer herbei und schoben, hoben und hebelten den Wagen frei. Vielleicht war das ein Akt der Solidarität. Vielleicht versperrte der Wagen den anderen den Weg, Rudolf Laubert hat darauf als Kind nicht geachtet. Er hatte den eigenen Wagen im Blick, dessen Havarie plötzlich deutlich machte, dass noch sehr viel schief gehen konnte, dass das Leben keineswegs dabei war, sich mit jedem zurückgelegten Kilometer in den alten Stand der Ordnung zurückzubiegen.

Die Mutter blieb verschwunden. Als die Großeltern mit ihrem Enkel nach einem Tag das Haff überquert hatten, war sie nirgends zu sehen. Sie wartete auch nicht an der nächsten Weggabelung. Sie hatte einen anderen Weg genommen, hatte sich vom Strom der Flüchtenden gelöst, ihren Wagen über die Weichsel gelenkt und war den russischen Truppen entkommen. Das erfuhr Rudolf Laubert erst Jahre später, als er sie wiedertraf.

Rudolf und seine Großeltern blieben damals bei ihrem Treck. Den umzingelten, kaum war er wieder auf festem Land, die Russen, vor denen man eigentlich auf der Flucht war. Lärmend und mit der launischen Gebieterhaftigkeit von Siegern, die schwere Kämpfe hinter sich und noch immer die Chance des Sterbens vor sich hatten, schwärmten sie zwischen die Flüchtenden. »Sie sprangen in die Wagen und wollten alle möglichen Dinge haben.« »Zigarre, Zigarre«, schrie einer, und der Großvater, der ehemalige Ladenbesitzer, der diese Bestechungsware eingepackt hatte, wollte ihm eine aus dem Gepäck nesteln. Damit hatte er die Machtverhältnisse ganz falsch eingeschätzt. Der Rotarmist »zog einen Revolver und hielt ihn meinem Großvater an den Kopf«. Er wollte die gesamte Kiste und er bekam sie.

Dass der Krieg mit diesem Moment der informellen Unterwerfung nicht zu Ende war, dass die Tötung eines anderen noch immer eine beiläufige Selbstverständlichkeit war, das stand in diesem Moment jedem vor Augen, Flüchtling wie Rotarmist. Daran erinnerten schon die heiße Abgase keuchenden russischen Panzer, die auf klirrenden Ketten und ungeduldig ihre Stahlmasse hin- und herschiebend durch die Szenerie der Plünderung nach vorne durchzustoßen suchten, die den noch Fliehenden nachdrängten, um jene Reste deutschen Militärs zu stellen, die neuen Verschanzungen zurollten. Die Zivilisten mussten in den Straßengraben weichen, um nicht niedergewalzt zu werden. »Manche Wagen kippten dabei um«, sagt der Sechsundsechzigjährige, der sich noch genau an den Krach erinnert, der mit diesem Überfall einherging. »Es war ein Geschrei und Getöse.« Die Menschen wehrten sich, meist vergeblich im Angesicht der vielen Waffen, denn es wurden ihnen neben dem wenigen, das sie mitgenommen hatten, auch die Pferde geraubt. Rudolfs Großvater aber, der geborene Händler, erspähte eine Chance, kaum dass die Rotarmisten weitergezogen waren. Unweit von ihnen stand eine Familie, die ihr

Pferd behalten hatte – neben einem zerschmetterten Karren. Eilig wurde man sich einig, lud ab und auf und schmiss zusammen, gelobte den gemeinsamen Marsch. Der kleine Rudolf wurde auf die Karre gewinkt. »Ich stieg auf, und dann war der Großvater fort.« Rudolf saß unter fremden Menschen und begriff nichts mehr. »Jetzt waren alle weg.« Nüchterner kann man den Verlust der Sicherheit nicht ausdrücken. Er war nun ein Kind ohne Familie, das weitergereicht wurde.

Die Familie, bei der er in Pommern gestrandet war, kümmerte sich nur widerwillig um ihn. »Ich habe Wochen, ja vielleicht auch Monate bei denen gelebt«, sagt Rudolf Laubert. Sein Gedächtnis lässt ihn im Stich, wenn er versucht, diese Geschehnisse exakt zu rekonstruieren. Es gibt offensichtlich eine Art Selbstschutz, das Grauen nicht an sich herankommen zu lassen, sagt der Kriegskinderforscher Hartmut Radebold. Teile des wirklich Erlebten sinken auf den Grund des Unbewussten und sind nicht erinnerlich. Doch Rudolf Lauberts Bindung an seine unfreiwilligen Weggefährten war schon damals so lose, dass sich vielleicht gar keine Eindrücke von ihnen formen konnten. Das Schwinden der Erinnerung ist möglicherweise das präzise Abbild des damaligen Eindrucks, dass diese Menschen sich am liebsten aus seinem Leben davongemacht hätten.

»Ich bekam nichts zu essen. Wahrscheinlich hatten sie ja selber nichts«, erzählt der Verlorengegangene. Mit ihnen zusammen lebte er, wenn sie es zuließen. Meist schickten sie ihn weg wie einen lästigen fremden Hund. In einem Schuppen, der weit entfernt von dem Haus der Familie lag, vegetierte er einsam vor sich hin. »Ich hatte das Gefühl, sie wären froh gewesen, wenn ich nicht bei ihnen gewesen wäre.« Die Familie mit zwei erwachsenen Töchtern hatte den Tod zweier Enkeltöchter zu verschmerzen, die an Diphtherie gestorben waren. »Sie dachten wahrscheinlich immer, warum lebt er und unsere Mädchen sind tot.« Heute, als Erwachsener, kann Rudolf Laubert ihren Kummer nachvollziehen. Als Siebenjähriger war jeder Tag mit diesen kalten Menschen eine Tortur. Um sein Fieber kümmerte sich niemand. Er versuchte es alleine zu bekämpfen. Auch seine Nahrung suchte er sich selbst. »Ich bin durch geplünderte Wohnungen mit aufgeschnittenen Betten und zerschlagenem Porzellan gerast und habe nach Brotkrusten gesucht. Ich hatte solchen Hunger und suchte etwas zu essen.« Es gab niemand, der sich für den Jungen verantwortlich fühlte. Er passte nicht ins Lebenskonzept seiner neuen Begleiter. Auf ihrer Flucht in den Westen war er nur hinderlich. Denn das war der nächste Schritt für diese Familie, die nicht Gastfamilie sein wollte, und der sich der kleine Rudolf nur mit der Penetranz und Zähigkeit der äußersten Verzweiflung angeklettet hatte. Pommern war jetzt polnisch, der Krieg zu Ende. Wie alle Deutschen wollten sie so schnell wie möglich fort. Rudolf reichten sie weiter an eine andere Familie. Und die schob ihn noch einmal ab, an ein Ehepaar mit einer Tochter in seinem Alter.

Sie hieß Ruth. Wenn er von ihr spricht, geht noch heute ein Lächeln über sein Gesicht. Seine grünbraunen Augen sind dann ganz wach und leuchten. Die Stimme wird weicher. Ruths Eltern waren aus dem Ruhrgebiet nach Pommern gekommen, um hier den Lebensabend zu verbringen. Der Vater war Bergmann gewesen und wollte seine Staublunge auskurieren. All ihre Planungen und Hoffnungen hatte der Krieg durchkreuzt, aber sie hatten sich dadurch nicht verhärten lassen. Sie waren empfänglich geblieben für fremdes Leid. Sie gaben Rudolf, der bald acht werden würde, nicht nur zu essen. Sie ließen ihn wieder Kind sein und übernahmen die Verantwortung für ihn. Allein dass Ruth und Rudolf als deutsche Kinder nicht zur Schule gehen durften, verdüsterte die Situation. Bildung war nun ein Privileg polnischer Kinder. Und Onkel und Tante, wie Rudolf Laubert die beiden respektvoll nannte, wollten nicht polnisch werden. In der Folge wurden auch sie ausgewiesen. Sie ließen zurück, was sie für ihren Lebensabend angeschafft hatten. Das bisschen, was sie hatten, teilten sie ohne Vorwurf mit Rudolf.

Mit dieser freundlichen Pflegefamilie kam der Junge schließlich nach Eberswalde in der Sowjetisch Besetzten Zone, wo sie die übliche Einweisung auf einen Bauernhof erhielten. Das Wort Vertriebene war hier aus politischen Gründen nicht erwünscht, Umsiedler lautete die offizielle Bezeichnung. Doch welche Schwierigkeiten die Erwachsenen auch immer haben mochten, mit dem Unvertrauten fertig zu werden, bei Rudolf begann in diesen Wochen eine Zeit, die zwei glückliche Jahre lang andauern sollte und von der Kraft und Anpassungsfähigkeit von Kindern zeugt. Rudolf wuchs nicht einfach allmählich in diese Familie hinein, er schloss sich ihr willentlich und bewusst an. Er nahm sie als Geschenk, nicht als Notlösung. Der Junge gewöhnte sich nicht nur allmählich an den Gedanken, seine Brüder gegen eine Schwester eingetauscht zu haben. Er genoss es. »Ich fand das gar nicht so unangenehm.« Zumal sich auch die Tante alle Mühe gab mit den Kindern. Sie erzählte ihnen Märchen, war für Fragen da und ihre kleinen Nöte und ließ den Kindern Freiraum, nahm sie nicht als kleine Arbeitskräfte, die ihren Beitrag zum Erhalt der Familie leisten mussten. Sie durften Kinder sein, und oft malten sie ganz still zusammen. »Das war eine richtige Traumsituation«, sagt Rudolf Laubert heute. Weiter geht er nicht, aber man merkt: hier hatte einer so etwas wie eine Korrektur des Schicksals erlebt, hatte eine Familie gefunden, die vielleicht besser zu ihm passte als jene, in die er hineingeboren war. Er durfte wieder zur Schule gehen, er lernte, es gab wieder Regeln, die jeden Tag die gleichen waren. Er erfuhr Verlässlichkeit. Nichts anderes wünschte er sich. »Bei den Pflegeeltern war ich richtig gut aufgehoben. Das Gefühl, allein zu sein, war weg. Es war wieder alles so normal.«

Es gibt auch ein Foto aus diesen Tagen von Ruth und Rudolf. Die Zehnjährige hat ihre langen Haare zu Zöpfen geflochten, zwei große gebundene Schleifen halten sie zusammen. Wie eine kleine Braut steht das Mädchen in ihrem kurzen weißen Sommerkleid mit Ringelsöckchen und lädierten Sandalen neben Rudolf. In der linken Hand hält sie sogar Blumen. Rudolf strahlt übers ganze Gesicht. Die wilden Haare hat er sich akkurat nach hinten gekämmt, die Kniestrümpfe sitzen korrekt, auch wenn die kurzen Hosen und die Jacke schon ein wenig ausgebeult sind. So sehen zwei aus, die nichts trennen kann. Zwei, die viel älter wirken, als sie eigentlich sind, weil das Leben ihnen in kurzer Zeit die Lektionen erteilt hat, für die andere ein Menschenalter Zeit bekommen. Aber vielleicht haben sie bereits geahnt, dass sie sich hier zum Erinnerungsfoto aufstellen. Beide, so innig alles wirkt, schauen schon auf unterschiedliche Punkte am Horizont.

Zum Zeitpunkt dieser Aufnahme hatte der Onkel schon an seine Töchter aus erster Ehe geschrieben, die nun im Westen lebten und deren Adressen er endlich erhalten hatte. Sie waren Krankenschwestern, und er berichtete ihnen auch von dem Jungen, den sie völlig verwahrlost und fast auf sich gestellt wie ein Wolfskind in Pommern aufgegriffen hatten. Korrekt wie er war, äußerte er die Bitte, nach dessen Eltern Ausschau zu halten. Deren vollständigen Namen hatte Rudolf ja schon bei der ersten Begegnung nennen können, seinen ehemaligen Wohnort, seinen Geburtstag. So waren sie schnell gefunden. Auch sie hatten sich längst an den Suchdienst des Roten Kreuzes gewandt. Hatte der Onkel heimlich anderes gehofft?

Es war jedenfalls kein Freudentag, als der Mann mitten am Tag in die Schule kam und Rudolf aus dem Unterricht holte. Mit einem Rucksack und Ruths Stiefeln stand Rudolfs Beinahevater vor dem Jungen. Es gab nur dieses eine Paar reisetauglicher Stiefel in der Familie. »Ich musste Ruths Jacke und Schuhe anziehen«, sagt Rudolf Laubert – das wirkte wie eine höhnische Betonung des Verlustes, den er nun erlitt. Die Fahrt in den Westen, nach Schleswig-Holstein, sollte sofort beginnen. Das musste schnell gehen, ohne viel Vorbereitung, Getue und nachbarliche Aufmerksamkeit, damit der Mann wieder da war, bevor sein Wegsein auffiel. Denn offiziell waren Reisen von einer Besatzungszone in die andere damals umständlich genehmigungspflichtig. Und einem der misstrauisch beäugten Umsiedler, mag er befürchtet haben, würde ein Regelverstoß angekreidet werden, der bei einem Einheimischen anstandslos durchginge. Aber da mag auch die Angst eine Rolle gespielt haben, bei einer langen Abschiedszeremonie diese neue Familie nicht wieder auflösen und doch auch nicht zusammenhalten zu können, also schlimmere Wunden zu reißen als bei einem abrupten Aufbruch.

Sie fuhren mit der Bahn, überquerten die Grenze zu Fuß und kamen schließlich in ein kleines Dorf bei Bad Segeberg, die Adresse, die der Suchdienst von Rudolfs leiblichen Eltern registriert hatte. »Ich weiß noch, ich schleppte mich dahin, und

Rudolf Laubert und Ruth, das Mädchen, das für ein paar Jahre seine Schwester wurde.

dann hat mich meine Mutter in den Arm genommen.« Fast beiläufig erzählt Rudolf Laubert von dieser Wiederbegegnung. Freude und Erleichterung drücken sich anders aus. Dabei hatten seine Eltern ein kleines Willkommensfest inszeniert, aber das nahm er wahr, als sei er ein Zuschauer, der unbeteiligt auf das Treiben anderer schaut. Da waren sie wieder alle: Vater, Mutter und die beiden Brüder, und da war eine Heiterkeit, die keinen Widerhall in ihm fand. Er wusste, wer sie waren, sie erschienen ihm nicht fremd. Aber er kam sich ihnen nicht mehr zugehörig vor. Er hatte doch ein anderes Leben gefunden. »Ich habe die Zeit bei meiner Pflegefamilie als Kind nicht als Übergangszeit empfunden«, sagt Rudolf Laubert heute. Dahinter steht die kindliche Frage: Warum nimmt das Schicksal einem immer wieder Vertrautes und Liebgewonnenes fort und setzt einem anderes vor?

Einen Tag blieb der Onkel bei Rudolfs neuer alter Familie. Ruths Stiefel nahm er am nächsten Tag dann wieder mit. Im Rucksack trug er als Dank für die zwei Jahre Pflegschaft Schinken, Wurst und Butter. Diesmal war es ein Abschied für immer. Rudolf sollte den Mann nie wiedersehen. Ruth und er schrieben sich hin und wieder, aber was sind Worte für Kinder, die Nähe genossen haben? Mit den Jahren schlief die Brieffreundschaft ein, das Gefühl von Verlust blieb. Als Rudolf 19 Jahre alt war, fuhr er ins Rheinland, wo seine Beinaheschwester inzwischen lebte. Doch aus dem Treffen wurde nichts, sie verpassten einander, als achte das Schicksal darauf, dass die Menschen sich nicht gegen seine Verfügungen auflehnten. Im Erwachsenenleben haben dann beide so getan, als sei das eben eine Episode aus der Kindheit, die, wie so vieles im Leben, einen unklaren und unbefriedigenden Abschluss gefunden hatte. Aber vor ein paar Jahren hat Ruth Rudolf über die Telefonauskunft ausfindig gemacht. Als die beiden sich daraufhin wiedersahen, konnten sie ohne viel Verlegenheit an die Gemeinsamkeiten von damals anknüpfen. »Es war sehr lustig, als wir uns wiedergesehen haben«, sagt der Mann, der die Kindheit nach der Trennung von seinen Pflegeleltern nie mehr richtig unbeschwert erlebt hat. In der Familie fühlte er sich im Grunde nie wieder »richtig wohl«. Es war ihm unmöglich, in die alte Vertrautheit zurückzukehren und so zu tun, als sei nichts geschehen. Er hatte nie wieder das Gefühl, richtig dazuzugehören. »Ich bin von da an eigentlich immer auf der Flucht gewesen«, sagt Rudolf Laubert, der im Westen auch in der Schule durch Konzentrationsmangel, durch Brüten und Traurigkeit auffiel. »Ich hatte Albträume und habe schlecht geschlafen und im Traum geschrien«, beschreibt er den Überlebenskampf in der Zeit nach der Trennung.

Ob über seine Erlebnisse gesprochen wurde? Mit Freunden tat er es nicht, weil er es »für unangemessen hielt. Das interessierte die doch nicht.« Und mit der Familie? »Wir haben nicht so viel darüber geredet.« Er war allein mit seinen Gespenstern. Immer wieder träumte er davon, aus großer Höhe abzustürzen. Damals, sagt er, habe er trotzdem nicht das Gefühl gehabt, »eine außergewöhnliche Lebensgeschichte« zu haben.

Sobald er konnte, zog Rudolf Laubert fort von seiner Familie. Er ging nach Hamburg, machte eine Lehre als Dekorateur und meisterte die Aufnahmeprüfung für die Kunstakademie im ersten Anlauf. Die Albträume begleiteten ihn über all die Lehrjahre. »Das zog sich hin.« Rudolf Laubert glaubt heute nicht mehr, dass er eine ganz normale Lebensgeschichte hatte. Einmal, als er mit einem Freund lange vor dem Fall der Mauer nach Berlin fuhr, hielt er die reguläre Grenzkontrolle kaum aus. Uniformierte mit umgehängten Maschinenpistolen umstellten das Auto. Die Bilder der russischen Soldaten, die den Treck überfallen hatten, tauchten mit einem Schlag wieder vor Rudolf Lauberts Augen auf. »Ich hatte plötzlich die gleiche Angst wie damals«, beschreibt er das Entsetzen dieser ganz gewöhnlichen Minuten eines Grenzübertritts. Von da an mied er solche Situationen. Es dauerte lange, bis er wieder nach Berlin fahren konnte. »Vor Polizisten hatte ich immer große Angst.« Anderen fremden Menschen konnte er lange Zeit nur mit äußerstem Misstrauen begegnen. »Das hat sehr lange angehalten. Vielleicht bis ich 50 Jahre alt war. Es hat mich immer begleitet. Es war immer bei mir. In meinem Unterbewusstsein.« Innerlich ruhig geworden sei er erst jetzt. Fast 60 Jahre sind seit seinen furchtbaren Erlebnissen vergangen. Nun, im Alter, hält der Kontakt zu Ruth. Die will mit ihm zusammen nach Polen fahren. Aber diesen Wunsch wehrt er ab. »Ich wüsste nicht, was ich da sollte«, sagt er. Was er eigentlich meint, ist wohl etwas anderes: »Ich weiß nicht, was mich dort erwartet.« Rudolf Laubert kann nicht abschätzen, welche Bilder dann aus seinem Gedächtnis aufsteigen würden. Darauf will er es nicht ankommen lassen.

7. Vom schwierigen Neuanfang

Der traurigste Tag meines Lebens

Als die Städte im Osten für ihre ehemaligen Bewohner unerreichbar wurden, taufte man im Westen die Straßen der Neubaugebiete nach ihnen. Kaum eine Stadt blieb ohne Breslauer oder Danziger Straße. Und weil die Neubaugebiete in ihren Wohnblocks viele Heimatvertriebene aufnahmen, verrieten Adressen in den Anfangsjahren der Republik oft Lebensgeschichten und gaben Aufschluss über die Herkunft ihrer Bewohner. Oder sie drückten dem neuen Leben einen Stempel auf. Dazu brauchte es nicht einmal einen klingenden Namen, nicht einmal eine Erinnerung an die Orte der Vertreibung.

»Wasenbaracke 1«, diese amtsidiotisch kalte Benennung für einen Ort, der doch für Menschen eine Heimat sein sollte, klingt Rosi Steffel noch heute in den Ohren, wenn sie an ihre Kindheit denkt. Wasenbaracke, das hörte sich eher nach einer Materiallagerbeschreibung an denn nach der Geborgenheit eines Zuhauses. Man hörte sofort heraus: Andere wohnten und lebten, diese hier waren nur untergebracht. Das war nicht einmal falsch: Das Wort Baracke beschreibt in den ersten Jahren nach Kriegsende die Lebenswirklichkeit vieler Menschen, die ihre Heimat verlassen mussten. 1946 lebten auf dem Gebiet der damaligen Bundesrepublik 5 878 500 Vertriebene, in der DDR waren es 3 598 400, insgesamt also 9 476 900. Bis 1950 war die Zahl auf 11,1 Millionen Menschen angewachsen.

Adressen wie die ihre waren ein Makel, das spürte Rosi Steffel in der Grundschule, als liege da eine persönliche Verfehlung ihrerseits vor. Achtlos rieben die Lehrer Salz in die Wunde. Schon die Sechsjährige fürchtete die öffentliche Frage nach ihrer Adresse.

»Wo wohnst du?«

»Wasenbaracke 1.«

Ihre Zunge hatte Schwierigkeiten mit dem Wort. Schamröte schoss ihr ins Gesicht, und viel lieber hätte sie eine Lerchenstraße oder einen Bismarckplatz genannt. Denn Wasenbaracke, das stand für »diese hässlichen Bauten, in denen ganz viele Menschen auf einmal wohnten«. Jede der Baracken war von einem langen Gang durchzogen, von dem rechts und links Zimmer abgingen. Mit drei Schwestern und ihren beiden Eltern wohnte Rosi dort in zwei Zimmern. »Ich habe das schon als Kind als ganz furchtbar empfunden.«

Wer hier lebte, der gehörte nicht dazu, der war vorerst nur da. Der musste seinen Platz hart erkämpfen in der schwäbischen Gemeinschaft in dem idyllisch gelegenen Tal bei Stuttgart. Wenn das Wort Wasenbaracke im Klassenzimmer fiel, dann schauten sich alle Kinder nach dem kleinen Gör um, das sich schüchtern in die letzte Reihe des Klassenzimmers gequetscht hatte und ganz offensichtlich eine völlig andere Geschichte – und zwar eine schlechtere – mitbrachte als die anderen alle. Doch so ein Verhör durch den Lehrer war mit der Preisgabe der Adresse ja noch nicht beendet. Die andere gefürchtete Frage lautete:

»Und was ist dein Vater von Beruf?«

»Hilfsarbeiter.«

Dieses Wort stand dann im Raum wie ein penetranter Geruch. Rosi sah, wie die Nasen der anderen sich rümpften und skandalgierig schnupperten, und wie das Wort ihr selbst die Luft zum Atmen raubte. Pädagogischem Feingefühl, einem Gespür für soziale Spannungen und Ausgrenzungen ist Rosi in den frühen fünfziger Jahren bei ihren Lehrern nie begegnet. Sie fühlte sich immer wieder der herablassenden Beobachtung, dem verächtlichen Spott ausgeliefert. Denn da war ja auch noch dieses rollende R, das Rosis Sprache von der ihrer Mitschülerinnen unterschied. »Ich habe fast angefangen zu stottern, weil ich immer gefürchtet hab, ich müsst ein Gedicht aufsagen.« Womöglich eines von der »rrroten Rrrrose«. Mit diesem rollenden R ihrer mährischen Heimat war Fremdsein besiegelt. Also hat sie sich dieses R bewusst abtrainiert im Laufe der Jahre. Sie hat es zumindest versucht, am heftigsten in der Pubertät. Das leicht singende Schwäbisch wurde zur Sprache der Vernunft, der sozialen Planung und Eingliederungsstrategie. Wenn das Gefühl spricht, wechselt sie noch heute übergangslos in die Sprache ihrer Eltern. »Diese mährische Sprache ist im Herzen beheimatet. Ich muss immer wieder Dialekt sprechen. Ich hab dann das Gefühl, ich bin ich.« Wenn die Töchter anrufen, spricht sie mit diesem Zungenschlag, der für fremde Ohren ungewohnt klingt wie die Sprache einer untergegangenen Welt. Heute bereitet ihr das Hin- und Herwechseln zwischen den Klangräumen ihres Lebens keine Schmerzen mehr. Doch wohin gehörte sie damals? Die Heimat, von der ihre Eltern und die beiden älteren Schwestern sprachen, kannte sie gar nicht mehr richtig. Und die Baracken, lernte sie jeden Tag, waren kein Raum, von dem man sich prägen und bestimmen lassen durfte.

1944 war Rosi Steffel in einem kleinen Dorf im Sudetenland in Mähren auf die Welt gekommen. Sie war das fünfte Kind, und »es gab keine Böllerschüsse zu meiner Geburt«. So sehr hatte die Familie auf einen Jungen gehofft. Es hatte schon einmal einen Sohn gegeben, aber der war mit nur zehn Monaten gestorben. Das weiß Rosi Steffel natürlich nur aus Erzählungen. Ihre eigenen Erinnerungen fangen erst mit drei, vier Jahren an – in der Flüchtlingsbaracke. »Aber die Angst meiner Mutter um meinen Vater und die Vertreibung hat mein Leben von Anfang an geprägt.« Dem Verhalten der Erwachsenen entnahm sie, dass Schlimmes geschehen war und dass jede scheinbar noch so stabile Wirklichkeit brüchig und vorläufig war. Nicht ohne Grund war sie ein schüchternes Mädchen, das sich im Klassenzimmer stets in die letzte Reihe setzte.

Die männlichen Vorfahren ihrer Familie waren in Mähren seit drei Generationen Ortsvorsteher gewesen. Als Land- und Gastwirte waren sie angesehene Leute, Herren über Mägde und Knechte. Hilfsarbeiter, wie der Vater einer geworden war, hätten sie dort selbst schräg und misstrauisch angesehen, als Kerle, die es zu nichts gebracht hatten.

Als der Krieg verloren war, wurde der Vater – weil er ein Deutscher war – abgeholt, in ein Lager gesperrt, wo er regelmäßig geprügelt wurde, und zur Zwangsarbeit in die Kohlegruben geschickt. »Als sein Rücken von den Schlägen blutig war, hatte er nur noch einen Wunsch. Er wollte sterben«, erzählt die heute Achtundfünfzigjährige.

Sie ist mit dieser Lebensgeschichte des Vaters aufgewachsen und mit der Todesnähe, die aus einer der düstersten Familienanekdoten spricht. Der Vater hatte sich schon einen Strick genommen, um sich aufzuhängen. Er wollte ihn um einen Balken binden, entschlossen, der Qual ein Ende zu setzen, als er Kirchenglocken läuten hörte. »Er hatte ein inneres Bild«, schildert Rosi Steffel die Familienüberlieferung, »er sah meine Mutter mit den vier Kindern. Und plötzlich war der Wunsch wieder da, ich will heimkommen und ich will leben.« Abgemagert, ohne einen Zahn im Mund, überlebte der Vater die Qualen und Strapazen seiner Gefangenschaft. Ihr folgte die Ausweisung. Die existenzielle – oder je nach Blickwinkel, die spirituelle – Erfahrung des Vaters wurde ein Erbteil der Tochter. Etwas von seiner Frömmigkeit, die an die mährische Heimat gebunden war, lebt in ihr weiter. Die Kirche war für Rosi Steffel zeitlebens ein Ort, wo Hoffnung wartete, wo sie sich Zuversicht und Kraft holen konnte.

Wenn in der Wasenbaracke vom Örtchen Dörfl geredet wurde, dann verbanden alle anderen in der Familie damit konkrete Erinnerungen. Für Heimat hatten sie Bilder, Heimat war eine sinnliche Erfahrung, wenn auch eine Erfahrung des nun Verlorenen. Heimat, »das war die kleine Kapelle, die mein Großvater gebaut hatte. Das Bauernhaus, das Ausgeding und der Bach.« Rosi hatte von all dem keine genaue Vorstellung, kannte nur die Worte und Begriffe, ein, zwei Fotos und den Anblick der Stimmungen, die sie in den anderen auslösen konnten. Ihre Heimat war eine leere Hülle ohne Inhalt. Darum begann sie, sich eine eigene zu erobern, und weil sie keinen anderen Ansatzpunkt hatte, musste sie paradoxerweise mit der Heimatschaffung dort beginnen, wo man sie die Heimatlosigkeit am schlimmsten spüren ließ. So schrecklich die Schule auch war, schöpfte sie dort zunehmend Kraft. Je bohrender die Bli-

Der Neubeginn fand für viele Vertriebene in Barackensiedlungen statt.

cke der Mitschüler wurden, desto mehr wuchs Rosi Steffels Selbstbewusstsein. Sie war fest entschlossen, sich die fehlende Anerkennung durch eigene Leistung zu verschaffen, eine Einstellung ganz im Geiste Nachkriegsdeutschlands, wo das Wort Leistung einen nahezu religiösen Anspruch hatte, wie das Schlüsselwort einer Erlösung verkündigenden Erweckungspredigt. Rosi Steffel wurde eine gute Schülerin. Auch wenn in ihren Zeugnissen »Wasenbaracke« als Adresse stand. Als das Mädchen auf die Realschule wechselte, wechselte auch ihre Familie den Wohnort – als hätte das eine das andere nach sich gezogen.

Es waren Jahre des Aufstiegs. Der Vater arbeitete sich zum angelernten Dreher empor. Er kaufte allen seinen Töchtern Musikinstrumente und ließ die Tradition der Hausmusik aus Mähren wieder aufleben, ein Stück verloren geglaubter Innigkeit. Und doch spürte Rosi oft ein »Gefühl der Minderwertigkeit«, wenn sie das Zuhause von neuen Freundinnen besuchte, deren Vater Uni-Rektor oder deren Mutter Ärztin war. Noch schlimmer waren diese Gefühle beim Gegenbesuch, in einem Haushalt, in dem es keine gewachsene Kultur und ererbten Wohlstand gab, in dem nicht einmal Bücher standen. Eine kleine Bibliothek, dieses Symbol von Bürgerlichkeit, besaß für die Eltern keine Bedeutung, wohl aber das, was auch in der deutschen Kleinbürgerlichkeit als solidestes Zeichen sozialen Aufstiegs galt: ein eigenes Dach über dem Kopf. Nach Jahren des verbissenen Sparens und dank der Lastenausgleichszahlung konnten sie 1958 ein kleines Reiheneckhaus kaufen. »Man ist wieder wer, wenn man Besitz hat, dachten sie«, kommentiert die Tochter diesen Schritt.

War diese reale Verbesserung der Verhältnisse, vor allem dieses Herausputzen der sozialen Fassade, nicht das, was Rosi Steffel sich in den Momenten der Scham über die eigene Armut angesichts der behaglich-wohlhabenden Häuslichkeit ihrer Freunde immer gewünscht hatte? Einerseits war es ein erfüllter Wunsch. Andererseits brachte es das tiefste Unglück. Die Eltern waren nun auf Wohlstand fixiert, auf die rasche Teilnahme am konsumgüterreichen Aufschwung des Musterstaates Bundesrepublik. Das Streben der Tochter aber ging in eine ganz andere Richtung. In ihr formten sich Fragen, auf die ihre Eltern keine Antworten wussten, die allenfalls in der Schule gestellt werden konnten. Rosi war früh entschlossen, ihren Fragen nachzugehen, Wissen zu sammeln, aufs Gymnasium zu wechseln, zu studieren. Mit dem Hauskauf aber drängten die Eltern sie, die Schule zu verlassen und eine Lehre zu beginnen. Jede Mark zusätzlich zählte jetzt bei der Abzahlung des Eigenheims. Ihnen war ganz selbstverständlich, dass auch die Kinder Opfer bringen würden. Und sie spürten nicht, dass es Rosi um mehr ging als um die Aneignung von immer mehr Formeln, Daten und Vokabeln, dass das Mädchen sich in einem Prozess der Neudefinition befand. Vielleicht haben sie es auch bemerkt und diese Ablösung gefürchtet. Sie bedrängten ihre Tochter, sich auf eine Lehrstelle als Industriekauffrau zu bewerben. »Ich war noch ein richtiges Kind. Ich wusste gar nicht, was das ist, Industriekauffrau«, erzählt die Achtundfünfzigjährige von der wohl schmerzlichsten Wendung ihres Lebens. Den letzten Schultag nennt sie den »traurigsten Tag in meinem Leben. Nicht beim Tod der Mutter und nicht bei dem des Vaters habe ich so geweint wie an diesem Tag.« Mit anderen Worten: für sie war dieses Ende der Schule ihre verspätete persönliche Erfahrung der Vertreibung, eine elementare Umwühlung, die widerspiegelte, was Eltern und den größeren Geschwistern mit dem Verlust der mährischen Heimat widerfahren war und was sie bisher, weil sie viel zu jung gewesen war, um Bindungen an die Welt jenseits der Familie zu haben, nicht hatte nachempfinden können.

Heute ist sie versöhnt mit dieser Entscheidung der Eltern, kann deren Denken und Wollen eher nachvollziehen, auch wenn sie noch immer traurig ist über die verpassten Möglichkeiten. »Das Bäumchen, das wachsen und sich strecken wollte, wurde von oben abgeschnitten und zurechtgestutzt«, sagt sie. Der Krieg wirkte plötzlich weit hinein in das junge Leben, das offiziell längst ein Nachkriegsleben war.

Was damals beschädigt wurde, war nicht so sehr eine Karriere. Es war der Prozess der Heimatfindung und Selbststärkung in Kultur. Rosi Steffel hielt ihre Lehre durch, sie fand eine Anstellung beim Rundfunk, aber die soziale Unsicherheit verblieb. Sie war nicht nur eingeschüchtert von jenen, die sich ihrer selbst und ihrer Wurzeln gewiss waren. Sie war auch schutzlos gegenüber willentlichen Demütigungen. Wie in jenem Moment, als ihr Erscheinen im Schlepp einer Freundin bei einem Fest in der besseren Stuttgarter Gesellschaft von einer Gruppe gleichaltriger Söhnchen arrivierter Familien mit dem Satz »Da kommt das Volk« kommentiert wurde. Rosi Steffel hatte keinerlei Schutzmechanismen, solche Peinlichkeiten als bloße Entgleisung eines blasierten Großmauls abzutun, wie das anderen klugen Menschen problemlos gelungen wäre. Fluchtartig verließ sie die Feier und hat sich jahrelang über diese Erniedrigung gegrämt, hat die Verletzung als offene Wunde gespürt. Erst Jahrzehnte später konnte sie mit ihrer Freundin darüber sprechen.

Als sie einen Sohn aus gutem Stuttgarter Haus kennen lernte und dann auch heiratete, wagte sie lange nicht, mit dessen Familie auch nur Momente allein zu bleiben. »Immer wenn mein Mann das Zimmer verließ, bin ich aufgestanden und ihm nachgegangen.« Die Selbstsicherheit dieser Menschen und die Übermacht an selbstverständlich angeeigneter Kultur schüchterten die junge Frau ein. Es dauerte lange, bis sie diese Kultur als Bereicherung ihres eigenen Lebens ansehen konnte, bis sie wieder darauf vertraute, dass auch ihr der Zugang jetzt erlaubt war.

Die eine, die alte Heimat, von der die anderen immer nur sprachen, hat sie dann selbst kennen lernen wollen. Noch zu Zeiten des Eisernen Vorhangs, als solche Reisen schwierig waren, hat sie die Tschechoslowakei besucht und Ostern in Dörfl, dem Heimatort der Eltern, verbracht. Hier fand sie die Kapelle, die der Großvater erbaut hatte und die sie nur aus Erzählungen und von einem kleinen alten Schwarz-Weiß-Foto kannte. Ein tiefes, bisher unbekanntes Gefühl, zu Hause angekommen zu sein, überkam sie. Ein Kreis hatte sich geschlossen, so ihre Empfindung, etwas war gefunden, wonach sie ein Leben lang gesucht hatte. »Das hat mich bis ins Mark berührt. Ich war ein einziges Mal dort. Danach ging es mir viel besser. Ich wusste jetzt, es gibt eine Heimat, da bin ich geboren. Und ich habe auch gespürt, dass dort meine Wurzeln liegen.« Sie hatte das Empfinden, endlich ein vollwertiger und vollständiger Mensch geworden zu sein.

Ein anderer Kreis schloss sich, als ihr Vater vor drei Jahren starb. Die Kinder haben das Reiheneckhaus der Familie verkauft. Mit einem Teil des Geldes finanziert sich Rosi Steffel nun eine weitere Ausbildung. Es ist nur konsequent, dass es gerade dieses Geld sein muss, mit dem sie sich diesen Traum erfüllt. Nun kann sie sich in Ruhe mit der Logotherapie beschäftigen, die der Psychotherapeut Viktor Frankl, ein Auschwitzüberlebender, entwickelt hat. Ein Kernsatz dieser Lehre ist es, dass nicht das Leid, das einem widerfährt, entscheidend für das Leben ist, sondern das, was man daraus macht. Rosi Steffel träumt in letzter Zeit wieder viel von dem Häuschen der Eltern. Es sind schöne Träume. Das Haus hat darin ein Fenster mehr als in Wirklichkeit. Und im Garten hat jemand neue Blumen gepflanzt.

8. Das vaterlose Leben

Und darum schläft man nicht. Nur darum. Es sind zu viele Tote in der Luft. Die haben keinen Platz. Die reden dann nachts und suchen ein Herz. Darum schläft man nicht, weil die Toten nachts nicht schlafen. Es sind zu viele. Besonders nachts. Nachts reden sie, wenn es ganz still ist. Nachts sind sie da, wenn das andere alles weg ist. Nachts haben sie dann Stimmen. Darum schläft man so schlecht.

Wolfgang Borchert, Die Ausgelieferten, in:
Die Hundeblume (1945/46)

Der Tod im Krieg wird gerne umschrieben. Die Väter der Kriegskinder sind *gefallen* oder *im Krieg geblieben.* Geht das leichter über die Lippen als *gestorben*? Es klingt zumindest, als könnten sie wieder aufstehen, würden sie sich nur recht anstrengen. Die eine Formulierung klingt nach einem vielleicht noch behebbaren Missgeschick. Die andere deutet an, die Fortgebliebenen hätten eine Wahl getroffen, hätten sich weit weg von zu Hause entscheiden können zwischen Ausharren und Rückkehr. Und so eine Entscheidung lässt sich irgendwann revidieren.

Die Zahlen sprechen eine deutlichere Sprache: Im Zweiten Weltkrieg kam jeder achte männliche Deutsche – gerechnet vom Säugling bis zum Greis – ums Leben. In den Ostgebieten starb jede fünfte männliche Person. Insgesamt wurden 11 Prozent der Bevölkerung getötet. So hat die Historikerin Margarete Dörr die Toten des Krieges bilanziert. Mitte der fünfziger Jahre registrierte man noch 1,24 Millionen Vermisste und 2,73 Millionen Wehrmachtstote einschließlich der in Gefangenschaft Gestorbenen. Neue Zahlen gehen von 4,71 Millionen Toten aus. Diese Gefallenen hinterließen 1,7 Millionen Witwen, fast 2,5 Millionen Halbwaisen und etwa 100 000 Vollwaisen. Rund ein Viertel aller deutschen Kinder wuchs nach dem Zweiten Weltkrieg ohne Vater auf.

Nicht nur der emeritierte Kasseler Hochschulprofessor Hartmut Radebold, der diese eindrucksvollen Zahlen als Grundlage für seine Beschäftigung mit den »abwesenden Vätern« herangezogen hat, erkennt einen Zusammenhang zwischen den Erschütterungen der jungen Leben durch den Krieg und den späteren Biografien der Betroffenen. Es fehlte ja nicht nur jeweils der eigene Vater. Auch im Umfeld ließen sich weniger männliche Leitfiguren der mittleren Generation ausmachen. So entstand eine Lücke in der Gesellschaft und in den einzelnen Leben, deren Wirkung schon darum nicht genau einzuschätzen ist, weil man ihren Einfluss auf die Fortentwicklung der bundesrepublikanischen Gesellschaft lange nicht erkannt hat. Doch den Kindern jener Menschen, die keinen Vater mehr hatten, fiel schon bald das Fehlen der Großväter auf. Irgendwann konfrontierten sie die Eltern mit der Frage: »Wie war dein Vater?« Dann mussten viele der Kriegsüberlebenden schulterzuckend gestehen: Ich weiß es nicht. Aber die Frage hatte an alte Wunden gerührt.

Eimer voll Tränen

Ulf Steinmann war ein ernstes Kind. Das fiel rasch allen auf, die mit ihm zu tun hatten. Als Zehnjähriger kritzelte er 1951 auf den Rand einer Zeitung den Satz: »Ungerecht und ohne Liebe handelt die Welt.« Im gleichen Jahr schrieb er einen Aufsatz über eine Mozartsonate, der den Aufbau des Musikstückes analysiert und in Beziehung zum Leben des Komponisten setzt. »Es geht allgemein die Rede, dass Mozartmusik fröhlich ist«, beginnt dieser Text. Im Fortgang spricht er vom »innerlich tobenden Schmerz, den Mozart in seinem Leben nie merken ließ«. Von »Verlassenheit« oder »der ihm fehlenden Liebe« ist die Rede und dass der Künstler »in der Blüte seiner Jahre dahinschied«. Dann kommt der junge Schreiber zu dem Schluss: »Die Mozart'sche Musik darf nicht so leicht genommen werden.« Damit formuliert er eigentlich eine viel generellere Bitte an all jene, die zu unbeschwert durch die Welt gehen. Die Bitte oder Mahnung, auf seine Erfahrung, die eines Zehnjährigen, zu hören: dass alles viel schwerer, bedrückender ist, als einem früh versprochen wird.

Im Oktober 1946 trat das Unglück in Person eines Kriegsheimkehrers in das Pfarrhaus von Gandersheim, wo Ulf Steinmann mit seiner Familie zu Hause war. Der Mann, der mit seinem Vater in russischer Kriegsgefangenschaft gewesen war, brachte schlimme Neuigkeiten, die Nachricht vom Tod seines Kameraden nämlich, und als unverbrüchlichen Beweis, dass da kein Irrtum, keine Verwechslung vorlag, den Ehering des Mannes. Mit 39 Jahren war Pfarrer Steinmann im Lager Borowitschi bei Leningrad gestorben. Das war eine Nachricht, wie sie damals viele Familien früher oder später erreichte. Für alle Tragik gibt es eine Statistik. Elf Millionen deutsche Soldaten sind in russische Kriegsgefangenschaft geraten. Rund eine Million überlebte die Gefangenschaft nicht. Die letzten von ihnen kehrten elf Jahre nach Ende des Krieges zu ihren Familien zurück. Für jede Familie aber war die Nachricht vom Tod des männlichen Familienmitglieds eine Katastrophe, die oft genug das Leben änderte – auch wenn schon vorher kein Mann und Vater da gewesen war. Für Ulf Steinmann jedenfalls sind die Tränen, die seine Mutter beim Erhalt der schlimmen Nachricht geweint hat, im Rückblick *die* prägende Kindheitserinnerung schlechthin. »Später habe ich immer gedacht, sie müsste einen ganzen Zinkeimer voll geweint haben«, sagt der Dreiundsechzigjährige heute, der wie sein Vater Pfarrer geworden ist.

Freunde der Familie kamen damals ins Haus und übernachteten dort auch. Die junge Witwe – achtundzwanzig Jahre war sie erst alt – und ihre drei kleinen Jungen von drei, vier und knapp sechs Jahren sollten in dem äußerlich unveränderten und doch mit einem Mal so viel leereren Haus nicht allein mit sich und dem Schmerz sein. Es war nicht der erste Verlust, den die junge Frau in den Kriegsjahren ertragen musste. 1942 war ihre Mutter gestorben, zwei Brüder hatte der Krieg ihr genommen. Den Kummer darüber nicht an die Kinder weiterzugeben, die Kleinen nicht merken zu lassen, was in der Welt der Erwachsenen möglich war, das hatte sie sich tapfer vorgenommen. Vor dem Sechsjährigen aber konnte sie ihren Schmerz nicht verbergen. Wie auch? Die Trauer war ja so gut wie alles, was Ulf von seinem Vater noch hatte. Viel zu blass waren die Erinnerungen an ihn, viel zu kurz war die gemeinsame Wegstrecke gewesen. Sein Sohn ist sie in Gedanken immer wieder abgeschritten.

Die Suche nach den Spuren des Vaters ist mühsam und beschwerlich. Ulf Steinmann kann sich den Klang seiner Stimme nicht mehr vergegenwärtigen. Nur wenige Szenen, in denen der Vater zugegen war, kann er sich ins Gedächtnis rufen. Aber auch bei noch so genauem Hinschauen bleiben sie vage. Fast hat er Angst, dass sie wieder verschwinden, sich wieder verflüchtigen, wenn er sie allzu lange bemüht. »Ich glaube, ich seh ihn vor mir, wie er sich rasiert«, sagt der Sohn vorsichtig. Aber vielleicht kennt er auch das nur aus Erzählungen, hat sich das Bild zu den Worten dazufabuliert. Achselzucken. Er zögert. Geschichten, die andere erzählen, überdecken oft das wirkliche Geschehen. Gab es diese Situation wirklich, in der Vater Steinmann Sohn Ulf auf dem Arm gehalten hat? Ja, es gab sie, und ein Fotograf hat die Szene sogar festgehalten. Aber kann sich der Dreiundsechzigjährige daran heute wirklich noch erinnern? Oder erfindet er sich die Erinnerung zum Bild? Er weiß es selbst nicht. Aber ist es denn von Bedeutung, ob diese Gefühle von Nähe ihre Quelle in Fotos haben?

Die Witwe Steinmann hat ein Fotoalbum für ihre Söhne geführt. Dort hinein hat sie nicht nur Bilder geklebt, sie hat auch dazu geschrieben, was geschehen und was zu sehen war. Sie ließ das Leben Revue passieren, auch das der Eltern und Großeltern. Das sollte den Kindern helfen, Erinnerungen zu bewahren. Auf den eng beschriebenen Albumseiten gibt es eine Fotografie des Vaters in Uniform bei der Taufe seines Erstgeborenen, eine andere vom Vater auf Kriegsurlaub. 1944, so steht da zu lesen, sei er zum letzten Mal zu Hause gewesen. Ulf Steinmann muss es glauben. Sein Gedächtnis verrät ihm dazu nichts. »Ich habe keinerlei Erinnerungen daran, dass ich ihn vermisst hätte«, beschreibt er den blinden Fleck in seinem Leben.

Aus den letzten schriftlichen Aufzeichnungen des Vaters geht hervor, dass er noch am Morgen seines Todestags mit seinen Mitgefangenen in der Bibel gelesen hatte. Gerade dieser Gottesdienste wegen, die er für die Lagerinsassen hielt, war er besonders schikaniert worden. Dieser aufrechten Haltung wegen wurde »der Vater für uns alle natürlich zum Helden«, erzählt sein Sohn. Und vieles in dieser Lebensgeschichte fügt sich ja auch ohne den parteiischen Blick der Söhne zum Bild eines rechtschaffenen Mannes. Der Bauernsohn, der zum großen Stolz seiner Familie ein Theologiestudium absolviert hatte, war ein beliebter Pfarrer in seiner Gemeinde im Harz gewesen. Dank seiner Herkunft und seines Wesens verstand er sich gut mit den einfachen Menschen. Alle drei Söhne sind in Gandersheim geboren, in der Gemeinde, deren lebendiger Mittelpunkt das Pfarrhaus war. Hier wollte er bleiben. Er durfte es nicht.

Auch der Pfarrer wurde von den Nazis verpflichtet, in den Krieg zu ziehen. Feldpastor sollte er werden, aber diese Berufung – die Überlebenschancen waren deutlich besser als die der gesegneten Landser – hat er abgelehnt. »Er wollte keine privilegierte Stellung haben«, übersetzt sein Sohn die Entscheidung des Vaters. So wurde der Mann, dem eigentlich verboten war, das Schwert zu ergreifen, ein Soldat unter vielen. »Er wollte bei seinen Leuten bleiben, ist dadurch bei Leningrad in Gefangenschaft geraten und in das Lager Borowitschi gekommen«, schildert der Sohn, wie er seinen Vater heute sieht: als einen Mann, der sein Kreuz ohne zu murren trägt.

Für seine drei Söhne musste er damals einfach ein Held sein. Für etwas mussten sie den leibhaftigen Vater ja hergegeben haben, und was außer Heldentum – wenn auch im Kleinen – gab es als tröstende Beruhigung? Politische Ziele und Ideale waren ihnen noch fremd, und so kamen sie nicht auf den Gedanken, den Tod des Vaters in Beziehung setzen zu müssen zu Raubzug und Völkermord der Nazis. Drei Kinder im Lausbubenalter hatten sich auf Sinnsuche begeben und versahen ihren Vater mit einem Heiligenschein. »Dass er seinen Glauben durchgehalten hat und dieses Nichts-sein-Wollen von ihm, das hat uns schon sehr beeindruckt.« Die Verehrung für den Vater wuchs auch noch aus etwas anderem: aus dem Schmerz der Mutter, den die Kinder täglich spürten. Die Lücke, die der Mann hinterließ, diente den Kindern als Maßstab seiner Größe.

Ulfs Mutter wurde auch als Witwe der Rollenerwartung an die Pfarrersfrau mehr als gerecht. Sie engagierte sich in der Hilfe für Flüchtlinge aus Schlesien, Ostpreußen und Pommern. Während seine Brüder mit anderen Kindern Fußball spielten, saß Ulf bei diesen Fremden und lauschte ihren Geschichten. »So kam auch ihre Traurigkeit über Verarmung und Flucht in mein Leben.« Heute sagt er, dass jedes Kind die Traumatisierung anders verarbeite. Der Sechsjährige suchte sich seine Nestwärme dort, wo die Menschen in ihrer Not näher zusammenrückten.

Die Mutter rieb sich für die Flüchtlinge auf. Sie war unermüdlich damit beschäftigt, Kleidung für die Menschen zu besorgen, die alles verloren hatten. Wenn nötig, richtete sie im Gemeindesaal provisorische Schlafstätten her. Das war vermutlich ihre Art, ihrem Mann über den Tod hinaus nahe zu sein. Doch je mehr sie in ihrer Arbeit Erfüllung fand, desto größer wurde ihre Distanz zu den eigenen Kindern. »Sie war dauernd unterwegs«, sagt ihr Erstgeborener heute. Dabei wollte er doch wenigstens der Mutter nahe sein, wenn er schon den Vater nie mehr sehen würde. »Ich hatte Angst, sie auch noch zu verlieren.«

Die beiden Flüchtlingsmädchen, die sich um den Haushalt kümmerten, während die Mutter Spenden eintrieb und verteilte, waren kein emotionaler Ersatz. Sie waren selbst noch Kinder und hatten Schlimmes erlebt. Doch seine Mutter war hart zu sich – und zu ihren Söhnen. Der Lebenskampf forderte, wie bei vielen Eltern dieser Wiederaufbaujahre, all ihre Kräfte. Die Witwenrente war zu mager, um eine vierköpfige Familie zu ernähren. Mit ungeheurer Energie verfeinerte sie in dieser Zeit eines ihrer Talente und legte die Organistenprüfung ab, um künftig mit Kirchenmusik ein wenig Geld dazuzuverdienen. Es blieb schlicht keine Zeit, ihre Kinder zu trösten. »Ich seh das noch vor mir, wie ich geweint habe, weil sie wieder in Sachen Hilfswerk unterwegs war.«

Aber es gab auch die Stunden, in denen selbst diese starke Frau schwach wurde, in denen sie sich am Ende fühlte. Damals hätte sie das nicht zugegeben. Aber später erzählte sie davon. Es waren die Momente, wenn sie nachts ihre schlafenden Kinder anschaute und keiner dabei neben ihr stand. Dann brach es aus ihr heraus, und dann weinte auch sie. Ulf ist gelegentlich davon aufgewacht – und hat in diesen Momenten die Grenzen seiner Kompetenz erfahren. Auf seine kleinen Brüder konnte er aufpassen, wenn die Mutter ihm das auftrug. Die Mutter zu trösten, stand nicht in seiner Macht.

Doch zu dem Wunsch, die Mutter möge Ablenkung von ihrer Traurigkeit finden, kam in der Folge akute Eifersucht. Denn die Mutter engagierte sich auch in den Jahren nach dem Krieg in der Jugendarbeit der Gemeinde. Zu Ulfs großem Kummer gingen ältere Jungen in seinem Elternhaus ein und aus, die viel erwachsener waren als er. »Einer war fast wie ein Pflegesohn«, erinnert er sich. Der Knabe schwärmte ganz heftig für die junge Witwe. Ulf fühlte sich verraten. Als Aufpasser für die Kleinen war er gut genug. Als Gesprächspartner schien der Mutter der ältere Junge aber lieber. Dabei fehlten ihm doch nur sechs Jahre. Er war zehn und der andere sechzehn Jahre alt. Je mehr er das Gefühl hatte, die Mutter ziehe andere vor, desto mehr klammerte er. Er hatte plötzlich irrationale Angst, aus dem gemeinsamen Leben herauszufallen wie einst der Vater. Es war die Zeit, in der sich der Zehnjährige in Mozarts Welt vertiefte und seine Enttäuschung auf Zeitungsränder kritzelte: »Ungerecht und ohne Liebe handelt die Welt.« Die frühreife Trauer um den jung verstorbenen Komponisten enthielt auch eine Wehklage über den frühen Tod des Vaters.

Ein Vater, der nicht mit am Abendbrottisch sitzt, verschwindet aus dem Bewusstsein oder wird ein Übervater. »Er wäre menschlicher geworden, wenn ich mich an ihm hätte reiben können«, sagt Ulf Steinmann heute. Mit einem abwesenden Vater *muss* man sich in der Pubertät nicht streiten. Aber man *kann* es auch nicht. Man kann sich nicht ablösen, indem man ihm in wichtigen Fragen die Stirn bietet. Ulf Steinmann wollte nach dem Abitur alles werden, nur nicht Pfarrer – auch wenn da kein Lebender mehr am Tisch saß, der darauf drängte, der Sohn solle in seine Fußstapfen treten. Er studierte zunächst Musik, dann ein Semester Altphilologie, später Philosophie und anschließend Jura. Als wollte er doch noch ein Machtwort erzwingen, von einem, der lang schon nicht mehr mit ihm sprechen konnte. Das wilde Hin und Her in seinem Studien- und Lebensplan brachte ihn an den Rand eines Nervenzusammenbruchs. Er legte ein Urlaubssemester ein. Als er versuchte, seine Lebenskrise mit einer Fastenkur zu heilen, provozierte er den völligen Zusammenbruch. In einer Kurklinik, wo man ihn wieder ans normale Essen gewöhnen wollte, hatte er schließlich ein religiöses Erlebnis. »In der Nacht hatte ich plötzlich das Gefühl, sterben zu müssen. Und wenn du stirbst, dann weiß deine Mutter nicht, ob du im Glauben gestorben bist oder gottlos«, erinnert er sich an seine Gedanken als Zweiundzwanzigjähriger. »Ich habe dann, um meiner Mutter einen Gefallen zu tun und nicht weil ich glaubte, einen Zettel geschrieben. Auf dem stand: ›Ich glaube an Gott und an seinen Sohn. Er hat den Tod besiegt.‹ Und hab gedacht, jetzt kann ich mich hinlegen.« Er starb nicht. Aber er erlebte, was er »den Strom Gottes« nennt. Seit dieser Nacht wusste er seinen Vater gut aufgehoben im Himmel. »Dort habe ich ihn gesehen.« Danach war ihm klar, dass er Theologie studieren musste.

Wie stark ihn der »abwesende Vater« in seinem Handeln bestimmte, merkte er Jahre später bei einer Tagung, die über die Jahreswende hinweg stattfand. Dort sang man Dietrich Bonhoeffers Lied *Von guten Mächten wunderbar geborgen.* Der evangelische Theologe der oppositionellen »Bekennenden Kirche« war, als er von den Nationalsozialisten ermordet wurde, genauso alt wie Ulf Steinmanns Vater bei seinem Tod in russischer Kriegsgefangenschaft. Mit einem Mal musste der Sohn

Ulf weinen, »wie er sich es hätte nie vorstellen können«. Er weinte um den Vater, den er nie richtig betrauert hatte, weil das Leben hatte weitergehen müssen und er die Mutter nicht noch mehr grämen wollte. Um den Großvater seiner eigenen Kinder, den die nie kennen lernen konnten. Um den Onkel und Schwiegervater, der in der Familie fehlt.

Ulf Steinmann ist heute in einem Alter, in dem es ganz und gar nichts Ungewöhnliches ist, keinen Vater mehr zu haben. Und doch ist er heute überzeugter denn je, »dass Witwenkinder eine Verletzung haben, die sie ihr Leben lang schmerzt«.

Der Schatten, der ein Vater war

»Achtzig Prozent der Kinder in meiner Klasse waren Waisen oder Halbwaisen«, sagt Bärbel Wartberg. Gewundert, nein, gewundert habe sie sich damals nicht darüber. »Das war so.« Die Macht der Tatsachen hatte die Herrschaft über das Leben übernommen und Wünsche ins Abseits gedrängt. Leibhaftig anwesende Väter, die zur Arbeit gingen, waren die Ausnahme. »Ich wusste bei jedem in meiner Klasse, wer noch einen Vater hatte und wer nicht und was die machten. Ich kann mich nur an zwei berufstätige Väter erinnern.« Im Kopf geht die Zweiundsechzigjährige, die heute Religions- und Deutschlehrerin ist, die Sitzordnung ihrer alten Schulklasse durch, als hätte sie noch am Morgen dort gesessen. Ihr sind alle Erinnerungen noch frisch und präsent, sie muss kein verschüttetes Wissen freigraben.

Danach, wie es um deren Vater stand, teilte sie die Freundinnen ein. Die mit Vater, die ohne Vater, die mit beschädigtem Vater. Wie Herrn Hupjens, den Vater ihrer Freundin, dem ein Bein fehlte. Und wie Bärbel Wartbergs eigener Vater. Der war todkrank aus amerikanischer Kriegsgefangenschaft zurückgekehrt. Er war ein Schatten seiner selbst, der nur noch das Mitleid seiner Kinder erregte, niemals mehr aber deren Respekt erringen konnte. Der ehemalige Lehrer spürte das Schwinden seiner Autorität selbst. Lehrer a. D. nannte er sich,

Die nach außen sichtbaren Verletzungen des Krieges: Kriegsinvalider Vater mit seiner ebenfalls versehrten Tochter.

für ihn hieß das »alter Dussel«. Bärbel Wartberg weiß heute, wie schwer die Distanz der Kinder für diesen Mann gewesen sein muss. »Wenn ich es mir recht überlege«, sagt Bärbel Wartberg, »ist es genau das, was der Krieg in meinem Leben verändert hat: Mein Vater und ich hatten keine Chance, zueinander zu finden.«

Dabei war die resolute Frau, die das holsteinische Platt ihres Geburtsortes Zenhusen auch nach Jahren in Süddeutschland nicht abgelegt hat, ein wirkliches Wunschkind. Nach drei Jungen gab es mit ihr ab 1941 endlich auch ein Mädchen in der Familie. Doch so dicht und genau Bärbel Wartbergs spätere Erinnerungen sind, so unscharf und rar sind auch bei ihr die Eindrücke vom Vater, bevor er Soldat wurde. Nur die eine Szene ist geblieben, in der er das Haus verlässt, als er eingezogen wurde. Von der Warft, auf der das Haus an der Eider lag, führt die Dorfstraße hinab. Auf ihr läuft ein Mann, der eine Uniformmütze trägt. »Ich stand mit meiner Mutter am Fenster. Sie hielt mich und wir schauten meinem Vater nach.« Der Abschied, so meint sie heute, habe sie damals nicht traurig gemacht. Der Vater ging, er tat das ja oft. Wie hätte sie als Kleinkind begreifen sollen, wohin und wie lange er sich aufmachte. Erst 1946 sollte er wiederkehren.

Irgendwann kam die Kunde, er sei in amerikanische Gefangenschaft geraten und befinde sich in einem Lazarett in Süddeutschland. Als viele Wochen nach Kriegsende noch immer keine neue Nachricht von ihm kam, suchte Bärbels Mutter sogar den Rat einer Wahrsagerin. Das war in dieser Zeit und der Gegend nicht einmal etwas Ungewöhnliches. Das Land lag am Boden, die Kommunikationswege waren zerstört, das Bedürfnis nach Nachricht und Gewissheiten aber war groß. Jede Nachfrage schafft ein Angebot. Die Kartenlegerin hatte in der Tat gute Neuigkeiten. Der Vater lebe, konnte sie den Spielkarten entnehmen. Die Mutter gab das ihren Kindern als Grund zur Zuversicht gern weiter. Eine Weile darauf musste sie diese aus dem Tarot genährten Hoffnungen wieder zerstreuen. »Es sieht gar nicht gut aus«, war sie ehrlich genug, ihren Kindern mitzuteilen. Ein Brief des Vaters war über viele Umwege bis ins 20 Häuser starke Zenhusen gelangt. Darin stand, dass er sehr, sehr krank und ausgezehrt sei. Die Versorgung im Gefangenenlager funktionierte nicht. Die ehemaligen Soldaten seien dem Hungertod nah. Die erschrockenen Wartbergs schickten ein Überlebenspaket mit Holsteiner Schinken nach Bayern. Mehr konnten sie nicht tun.

Was der Vater ihr später über diese Zeit erzählte, hat seine Tochter nie vergessen. »Das fand ich so grauslich.« Denn um zu überprüfen, wie weit seine Auszehrung schon fortgeschritten war, verfiel der Lehrer auf eine Art Gedächtnistraining. Er hatte einmal gehört, der Hungertod gehe damit einher, dass man sich nicht mehr erinnern könne. Darum versuchte er nun beständig, sich die Namen der Hausbewohner entlang der Dorfstraße aufzusagen. »Irgendwann war ihm klar, dass sie ihm nicht mehr einfielen.« Oft hat der Vater später von dem Moment erzählt, in dem er begriff, dass er dem Tod näher als dem Leben war. Den Kindern hat er diese schreckliche Erfahrung damals nicht wirklich klar machen können. Erst später, im Lauf ihres Lebens, ist ihnen aufgegangen, was ihr Vater da erlebt haben mochte.

Für sie war es zunächst ein Freudentag, als Ende 1946 endlich die Nachricht eintraf, der Vater sei auf dem Weg nach Hause. »Ich saß mit meiner Mutter und Tante in der Küche, da kam plötzlich die Frau vom Bauern gegenüber gelaufen«, erinnert sich die Zweiundsechzigjährige an diesen ganz besonderen Moment. Mutter und Tante weinten und lachten gleichzeitig, waren mit einem Mal fürchterlich aufgeregt. »Ob ich mit zum Bahnhof gefahren bin, weiß ich nicht mehr«, sagt Bärbel Wartberg. Aber eingeprägt hat sich ihr, dass »ein fremder Mann« nach Hause zurückkam. Die Kinder hatten auf ihren Vater gewartet. Es kam ein abgemagertes Etwas, für das es im Alltag keine Verwendung mehr gab.

»Ihn selbst sehe ich als Person gar nicht«, sagt die Tochter. Es sind seine Spuren, an die sie sich erinnert. An die Fische, die er auf einer Tonne im Garten geräuchert hat. Oder seinen Tabak, den er getrocknet hat. Der Vater blieb ein Schatten. »Ich seh ihn nicht arbeiten und ich seh ihn nicht als Teil der Familie.« Das Gespenst eines Mannes, das da durchs Haus schlurfte, war für die vier Geschwister kaum zu greifen, also auch nicht zu begreifen. Der Mann war lungenkrank, hatte schon im Lager an Tuberkulose gelitten. »Es gab Phasen, da sah es so aus, als würde er die nächste Stunde nicht überleben.« Er wurde für die Kinder mit der Zeit nicht zugänglicher, sondern unerreichbarer, denn nun verschwand er immer wieder in Sanatorien. Seine Tochter erinnert sich an »Holzbaracken, die an Waldrändern stehen«. Der Vater war nahebei und doch ganz fern. »Kein Zutritt« hieß es, wenn man den Kranken besuchen wollte. Die unmögliche, da Ansteckung bringende Nähe zum Vater wurde ein durchgehendes Motiv in Bärbel Wartbergs Kindheit und Jugend. Sie hatte keinen Vater mehr, mit dem sie die Welt erobern konnte, der sie beschützte, wenn sie Angst hatte, der sie an der Hand nahm und zärtlich tröstete, wenn draußen alles ganz furchtbar war. Ihr Vater war eine Gefahr.

Sie suchte sich andere Menschen und öffnete denen ihr Herz, wenn es überlief von den Erlebnissen des Tages. Da waren eine Oma mit ihrem Enkelsohn, eine junge Lehrerin und ein Lehrerehepaar, die allesamt als Flüchtlinge im Haus des ehemaligen Schulmeisters Wartberg Obdach gefunden hatten. Sie sprachen ganz anders, in unbekannten Dialekten. Oma Bräutsch kniete beim Beten gar nieder, katholische Exotik in der protestantischen Kindheit. Die Vertriebenen aßen andere Gerichte, kochten Königsberger Klopse mit Kapern – wenn sie einmal die Zutaten dazu auftreiben konnten. Und sie erzählten dem kleinen Mädchen ihre Lebensgeschichten. Alles verstand Bärbel mit ihren fünf oder sechs Jahren nicht. Aber sie nahm intensiv Anteil. Immer wieder träumte sie in dieser Zeit davon, »dass die Russen kommen«, und lebte auf diese Weise im Traum die Erinnerungen und Angst der anderen nach. So sammelte das Kind auch ein Reservoir von Bildern und Schrecken an, mit denen es sich die Suchmeldungen des Roten Kreuzes illustrieren konnte, die es regelmäßig hörte. »Ich stand in der Küche und stellte mir vor, wie furchtbar es wäre, verloren gegangen zu sein. Wenn ich die kleine Hildegard gewesen wäre, in deren Kittelschütze der Zettel mit ihrem Namen steckte.« In diesen Momenten stieg in dem Kind die Erkenntnis auf, dass auch der eigenen Kindheit noch ganz andere Verwüstungen hätten drohen können, als sie durch den kranken, bedrohlichen, enttäuschenden Vater schon eingetreten waren.

Es muss ein inniges Verhältnis gewesen sein, das dieses kleine neugierige Mädchen zu den Menschen aus der Fremde aufgebaut hatte. Die »wilde Hummel«, die sie gewesen war, eroberte die Herzen durch Neugierde. Sie kannte keine Berührungsängste. Noch heute kann die Erwachsene alle Namen jener Menschen aufsagen, mit denen sie im Geiste bei jeder ihrer Erzählungen mit auf die Flucht gegangen war. Sie nahm diese Geschichten in Beschlag und die Geschichten sie, wie jene der Eltern ihrer späteren Schulfreundin. »Irgendwann war ich der festen Überzeugung, nicht meine Freundin, sondern ich sei als einjähriger Säugling in den Westen gebracht worden. Ich lebte sogar die Heimatliebe ihrer Eltern ein bisschen mit.« In ihrer Vorstellung war die Kurische Nehrung wunderschön. So sagte es schließlich Frau Porsch. Die stammte aus Bromberg und musste es wissen. Die Tragödien der Flüchtlinge wurden zu den Abenteuergeschichten in Bärbel Wartbergs Kindheit.

Die Figur des Vaters verblasste vor diesem Hintergrund immer stärker. Auch wenn der Mann eine bewundernswerte Willenskraft an den Tag legte. Er wollte unbedingt wieder zurück in den Schuldienst. Dazu musste er nicht nur genesen sein. Er brauchte auch die Entnazifizierung, die sich für das ehemalige SA-Mitglied verständlicherweise hinzog. 1949 aber bekam der Vater den lang ersehnten Persilschein. Alle Arbeiter am Ort, frühere SPD-Wähler, hatten ihm Entlastungsscheine ausgestellt und bestätigt, dass er nie Unterschiede zwischen den Kindern gemacht hatte, egal aus welchem Elternhaus sie stammten. Doch die Wiedereinstellung wurde ein bloßes Intermezzo. Nach einer Woche Unterricht musste er zur ärztlichen Untersuchung und die ergab erneut, dass er an offener Tuberkulose litt. »Sofort verschwand er wieder in einer Heilanstalt und war dann in den nächsten Jahren nicht bei uns.« Der Vater, das war eine zu vernachlässigende Größe. Ein fast Fremder, dessen spürbarster Einfluss die regelmäßigen Röntgenuntersuchungen waren, denen die Familie sich nun unterziehen musste. Anderen Familien blieb so etwas erspart, und die feinen Antennen der Kinder spürten die soziale Absonderung. Bärbel Wartberg empfand die Vorsorge damals »als Makel«.

Die Krankheit des Vaters brachte Veränderungen. Die Dienstwohnung stand der Familie endgültig nicht mehr zu, und die Mutter organisierte den Umzug zu den Großeltern nach Hademarschen im Landesinneren. Das bedeutete den Abschied vom Meer, vom Deich und von dem Dorf, in dem die inzwischen neunjährige Bärbel jeden kannte. »Schon beim Wegfahren hatte ich unendliches Heimweh.« Die Ankunft war kein bisschen fröhlicher. Die Wartbergs trafen auf traurige Menschen, denn Großmutter und Großvater standen noch ganz unter dem Eindruck der Trennung von ihrer anderen Tochter, die samt Mann und Kindern nach Amerika ausgewandert war. Bärbel und ihre Familie zogen in die frei gewordenen Räume. Heimweh, Trennungsschmerz, die ewige Sorge um den kranken Vater – die Erwachsenen erlebten einen bedrückten Neuanfang. Die Kinder auch. »Ich stand im Garten der Großeltern«, sagt Bärbel Wartberg, »und stellte mir all die Leute vor, die in dieser Stadt wohnen. Und keinen von ihnen kannte ich. Ich fühlte mich sehr allein.«

In diese allgemeine Bedrücktheit kehrte schließlich der Vater heim. Er kam, um zu sterben. Die Klinik hatte ihn als austherapiert entlassen – der geschwächte Mann würde sich nicht mehr erholen. Seine Frau hatte den Ärzten versprechen müssen, den Kranken streng isoliert von seinen Kindern zu pflegen. In »einem kleinen, ausgebauten Verschlag«, der ans Haus der Großeltern angebaut war, brachte sie ihn unter. Wieder war er ganz nahe, und wieder blieb er hinter einer realen und einer imaginären Wand entrückt. Er muss darunter schrecklich gelitten haben. Er hörte nun die Stimmen Bärbels und ihrer Brüder. Sehen durfte er die Kinder nicht.

Vielleicht war es der zähe Wille, diese Distanz, diese Entfremdung nicht hinzunehmen, die zu dem beitrug, was später manche im Dorf als Wunder bezeichneten. Denn zu Hause, mit der beständigen Pflege seiner Frau, gelang, was in der Klinik gescheitert war. Bärbels Mutter besorgte von den Bauern und Freundinnen, die sie noch aus der eigenen Schulzeit kannte, Butter und Sahne. Karrte dringend benötigte Kalorien herbei und suchte wieder, wie schon nach Kriegsende, Rat und Hilfe jenseits von Rationalität und Schulmedizin. Eine weise alte Frau, eine Heilkundige des Dorfes, ordnete Zeremonien im Mondschein an. »Aber meine Mutter zog mich nie ins Vertrauen«, erinnert sich Bärbel Wartberg, die erst viel später von diesen esoterischen Therapieversuchen erfuhr. Sie sah nur das Ergebnis. Der totgesagte Vater kam wieder zu Kräften. Für kurze Zeit wurde der zeitlebens dünne Mann, »der immer schwer atmete«, wieder ein Teil seiner Familie. Ein Mann, der nun den Respekt seiner Kinder erringen und vielleicht erzwingen wollte. Die Wartbergs bauten ein Haus.

Der Mann, den die Ärzte aufgegeben hatten, zimmerte bald Möbel für das neue Heim seiner Familie. Das kam einer machtvollen Wiedergeburt gleich. Auch in der Erinnerung seiner Tochter rückt er nun endlich vom Bildrand in die Mitte. »Ich seh ihn immer beim Hausbau mit meinen Brüdern.« Sie zogen ein, als der Bau noch lange nicht fertig war. Das Gebäude wuchs und reifte mit den Kindern. Aber in einer grimmigen

Wendung des Schicksals verfiel der Vater wieder, kaum dass er diesen Beweis seiner Stärke geliefert hatte. Das kurze Aufflackern seiner Lebensgeister hatte ihn ein kleines Monument errichten lassen, in dem er nun dahindämmerte. Er war wieder der Kranke, der nicht Belastbare, »der immer neben der Familie herlebte«. Morgens schlief er lange, mittags hielt er erschöpft sein Mittagsnickerchen, in der Zwischenzeit saß er im Garten oder machte Spaziergänge. Er hatte kein Ziel, keine Bestimmung mehr und konnte nur noch leichte Arbeiten im Haushalt verrichten. Er blieb das Anhängsel der Mutter, der Vater der Kinder wurde er nicht. »Er hatte keine Freunde. Er hatte kein eigenes Leben«, sagt seine Tochter.

Was ist geblieben von einem, der nie die Chance hatte, mit seinen Kindern zu leben? »Ich habe schon als Kind gemerkt, dass mein Vater oft traurig war«, sagt die Tochter. Sie hat heute Mitleid mit dem Mann, dem auch seine Ehe als letztes Projekt misslang. Als schließlich nur noch Bärbel als jüngstes Kind im Elternhaus lebte, schlug die Stimmung dort in Schwermut um. Die heitere Atmosphäre der Hausbauphase war restlos verflogen. Bärbels Mutter hatte die Rolle der Familienlenkerin verinnerlicht, der Vater fand auch in ihr keinen Menschen mehr, der ihn brauchte. Die Entfremdung, die seit der Heimkehr gewachsen war wie die hartnäckige Krankheit in der Lunge, mündete nun in die Trennung. Oft hat sich Bärbel Wartberg gefragt, was aus der Ehe ihrer Eltern geworden wäre, wenn der Vater gesund aus dem Krieg zurückgekommen wäre. Wenn der Krieg nicht Friedrich Wartbergs Leben in der Mitte abgeschnürt hätte. »Wenn mein Vater normal berufstätig gewesen wäre, hätte er mehr Geld gehabt. Er hätte sich nicht ›alter Dussel‹ nennen müssen. Er wäre jemand gewesen. Und dann wäre vielleicht auch seine Ehe nicht in Schieflage geraten. Meine Brüder hätten eine weniger komplizierte Jugend gehabt und eine bessere Ausbildung. Sie hätten das Gymnasium besuchen können. Sie hätten gehabt, was mir als Nesthäkchen durch ein Stipendium zufiel. Und ich hätte einen völlig anderen Vater gehabt. Einen, der Tatkraft ausstrahlt. Der dem Leben zugewandt ist. Einen Vater, der in die Familie eingebunden ist.« Vieles, glaubt Bärbel Wartberg, wäre anders gekommen. »Es ist nicht gut, wenn man aufwächst und das Hauptgefühl für den eigenen Vater Mitleid ist.« Am Ende seines Lebens hat die Tochter ihn von Herzen geliebt. Aber auf der langen Wegstrecke dorthin hätte sie ihn oft und bitter gebraucht.

9. Mutterseelenallein

Kriegsschrecken in der Nachkriegszeit

Das Glück verließ Maria Moll in der Nacht vom 15. auf den 16. August 1932. Da war sie drei Jahre alt und lag in einem Bettchen in einem Kinderheim bei Essen. Der Vater hatte sie abgeliefert, nicht am Tiefpunkt der Not, nicht aus purer Überforderung, sondern voller Vorfreude: Maria sollte hier nur so lange versorgt werden, bis ihre Mutter mit dem neuen Brüderlein oder dem neuen Schwesterchen aus dem Krankenhaus wieder nach Hause kommen würde. Mitten in der Nacht, um drei Uhr, ist Maria aus dem Schlaf hochgefahren und hat begonnen, aus Leibeskräften nach der Mutter zu schreien. So zumindest haben es die Schwestern des Heims dem Vater später erzählt. Eingeschlafen ist Maria erst wieder, nachdem sie sich in Erschöpfung gebrüllt und geweint hatte. Drei Uhr morgens, das war der Zeitpunkt, zu dem Marias Mutter im Kreißsaal den Kampf gegen den Tod verlor.

Der Vater hat Maria Moll gleich am nächsten Tag die Wahrheit offenbart. Obwohl sie die natürlich nicht verstand, obwohl ihr nicht klar wahr, was das heißen sollte, die Mutter sei nun gestorben. Nur die nahe liegende Konsequenz begriff Maria Moll sehr schnell: Sie musste vorerst im Heim bleiben. Das neue Brüderchen war schon in einem anderen angemeldet. Der Vater organisierte die Katastrophe mit kühlem Kopf, mit einer Effizienz, die Gefühle nicht gelten ließ.

Maria Molls Leben war nun radikal verändert. Mutterliebe, lernte sie bald, war ein Phänomen der Vergangenheit, etwas, das so fern rückte, als sei es nur irrtümlich in ihren ersten Lebensjahren aufgetaucht. Aber diese zugleich nahe und ungreifbare Erinnerung wollte sie nicht aufgeben. Es war das Geschenk einer schattenhaften, unbekannten Person und zugleich das emotionale Rüstzeug für ihr weiteres Leben. »Anders hätte ich das gar nicht aushalten können«, sagt die Vierundsiebzigjährige in resolutem Tonfall, der keine Widerrede duldet. Denn dieses Leben hielt vom Moment des Albtraums im Kinderheim nur eine Lektion für sie bereit: Du musst überleben, koste es, was es wolle. Und du bist dabei ganz allein.

Noch im Trauerjahr heiratete Maria Molls Vater Rudolf, Leutnant der Marine, eine neue Frau. Auch an sie hat Maria Moll kaum Erinnerungen. Der Vater kam aus einer Offiziersfamilie, er hatte selbst im Elternhaus statt Zuneigung militärischen Drill erfahren. Nestwärme war ein Fremdwort für ihn geblieben, er sah keinen Sinn in ihr bei der Erziehung seiner eigenen Kinder oder beim Umgang der Erwachsenen miteinander. Die zweite Ehe wurde schnell wieder geschieden. Als Maria sieben und ihr Bruder vier Jahre alt waren, heiratete Rudolf Moll ein drittes Mal. Die neue Stiefmutter war einundzwanzig Jahre alt – nur vierzehn Jahre älter als ihre Stieftochter und zwanzig Jahre jünger als der Vater. Daraus könnte man vielleicht auf einen schwesterlichen, vielleicht verschmitzt komplizenhaften Umgang der neuen Frau zumindest mit dem ältesten Kind schließen. Nichts wäre ferner von der Realität. Die neue Mutter, die sich vielleicht einen Mann ohne solch lästigen Anhang gewünscht hätte, war ohne Erfahrung und bezog ihre Ideen von Erziehung von Marias Vater und vielleicht aus dem eigenen Elternhaus: Unterwerfungspädagogik, die Zertrümmerung kindlichen Willens als Erziehungsziel, war damals kein Einzelfall.

»Insofern war mir das, was man eine unbeschwerte Jugend nennt, nicht vergönnt«, sagt Maria Moll. Die Zuwendung ihres Vaters beschränkte sich auf die Bereitstellung eines gut ausgestatteten Zuhauses und geregelter Mahlzeiten. Seine pädagogische Kompetenz erschöpfte sich in Strafmaßnahmen. Weil die Stiefmutter gehört hatte, wie Maria sie anderen Kindern gegenüber »die Doofe« genannt hatte, sperrte er seine Tochter auf dem Dachboden ein – eine ganze Woche lang. Sie musste zur Schule gehen, danach zurück in den dunklen Verschlag unter den Balken und Ziegeln. Das Essen wurde ihr auf die Treppe gestellt, ihre Toilette war jene, die zum Dienstmädchenzimmer gehörte. Maria Molls Bruder wurde in seinem Kummer mit sechs Jahren wieder zum Bettnässer. Die Stiefmutter band ihm die feuchte Matratze auf den Rücken und ein Schild auf den Bauch. »Ich bin ein Bettnässer«, stand darauf geschrieben. So schickte sie ihn auf die Straße.

Die Stunden in der Schule wurden für die Kinder zur einzigen unbeschwerten Zeit. Hier gab es zwar die Forderung nach Disziplin, aber nicht jene zermürbende Mischung aus Kasernenhofkommandos und rabiaten Bestrafungen realer oder vermeintlicher Abweichungen vom perfekten Gehorsam, die ihnen zu Hause das Kindsein austreiben und ein verlässliches, automatenhaftes Reaktionsschema einbläuen sollte. Dieses Regiment wurde nicht besser, als der Vater mit Kriegsbeginn aus der Familie verschwand. Es wurde nur ein wenig willkürlicher. Für Maria Moll als Älteste bedeutete das Einrücken des Vaters, Verantwortung zu übernehmen, ohne den kleinsten Entscheidungsspielraum zu bekommen. Sie musste mit den Lebensmittelkarten in den Läden anstehen und aufpassen, dass sie nicht übers Ohr gehauen wurde, sie musste die Kleinen – aus der neuen Ehe des Vaters hatte sie zwei jüngere Geschwister – trösten, sie musste bei den Großangriffen auf ihre Heimatstadt Essen, mitten in der erbarmungslos bombardierten Waffenschmiede Deutschlands gelegen, Trost vermitteln, ohne selbst ein wenig Geborgenheit zu erfahren.

Als die Luftangriffe immer zahlreicher wurden, organisierte der Vater während eines Fronturlaubs seine private Kinderlandverschickung. Denn er schickte die beiden kleinen Geschwister, Maria und die Mutter der Stiefmutter in die Rhön. Der mittlerweile elfjährige Bruder bekam längst auf Geheiß des Vaters im Rahmen der Nazikaderschmiede »Napola« braunen Karrieredrill verpasst und lebte fern der Familie. »Aber wenn man sah, wie wir untergebracht waren, hätte man glauben können, wir seien die Kinder armer Eltern«, erinnert sich Maria Moll. Die Frauen bezogen in einem winzigen Dorf in der Rhön eine kleine Wohnung auf einem Bauernhof. Der teure Steinway-Konzertflügel, ein Vermächtnis der Mutter, wurde mit evakuiert, musste aber aus Platzgründen beim Zahnarzt nebenan untergebracht werden.

Wie die Kinder armer Eltern zu leben, das war für Maria Moll, die inzwischen vierzehn Jahre alt war, aber keine Qual. Auf der Flucht vor den Bombern begann »mitten im Krieg die eigentlich schönste Zeit meiner Kindheit«. Hier in der Abgeschiedenheit der Rhön war sie nicht nur sicher vor Luftangriffen, sondern auch vor dem Würgegriff der Eltern. Sie lernte das Improvisieren und Durchlavieren. In der Schule verdiente sie sich durch Erledigung der Hausaufgaben ihrer Freundin etwas dazu und schrieb sogar deren Klassenarbeiten. Beim Metzger stellte sie sich manchmal für eine Milchkanne voll Wurstbrühe an – meist vergeblich. Dafür stibitzte sie dann eine von den frisch gemachten Leberwürsten und schmuggelte sie unbemerkt aus dem Laden. Hier auf dem Land war der Krieg ein Ereignis in einem anderen Teil der Welt, er war eigentlich die Vernichtung der verhassten Verhältnisse. Mit Geld, wie der Vater es für diesen Umzug eingesetzt hatte, so lernte Maria, konnte man sich trotz aller Einschränkungen in eine friedlichere Welt einkaufen.

Als das Vermögen des Vaters nichts mehr wert war, als der Krieg zu Ende ging und sich das Dritte Reich zu etwas auflöste, an dem plötzlich niemand teilgehabt haben wollte, war auch Marias Sicherheit zu Ende. Der Krieg war in diesem privilegierten Rückzugswinkel kalkulierbar gewesen, der Frieden war es nicht. Maria Moll hatte ihr furchtbarstes Kriegserlebnis, als die Waffen eigentlich schon schwiegen. Amerikanische Soldaten waren mit einem Panzer in den Ort gerollt, hatten ihn kampflos erobert. Das Mädchen mit dem blonden Mozartzopf sollte zum ersten Mal die Chance bekommen, sein Schulenglisch einzusetzen, sollte übersetzen, was die neuen Herren wohl wollten. Deren Anliegen war harmlos. Sie jagten keine Nazis, suchten keine Ortsbonzen, wollten keine Verstecke mit Waffen, Räucherschinken oder Goldmark finden. Sie wollten, dass man ihnen Kaffee kocht. Das Pulver dazu brachten sie selbst mit. Es waren überaus zuvorkommende Sieger, die der Bäuerin, die sie angesprochen hatten, sogar noch ein

Päckchen Zigaretten zusteckten. Frieden, das war ja gar nicht so schlimm wie befürchtet, dachte Maria Moll erstaunt. Frieden, das war ja besser als der Krieg.

Nur wollten nicht alle diesen Frieden. Der Panzerspähtrupp, dieses kleine Wanderzeichen der Befreiung, machte sich auf ins nächste Dorf. Maria Moll fuhr wenig später mit ihrem Fahrrad in die gleiche Richtung. Von weitem sah sie den ölig fettigen Rauch, der über die Straße kroch. Im Straßengraben lag der Panzer, der eben noch bei ihnen Station gemacht hatte, der Stahl aufgerissen, der ganze Tank geschwärzt und ausgeglüht vom Brand des Treibstoffs und der Explosion der Munition. Männer – oder Kinder – des Volkssturms hatten ihn aus dem Hinterhalt mit einer Panzerfaust attackiert. Die Soldaten, mit denen sie soeben noch geredet hatte, waren mit großer Wahrscheinlichkeit tot. Ihre Leichen lagen verkohlt und eingeschnurrt im Inneren dieses Wracks, von der Gewalt des Feuers an die Reste ihrer Sitze in der Enge dieser zum Sarg gewordenen Schutzhülle geschweißt. »Da habe ich zum ersten Mal gemerkt, was Krieg heißt, was für ein Schrecken das ist«, sagt die ansonsten couragierte Geschäftsfrau im Ruhestand. Der Krieg hatte eine neue Dimension bekommen. Er war greifbar geworden, weil er Menschen betraf, die für Maria Moll Gesichter hatten. Freundliche Gesichter. Die toten Söhne und Ehemänner, die ihre Nachbarn im Dorf beweint hatten, waren für sie Fremde gewesen.

Die mörderische Heldentat der Fanatiker in letzter Stunde schürte die Angst, es könnte der deutschen Restidylle zwischen Scheunen und Weiden doch noch eine andere Lektion in Sachen Krieg drohen. Man lag ja nicht nur im Einflussbereich der Amerikaner, deren Voraustrupp tot im Graben lag. Man lag auch im Vorstoßbereich der russischen Armee. Über den genauen Verlauf der Besatzungszonen wurde noch verhandelt. »Die Angst vor dem Russen«, das war für viele Frauen nicht nur Angst vor männlicher Gewalt. Diese Angst formulierte auch die Ahnung, dass ein umfassendes Rachegericht drohen könnte. Eine Rache, die auf persönliche Schuld oder Schuldlosigkeit nicht schauen würde. Maria spürte diese Angst sehr intensiv, als sie beim Waldbeerenpflücken im Morgengrauen am Horizont plötzlich die Silhouette eines Mannes sah. »Solche Hosen tragen die Amerikaner nicht«, schoss es ihr durch den Kopf. Es war ein russischer Soldat, den sie aus der Ferne gesehen hatte. Von nun an drehte sie sich bei jeder Beere, die sie in ihren Eimer legte, ängstlich um und fragte sich, ob sie noch allein war im Wald oder ob schon russische Soldaten durchs Unterholz streiften, ob sie schon ein Opfer auf Abruf war.

Mit der Ankunft der Russen begann eine Zeit extremer Unsicherheit. Die Türen der Häuser hatten immer offen zu sein. Razzien und Durchsuchungen gehörten von nun an zum Alltag. Maria Moll erzählt von diesem Abschnitt ihrer Jugend im Tonfall der Entrüstung. Ein »Das-kann-niemand-mehr-glauben« schwingt mit, wenn sie berichtet, wie sie im Nachthemd aufs Dach flüchtete. Die Angst der Frauen und Mädchen hatte anders als die der Männer einen konkreten Namen: Vergewaltigung. Maria Moll hatte für sich eine Überlebensstrategie entworfen. Wenn sie nachts hörte, wie unten gegen die Tür gebollert und die kurz danach aufgebrochen wurde, riss sie die Bettdecke auf. Möglichst weit. Die Wärme sollte schnell aus dem Bett entweichen. Sie wusste genau, dass die, die sich auf Menschenjagd begeben hatten, mit der Hand fühlen würden, ob das Bett noch warm war, ob also noch jemand in der Nähe sein musste. Während die Soldaten in ihrer Kammer standen, hatte sie sich schon längst durch die enge Dachluke gezwängt und hing – egal wie kalt oder nass es war – am Rand des Daches. Inbrünstig hoffte sie in diesen Momenten, ihre Kraft möge reichen, bis die Soldaten von ihrer Suche abließen. Die kleinen Tode, die sie auf dem Dach gestorben war, sie waren keine Ausgeburt bloßer Hysterie, Hirngespinste eines nervösen Teenagers. Sie hatten eine ganz reale Grundlage. Eine Nachbarin von Maria ist damals vergewaltigt worden. Die Minuten am Dach brachten die brutale Konkretisierung eines jugendlichen Lebensgefühls: Man hing immer über dem Abgrund.

Die Gegenwart hieß nun Nachkriegszeit. Die Grenzen zwischen den vier alliierten Besatzungszonen gehörten mit ihren Beschwernissen und Regeln zur Normalität. Eine davon verlief zwischen der Röhn und dem Zuhause in Essen. Zwischen den Zonen umzuziehen war verboten und brauchte die Zuzugsgenehmigung der Alliierten. Die Großmutter wollte den Entscheidungsprozess der Verantwortlichen beschleunigen und machte sich mit Maria und den kleinen Geschwistern und mit drei Litern Schnaps als Argument auf die Heimfahrt. Der russische Kommandant drückte beide Augen zu, ein Lkw-Besitzer versprach, die Möbel über die Grenze zu fahren. Alles war im Rahmen allgemeiner Unwägbarkeit geplant. Die Stiefmutter war extra angereist, um bei der Flucht zu helfen. Oma, Mutter, Kinder und Möbel wurden auf dem Lastwagen verstaut. Die Fahrt endete ein Haus vor der Grenze. Vor einem Bauernhof fing der Fahrer an, alle Möbel auf die Straße zu laden. Die Angst vor Repressalien, die ihn erwarten könnten, hatte ihn übermannt. Durch nichts und niemanden war er zur Weiterfahrt zu überzeugen. Maria war damals sechzehn. Es war ein kalter Herbsttag. Ihr teilte die Stiefmutter die Aufgabe zu, bei den Möbeln auszuharren, mehr noch, für deren Sicherheit zu bezahlen. Marias Arbeitsleistung sollte das Entgelt für den Bauern sein, der die Möbel in seiner Scheune unterstellte. Der Rest der Familie kehrte um.

In dieser Nacht im Schattenreich zwischen Flucht und Verharren, Obdachlosigkeit und improvisiertem Zuhause erlebte Maria Moll, was später an der innerdeutschen Grenze immer wieder passieren sollte. Sie sah, wie Soldaten auf Flüchtende schossen. Ein Mann, der offensichtlich der Fluchthelfer war, kam und ging über die Grenze. Einige Frauen, die wohl zu ihren aus Kriegsgefangenschaft in die amerikanische Zone entlassenen Männern wollten, warteten mit voll gepackten Rucksäcken an der Böschung versteckt. Doch sie wurden entdeckt. Betrunkene Soldaten versuchten, sie gefangen zu nehmen. Die Frauen rannten. Die Grenzer eröffneten das Feuer aus ihren Maschinenpistolen. Im Schummer des Mondes ritzte sich ein neues Licht ins Gedächtnis von Maria Moll. »Ich sah, wie der Feuerstoß vorne aus dem Gewehrlauf kam«, erinnert sich die junge Augenzeugin von damals. Einige der Frauen entkamen. Stunden später kehrten sie vorsichtig zurück, um ihr zurückgelassenes Gepäck zu holen. Maria saß noch immer bei den

Möbeln und hörte die Geschichten von vergeblichen Versuchen, das Schicksal mittels Flucht über die Zonengrenze zu korrigieren. Sie hörte auch, dass viele Frauen, denen die Flucht nicht geglückt war, in russischen Gewahrsam genommen worden waren. Wieder war die Angst ganz nah, das Gefühl des Unterworfen- und Ausgeliefertseins. Wieder musste sie nachts vom Lager springen, den Trick mit der weit zurückgeschlagenen Decke anwenden und sich im Stroh der Scheune verstecken.

Erst zwei lange Wochen später trat Marias Familie den Weg in den Westen noch einmal in einem Flüchtlingstransport an. Ohne Möbel – Marias Ausharren war völlig sinnlos gewesen. Der Zug war überfüllt. Maria blieb die ganze Zeit über auf der Toilette, weil das der letzte Platz war, den sie noch hatte ergattern können. Wurde die Toilette gebraucht, schaute sie solange zum Fenster hinaus. Sie wollte die Kabine nicht räumen, sie wollte nicht hinaus vor die Tür. Sie hatte gelernt, dass um jeden kleinen Vorteil, um jede Habe gekämpft werden musste. In Friedland stiegen sie um, unter Geschiebe und Gedränge. »Die Menschen schrien wie die Irren.« Auch ihr war nach Brüllen. Sie wusste nicht, ob alle Familienangehörigen im Zug untergekommen waren, verteilt auf Personenwagen und Güterwaggons. An einem der Nothalte beschloss die Sechzehnjährige, mit den anderen auszusteigen. Nun brüllte sie »Oma, Oma, steig auch aus« – und tatsächlich tauchte die Oma auf. Nur weil die alte Frau zuvor Fahrkarten gekauft hatte, obwohl man die für Flüchtlingstransporte nicht brauchte, bekamen die Molls Zutritt zum nächsten Bahnhof. Die Macht des Geldes und der Formalitäten machte sich auch im Chaos schon wieder bemerkbar. Die Reise ging so beschwerlich weiter, wie sie begonnen hatte. Und sie führte an ein Ziel, das Maria Moll nicht als Zuhause, nur als vorläufiges Ende der ungeordneten Flucht betrachten konnte: das Haus in Essen, das nie von menschlicher Wärme in ein wahres Heim verwandelt worden war.

Maria Moll verließ ihr Elternhaus erst 1953. Bis dahin musste sie, im eingeschliffenen Gehorsam, den tyrannischen Vater und die kalte Stiefmutter ertragen. Das Bild dieser Frau verfolgt sie, auch wenn sie versucht, es abzuschütteln. Als sie vor einigen Jahren in Kur war, konnte sich die Geschäftsfrau nicht erklären, warum eine völlig unbekannte Frau in ihr eine so große Abneigung hervorrief. »Sie setzte sich an meinen Tisch. Ich konnte ihr nicht in die Augen schauen«, sagt sie. Einen Abend lang grübelte die Vierundsiebzigjährige, was sie so irritierte. Als sie vor ihren inneren Augen plötzlich zwei kleine Kinderhände sah, die sich um eine weiße Stuhllehne klammerten, war ihr klar: Die Frau erinnerte sie an die verhasste Stiefmutter. Maria Moll realisierte: Die Vergangenheit ist nicht vergangen, sie wartet nur auf die richtigen Momente, sich in der Gegenwart zu erkennen zu geben.

Die Sehnsucht nach der Begegnung mit der leiblichen Mutter ist geblieben. Sie ist so zehrend, dass Maria Moll, die sonst fest mit beiden Beinen auf der Erde steht, schon wiederholt darüber nachgedacht hat, sich hypnotisieren zu lassen. Aber die Angst vor dem Schmerz, die Mutter endlich kennen zu lernen und doch gleich wieder verlassen zu müssen, ist zu groß.

10. Exkurs: Der Krieg im Krieg

Leben mit einem gebrochenen Vater

Wenn Marijke Reiter das Haus verlässt, ist stets eine große, über die Schulter gehängte Tasche mit von der Partie. Egal, wohin sie geht. Auch wenn sie nur von Sankt Augustin zum nahe gelegenen Bonner Bahnhof fährt, um Besuch an den Zug zu bringen. Man fühlt sich sofort gut aufgehoben an ihrer Seite. Sie ist für alle kleinen Eventualitäten gerüstet. In ihrer Tasche reisen unter anderem Sicherheitsnadeln, Nähnadel und Faden und ein Pflaster mit umher. Man kann nie wissen. Sie will gewappnet sein, will die Normalität wieder herstellen können, falls etwas passiert, das sie durcheinander bringt. Und es kann immer etwas passieren. Das weiß die Sechzigjährige ganz genau. »Diese Sicherheit brauche ich. Als Kind hatte ich sie nicht.« Diese täglich benutzte Tasche, sagt sie, habe deswegen wohl auch mit ihren Kriegserlebnissen zu tun. Jede Sicherheit ist trügerisch, hat sie damals erfahren. Marijke Reiters Bedürfnis danach ist umso größer. »Ich habe das bei vielen Menschen meiner Generation erlebt.«

Bei ihr meldet sich die Sehsucht nach Kontrolle über die Ereignisse in jedem Stau auf der Autobahn. Wenn es irgendwo kein Vor und kein Zurück mehr gibt. Wenn Fluchtwege versperrt sind und die Möglichkeit zu eigenständigem Handeln auf null reduziert ist. Selten hat sie ein Konzert oder eine Großveranstaltung besucht. Sie fühlt sich unwohl, wenn andere bestimmen, wenn sie nicht frei über sich verfügen, wenn sie sich einen Moment, in dem die Realität so in Scherben fällt wie einst im Krieg, auf die Fluchtpläne, die Disziplin, die Umsicht und die Rücksicht anderer verlassen muss. Warum ist das so? Diese Frage stellt sie sich selbst immer wieder. Marijke Reiter ist keine Frau, die Dinge einfach auf sich beruhen lässt. Sie gräbt, bis sie Antworten findet. Die Antwort auf die Frage nach der Ursache ihrer Beklemmung heißt: Sie ist ein Kriegskind. Seit sie akzeptiert hat, dass sie auf Grund ihrer Kindheitserfahrungen ein ängstlicher Mensch ist und dazu steht, wird die Angst kleiner.

Krieg äußert sich in einem herrischen Gefühl, das Marijke Reiter in unregelmäßigen Abständen überkommt und das lange ihr Leben bestimmt hat. »Krieg war immer das Thema bei uns zu Hause.« Es verursacht ihr Übelkeit. Es schnürt ihr den Hals zu. Dann ist sie kurz davor, sich zu übergeben. Krieg wurde zum Argument für alles und gegen alles in ihrem Leben. Selbst wenn der Vater mehr Aufschnitt auf den Teller zugeteilt bekam als die anderen, musste der Krieg als Begründung herhalten. Die Reiters überlebten das Dritte Reich zwar körperlich so gut wie unversehrt. Aber die Familie mit ihren sechs Kindern übt sich seitdem in einer »Olympiade der Gefühle«, bei der sich alle gegenseitig die seelischen Schmerzen streitig machen wollen, die als Kriegsfolgen in ihnen weiterleben. Sie führen einen stetigen Wettstreit zwischen Kriegskind und Nachkriegskindern. Lange haben sie darum gestritten, wer von ihnen das ärgste Los gezogen hat – als ob es dem Gewinner dieser Gebrochenheitskonkurrenz dann besser gehen werde.

Marijke Reiter ist als Älteste das einzige noch im Krieg geborene Kind der sechs Geschwister, vom Vater geliebt und der Mutter letztendlich nur geduldet. Was Krieg bedeute, sagt die gebürtige Niederländerin, habe sie schon im Mutterleib zu spüren bekommen. Sie wurde 1943 in einem Land geboren, das sich gleich zu Beginn des nationalsozialistischen Eroberungskrieges der deutschen Übermacht beugen und im Mai 1940 kapitulieren musste. 1942 heirateten ihre Eltern. Der Vater Willem war für einen jungen Bräutigam schon im fortgeschrittenen Alter von 42 Jahren. Ihre Mutter Anna, eine Hebamme, war 33 und hatte sich unsterblich in den stattlichen Mann mit dem Hang zum Künstlerischen verliebt. Sie sah in ihm einen außergewöhnlichen Mann, mit dem sie sich ein etwas anderes, nicht ganz so bürgerliches Leben vorstellen konnte. Sie waren beide starke Menschen, die miteinander die Welt aus den Angeln heben wollten. Die deutsche Besatzung gehörte zu jenem Gewicht, gegen das sie sich stemmten.

Das war mit hohem Risiko verbunden, und es hatte bittere Konsequenzen. Willem Reiter wurde nach drei Monaten Ehe von den Deutschen verhaftet. Jemand hatte ihn verraten – als Mitglied des Untergrunds, als Dieb von Lebensmittelkarten. Über das gefürchtete Oranje-Hotel, wie der Spitzname jenes Gefängnisses in Den Haag lautete, in dem heute der Internationale Strafgerichtshof sitzt, wurde er ins Konzentrationslager Voght gebracht. Zur Erhöhung des Schreckens wurden in solchen Fällen keine Informationen an die Angehörigen gegeben. Die schwangere Anna Reiter setzte ihre eigene Sicherheit aufs Spiel, bedrängte fünf Monate lang die Behörden, drang bis ins Hauptquartier der SS vor, um etwas über den Verbleib ihres Mannes zu erfahren. Man wies sie überall ab. Schließlich erhielt sie von einem deutschen Soldaten, der Mitleid mit ihr fasste, als sie durch die Flure zwischen Schreibstuben irrte, nachdem sie durch ein Fenster geklettert war, weil die Wachen an den Eingängen der Dienstgebäude sie nicht mehr durchließen, Furcht erregende Gewissheit. Willem, der Vater ihres ungeborenen Kindes, stand auf der Transportliste nach Deutschland. Das war gleichbedeutend mit einem Todesurteil. Als sie diese Nachricht bekam, war sie im achten Monat schwanger und sank in tiefste Depression. In völliger Verzweiflung unternahm sie mehrere Versuche, ihr Kind durch eine Fehlgeburt zu töten. Aber die Tochter im Mutterleib widerstand den heißen Bädern, dem Hüpfen auf Treppen, dem Springen von Stühlen. Sie ertrotzte sich ihr Leben.

Wenige Stunden vor der Niederkunft überbrachte man der Ehefrau des Verhafteten seinen Ehering und Füller. Was konnte das anderes bedeuten, als dass er tot war, dass es keine Zukunft mehr mit ihm gab? Wie sollte sie da sein Kind zur Welt bringen? Diese Geburt hatte nichts Fröhliches. Sie stand nicht am Anfang einer hoffnungsfrohen Zeit. Die Frau gebar ihre Tochter in eine Welt, in der sie für ihren Schutz nicht einzutreten vermochte. Das war im März 1943. Ende des Jahres kehrte der Totgeglaubte überraschend heim. Anna Reiter hatte die Zeichen falsch gedeutet, sie war falsch informiert worden. Ihr Mann war nicht nach Deutschland transportiert worden. Aber nun konnte sie mit eigenen Augen sehen, wie nahe am Tode er gewesen war. Geschunden, zerschlagen, ausgemergelt stand er da, ein Mann, dessen Wille gebrochen worden war.

Wenn er später seine Kinder zur Ordnung rufen wollte, konnte er nicht mehr »ich« sagen. »Eure Mutter will, dass ihr ruhig seid«, sagte er stattdessen. Das »Ich« war aus seinem Leben getilgt. Er war ein Fremder im eigenen Haus. »In meinem Vater lebte der Krieg immer mit uns weiter«, sagt seine älteste Tochter, die selbst für die Familie die personifizierte Kriegserinnerung wurde. Durch die unterschiedliche Zuneigung, die die Eltern für sie empfanden, wurde Marijke zum Dauerstreitthema zwischen den beiden. Die zwei Jahre nach ihr geborene Schwester war das Friedensengelchen, der Augenstern der Mutter, der alles vergessen machen sollte. Marijke aber war die böse Erinnerung, kein Kind, das sie lieben konnte. Dabei hatte auch die 1943 Geborene ihre eigenen, wenn auch nur unbewussten Erinnerungen an die Schrecken des Krieges. Dreimal wurde die Familie ausgebombt. Davon erfuhren alle Kinder zwangsläufig, denn es hatte ein Trauma hinterlassen. Noch lange Jahre nach dem Krieg weckte die Mutter bei jedem Aufziehen eines Gewitters ihre Kinder, egal, wie tief sie schliefen. In Decken gehüllt mussten sie die Wohnung im ersten Stock verlassen. Die Erfahrung, einmal aus einem brennenden Haus fliehen zu müssen, hatte die Mutter geprägt. Das sollte nicht noch einmal passieren.

In Marijkes Unterbewusstsein aber lagern nicht nur Bilder an solche Gewitterübungen. Bei einem der Bombenalarme im Krieg saß das kleine Mädchen in seinem Laufstall im Garten. Die Erwachsenen schafften es nicht mehr, Marijke zu packen und mit in den Schutzkeller zu nehmen. Sie erlebte den Bombenangriff allein und schutzlos, aber unversehrt, auf der Wiese. In ihrem aktiven Erinnern gibt es keine Bilder von diesem Zwischenfall. Aber die späteren Erzählungen der Erwachsenen haben Bilder davon in ihr geschaffen, wie es wohl gewesen sein könnte. Sie vermutet, dass ein Großteil ihrer Ängste daher rührt. Ein Feuerwerk ist für die Sechzigjährige noch immer ein unerträglicher Albtraum.

Marijke Reiter hatte dem Krieg ins Gesicht geschaut, als sie noch nicht einmal das Wort sprechen konnte. Vielleicht entwickelte sie deshalb eine so besondere Beziehung zu ihrem Vater, den die Fratze der Gewalt Tag um Tag angestarrt hatte. Wenn er schwach war, verteidigte sie ihn vor der Mutter. Streit gab es oft zwischen den Eltern, und immer war der Krieg das Thema der Auseinandersetzungen. Stets fühlte sich Marijke instinktiv auf Seiten des Vaters. »Ich habe ihn mir groß gemacht, weil er von der Mutter so klein gemacht wurde«, sagt sie heute mit angesammelter Lebensweisheit und der Erfahrung der Trauerbegleiterin, zu der sie sich hat ausbilden lassen. »Damit wollte ich ihn entlasten. Aber damit war ich natürlich hoffnungslos überfordert.«

Marijke erlebte einen Vater, der ein Gefangener seiner Albträume war. Der nachts schrie und oft krank wurde. Aber er liebte seine Tochter, die er ganz offensichtlich als Bindeglied in die Vergangenheit sah, die er nicht abschütteln konnte und mit der er sich arrangieren musste. Vater und Tochter lebten ein gegenseitiges Verständnis ohne viele Worte. »Ich stand für ihn sicher auch für diese schreckliche Zeit. Aber wir haben uns beide sehr gut ertragen können. Natürlich war ich überfordert. Aber ich konnte es aushalten, wenn er geweint hat. Er weinte bei mir. Das war für mich nicht peinlich. Er durfte das.« Es klingt noch heute viel Liebe für den Vater aus ihren Worten. Auch Marijke selbst galt als Heulsuse, als eine, die nah am Wasser gebaut hatte. Wenn sie zu viel weinte, bekam sie noch mehr Schläge von der Mutter, damit sie aufhörte. Denn anders als der Vater weinte Anna Reiter nie über ihr Schicksal. »Sie hat die Zähne zusammengebissen«, sagt ihre Tochter bitter.

»Ich habe eine Mutter gehabt, die diktatorisch war, egoistisch und enttäuscht von allem, was in ihrem Leben passiert war«, sagt Marijke Reiter. Erst jetzt, in der letzten Lebensphase ihrer Mutter, finden die beiden wieder zusammen. Aber das ist das Ergebnis eines mühsamen Annäherungsprozesses, in dessen Verlauf sie lange Jahre gar keinen Kontakt zueinander hatten. Damals aber lebten sie erzwungenermaßen in einem Haushalt, und die Mutter, die krank war vor Schmerz über die vom Krieg und den Nazis zerstörte Ehe, nahm sich ihre eigenen Freiheiten. Immer wieder verschwand sie. Mal war sie zwei Tage in Amsterdam, mal einen Tag in Paris. Dem überstürzten Aufbruch folgte von unterwegs aus der Anruf in der Schule, Marijke solle rasch nach Haus kommen, um sich um ihre Geschwister zu kümmern. Aus der großen Schwester wurde so ein Muttersatz auf Abruf, ihre Kindheit ging früher zu Ende als die ihrer Geschwister. Sie fügte sich in diese Rolle, die ihr aufgezwungen wurde. Das belegen auch die Fotografien aus dieser Zeit. »Ich bin auf vielen Bildern damit beschäftigt, irgendeinem Kind unserer Familie die Nase zu putzen oder sonst etwas in Ordnung zu bringen.« Doch noch etwas anderes fällt an diesen Fotos auf. Egal, wie traurig das Leben in dieser Familie damals gewesen sein mag, auf allen Bildern wird gelacht. Marijke Reiter erinnert sich gut: »Wir haben gelacht, auch wenn uns zum Weinen zumute war.«

Was dem Vater in der Familie nicht gelang, die Selbstbehauptung, schaffte er erstaunlicherweise draußen im Arbeitsleben. Der Künstler und Bohemien, der als Lebensunterhalt Buchhalter gelernt hatte, kam als Prokurist bei einer großen Automobilfirma unter. Doch dieser Erfolg war befristet, er verflüchtigte sich von einem Tag auf den anderen. Die Firma ging Ende der Fünfziger Bankrott, weil der Hauptgeschäftsführer, ein Spielsüchtiger, Geld veruntreut hatte. Marijke Reiters Vater wurde arbeitslos. Das und dass es ihm in der Folge nicht gelang, eine neue Stelle zu finden, empfand er als eigenes Versagen, schlimmer noch: er wagte es nicht, dies seiner Frau einzugestehen. Er ging weiter regelmäßig außer Haus. Bei Freunden und Bekannten lieh er sich Geld, um die Fassade aufrechtzuerhalten, um weiter als berufstätiger Mann zu gelten, der für seine Familie sorgt. Nach einen halben Jahr stürzte das Lügengebäude in sich zusammen.

Marijke Reiters Mutter verfiel angesichts der enthüllten Wahrheit auf eine Idee, die zeigt, wie sehr Ehemann und Tochter für sie zusammengehörten. Sie beschloss, dass ihre Älteste für die Schulden des Vaters aufkommen solle. Gespenstische

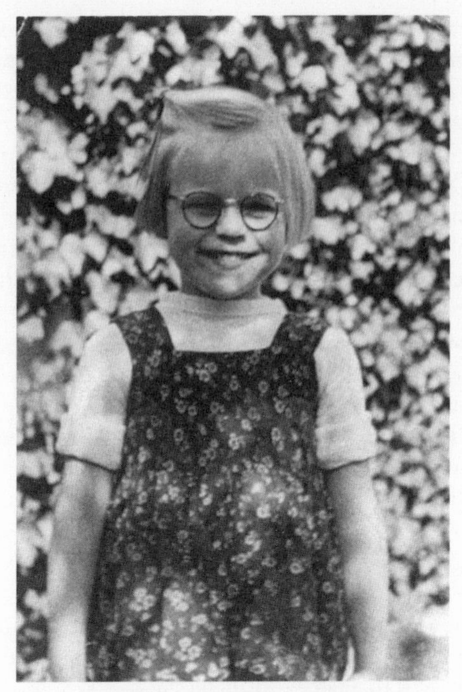

Marijke Reiter: »Wir haben gelacht, auch wenn uns zum Weinen zumute war.«

Szenen spielten sich ab. Die Mutter holte ihre Tochter am Tag des väterlichen Geständnisses aus der Schule ab und zwängte sie ins Familienauto. Am Steuer saß der weinende Vater, den sie unaufhörlich anfauchte: »Reiß dich zusammen! Nun reiß dich schon zusammen!« Marijke, die nicht wusste, wie ihr geschah, fragte verängstigt, was das Ziel dieser Fahrt sei. »Du wirst jetzt die Schulden deines Vaters abarbeiten«, beschied die Mutter sie barsch. Die Fahrt ging in ein Sanatorium, wo Marijke in der Küche arbeiten sollte. Keiner erklärte ihr die Hintergründe dieser Amok-ähnlichen Aktion. Sie wusste nicht, von welchen Schulden die Mutter sprach. Sie war aber vor allem fassungslos, wie unfähig ihr Vater war, die Mutter zu bremsen. »Er hat sich nicht vor mich gestellt. Er hat nichts gesagt.«

Zur Wut auf die Mutter kam die Enttäuschung über den geliebten Vater, der alles einfach geschehen ließ. Der sonst zärtliche und liebevolle Willem konnte seine Opferrolle nicht ablegen. Er war dazu verdammt, sie bis zu seinem Tod zu spielen.

Einzig einer Lehrerin hatte es die dreizehnjährige Marijke zu verdanken, dass sie weiter zur Schule gehen durfte und die Mutter von ihrem Plan abließ. Diese Lehrerin »war die Balance zu all dem Schrecklichen, was mir geschehen ist. Ich habe mir sehr früh Ersatzpersonen gesucht.« Mit ihnen versuchte sich das Mädchen ein Leben zu bauen, in dem sie sich heimisch fühlen konnte. Und so wählte sie Menschen aus, von denen sie Zuspruch erwarten konnte. Die Lehrerin, die sich für sie eingesetzt hatte. Oder die Haushaltshilfe, zu der sie immer geflohen war, wenn mit der Mutter kein Auskommen mehr war. Noch heute besucht sie die ehemalige Hausangestellte, die ihr vieles aus ihrer Kindheit erzählen kann, an das sie selbst keine Erinnerung hat. Von ihrer Mutter erntete sie für dieses Ausweichen zu Menschen außerhalb der Familie den Vorwurf, sie drücke sich.

Als Marijke siebzehn Jahre alt war, kam ihre Mutter auf die Idee, sie als Au-pair-Mädchen nach Deutschland zu schicken. Schließlich hatten ihre Leistungen in der Schule unter dem Druck zu Hause stark nachgelassen. Warum gerade Deutschland, das Land der Täter, ist Marijke Reiter bis heute schleierhaft. Sie hasste die Sprache, die sie heute perfekt beherrscht. Sie wollte auf keinen Fall dorthin. Wider Erwarten aber wurde es ein gutes Jahr. Sie hängte gleich noch ein weiteres dran – und heiratete Jahre später einen Deutschen, den sie in dieser Zeit kennen gelernt hatte. Dass sie mit dem Deutschen glücklich wurde, erboste die Mutter wiederum. Aber dieses Mal setzte Marijke ihren Willen durch.

Väterliche Gefühle konnte sie durch ihre Entscheidung nicht mehr verletzen. Willem Reiter lebte zu diesem Zeitpunkt schon nicht mehr. Erst Jahre später, als sie sich der Hospizarbeit widmete, weinte sie die früher zurückgehaltenen Tränen über den Abschied von diesem zerbrochenen Mann. Es war auch ein Weinen um das, was der Krieg in ihrem Leben angerichtet hatte. Als ihr Vater längst tot war, fand sie den Mut, in das Konzentrationslager zu fahren, in dem er einst gequält worden war. Es kostete sie all ihre Kraft. Sie begab sich auf seine Spuren, sie suchte mit einer Zeitungsanzeige Menschen, die ihn gekannt hatten. Das Puzzle seines Lebens fügte sich mehr und mehr zusammen. Mit jedem Stückchen, das sie legen konnte, verschwand ein Stückchen Angst aus ihrem eigenen Leben.

Ausgestoßen

Als sie ihren Vater zum letzten Mal sah, erzählte sie ihm von ihrer neuen Zahnspange. Für die Elfjährige war das wichtig. Sie konnte nicht ahnen, dass das Untersuchungsgefängnis ein Ort war, an dem man sorgsam mit der zur Verfügung stehenden Zeit umgehen und alles sagen musste, was danach nie mehr gesagt werden konnte. Susanne Glöckner wusste nicht, dass sie ihren Vater gerade das letzte Mal sah. Die nationalsozialistische Mordmaschine hatte ihn schon in ihre Todeslisten aufgenommen. 1940 raubte man ihm im Konzentrationslager Sachsenhausen nördlich von Berlin, wo man zunächst politische Gegner und ab 1938 auch rassisch Verfolgte inhaftierte, das Leben. Im November 1939 hatte die Gestapo morgens um sechs Sturm geläutet und Susannes Vater, den Chemiker Ludwig Glöckner, mitgenommen. Sein Vergehen: Er galt als Jude. Zwar waren seine Eltern Christen so wie er. Aber der Rassenwahn der Nationalsozialisten hatte in den Adern eines Elternteils Anteile jüdischen Blutes ausgemacht, so dass auch ihr Sohn laut Reichsbürgergesetz von 1935 als Jude – oder zumindest als »Mischling ersten Grades« galt. »Er hatte die falschen Eltern und den falschen Beruf«, sagt seine Tochter heute abgeklärt.

Susanne Glöckners Vater hatte bei seiner Verhaftung schon die Ausreisepapiere nach Amerika in der Tasche. Er hatte endlich begriffen, dass auch er in diesem Land nicht mehr gelitten war, dass er seinen Mitmenschen von einst als Ungeziefer galt. Die IG Farben, in deren Laboren in Leuna er beschäftigt gewesen war, hatte ihn 1938 entlassen. Der Kündigungsgrund: Die deutsche Industrie sollte, wie alle Bereiche der Gesellschaft, restlos judenfrei werden. Ludwig Glöckner musste mit seiner Ehefrau und seiner Tochter aus dem Werkshäuschen ausziehen, das man ihnen zur Verfügung gestellt hatte. Sie gehörten nun endgültig nicht mehr zu der Akademikergemeinde, die sich in Leuna am Industriestandort zusammengefunden hatte. Der Umzug nach Leipzig sollte da nur noch vorübergehend sein. Ludwig Glöckner waren endlich die Augen darüber aufgegangen, dass auch seine völlige kulturelle Assimilation ihn in den Augen der Nazis nicht zu einem gleichwertigen Bürger machte. Noch in Leuna hatten Vater und Tochter gemeinsam bei einer Hauslehrerin mit Englischstunden begonnen, um sich in der neuen Heimat schnell zurechtfinden zu können. Ludwig Glöckner hatte bei einer amerikanischen Firma eine neue Anstellung gefunden. Das war ihm nicht schwer gefallen, denn er war in der Grundlagenforschung tätig gewesen. Das bedeutete später auch sein Todesurteil. Die nationalsozialistischen Machthaber erklärten ihn, nachdem er seine Ausreisepapiere schon erhalten hatte, zum Geheimnisträger, dem ein Verlassen des Landes nicht gestattet werden konnte – und hatten weitere Gründe, ihn in Haft zu halten.

Susanne Glöckner hat Erinnerungen an einen heiteren Vater, der auch bei ihren Freundinnen ungeheuer beliebt gewesen ist. Als die Nachricht von seinem Tod die Familie traf, wurde Susanne zu einer wichtigen Gesprächspartnerin ihrer Mutter. Aber dass dieser geliebte Vater nun für immer verschwunden sein würde, das konnte Susanne sich zwar vorsagen. Glauben konnte sie es nicht. »Was es bedeutete, habe ich erst viel später begriffen.« Um sich selbst hatte sie damals keine Angst, sie fühlte sich keineswegs gefährdet. Aber auch sie galt im Sinne der nationalsozialistischen Rassenkunde als »Mischling zweiten Grades«. Ihre Mutter muss um sie gebangt haben, auch wenn dieses Etikett der Nazis in Susanne Glöckners Leben erst einmal keine unmittelbaren Konsequenzen hatte. Die Angst der Mutter nahm die Heranwachsende gar nicht wahr, fühlte sie sich doch als Deutsche. Und in einem Land im Krieg war es nicht ungewöhnlich, keinen Vater mehr zu haben. »Die anderen Kinder hatten auch keine Väter«, sagt die heute Vierundsiebzigjährige. Noch hob sie sich äußerlich also nicht von den anderen Kindern ab. Der Unterschied lag vielmehr in dem, was in ihrem Inneren vorging: dass die Mutter mit Entsetzen und nicht mit Freude auf die Siegesmeldungen reagierte, die aus den Volksempfängern dröhnten. Susannes Ablösungsprozess von der Gemeinschaft um sie her verlief langsamer, er hinkte den Ausgrenzungsprozessen schmerzlich hinterher. »Ich war in meiner Klasse ausgeschlossen und hatte es noch nicht begriffen.« Das Mädchen litt darunter, dass man ihm die Mitgliedschaft im Bund Deutscher Mädel (BDM) verweigert hatte. Ein Schritt, der sie endgültig spüren ließ, dass sie nicht mehr dazugehören sollte und durfte. Die Mutter kaufte ihr eine Jacke, die der offiziellen BDM-Kluft ähnelte. Das war eine Hilfe, bis Susanne sich eingeredet hatte, dass es eigentlich viel besser sei, nicht dabei sein zu müssen, dass sie dadurch ja Freiheit genoss. Das war Zweckoptimismus. Es lief ja alles auf das Ende der Freiheit zu.

Spürte sie damals wirklich kein Fünkchen von Angst? Auch nicht, als ein ehemaliger Zellengenosse des Vaters seine Wertsachen in die Wohnung der Glöckners brachte? Er war freigekommen, durfte auswandern, aber es war ihm nicht gestattet, seine Habe mitzunehmen. Sie sollte nun nach und nach von fremden Mittelsleuten bei den Glöckners abgeholt werden, für seine Schwester, die in den Untergrund abgetaucht war. Anfangs kamen diese avisierten Boten auch. Doch bald blieben sie aus. Susanne spürte zumindest, dass das nichts mit Säumigkeit zu tun hatte. Dass in Deutschland das gesellschaftliche Gewebe immer weiter zerriss, dass immer mehr Menschen verschwanden.

Überkam sie die erste große Angst, als ihre Großmutter und deren Schwester 1941 ihre Wohnung verlassen mussten, um sich mit ihrem gesamten Vermögen in ein so genanntes jüdisches Altersheim einzukaufen, wo sie in ein heruntergekommenes Zimmer gepfercht wurden? Susanne Glöckner kann sich an das Gefühl der Demütigung erinnern. Aber nicht an Angst. Später kam Angst dazu, aber Angst um die anderen. Sich selbst sah sie noch immer nicht in Gefahr. Aus dem zynischerweise

Altersheim genannten Zwischenaufenthalt wurden Großmutter und Großtante nach Theresienstadt gebracht. Im Januar 1942 verließ der erste Todeszug Sachsen. »Wir wussten, was ein Konzentrationslager ist und dass es schlecht ausgehen kann. Ich erinnere mich noch sehr genau an den letzten Besuch. Ich habe meine Großmutter sehr geliebt und bewundert. Es war ein schrecklicher Abschied.« Es gab keine Beschönigungen. Alle wussten, dass es ein Abschied für immer war. Der Suchdienst des Deutschen Roten Kreuzes hat später bestätigt, dass beide alte Damen in Theresienstadt ermordet worden sind. Susanne Glöckner bekam zum achtzehnten Geburtstag, wie es deren letzter Wille gewesen war, den Ring ihrer Großmutter geschenkt.

Dass es nicht genügt, sich nicht für ein Opfer zu halten, um auch nicht zum Opfer zu werden, hat sie damals in bitterer Ironie des Schicksals an der Schule gelernt. Der Bruder einer Mitschülerin, ein Eiferer in der Hitlerjugend, empörte sich, seine Schwester könne nicht mit »so einer« in eine Klasse gehen. Er betrieb Susanne Glöckners Verweis von der Schule. Auch der Lateinlehrer, als Freimaurer selbst ein Gegner des Systems, konnte nun seine schützende Hand nicht mehr über die Vierzehnjährige halten. Im Herbst 1944 flog Susanne von der Schule – ihres jüdischen Blutanteils wegen, wie das ganz offiziell begründet werden konnte. Schlagartig begriff sie nun, wie weit der Staat, in dem sie lebte, zu gehen bereit war. Sie begriff endlich, dass sich in ihrem Leben die Ausgrenzung des Vaters wiederholte.

Susanne Glöckner hätte nun in Angst erstarren – und das eigene Schicksal bis zum Endpunkt des väterlichen weiterdenken können. Aber manchmal gibt nur der Selbstbetrug die Kraft zum Leben. Sie übte sich erneut in Zweckoptimismus, konzentrierte ihr Denken darauf, dass der Verzicht auf diesen Schulunterricht, der längst nur noch Improvisation gewesen war, eher Zeitgewinn als Verlust bedeutete. Immer mehr Lehrer waren in den Krieg verschwunden. Die Oberschule war zum Lazarett umfunktioniert worden, die Straßenbahnen zur Schule fuhren nur noch unregelmäßig. »Es war schon die Zeit der Bomben«, benennt die Vierundsiebzigjährige knapp den

Niedergang der zivilen Infrastruktur. Im Dezember 1943 war der erste Großangriff mit Flächenbrand und Feuersturm auf ihre Heimatstadt niedergegangen. Frei von der desolaten alten Schule, fand Susanne eine neue. Eine Fremdsprachenschule, an der »Kinder, die irgendwo aus rassistischen Gründen rausgeflogen waren, unterrichtet wurden«. Die Lehrer dort waren Kriegsgefangene. Es waren Muttersprachler, wie man heute sagen würde. »Wir fühlten uns dort recht wohl«, erklärt Susanne Glöckner lapidar zu dieser Gemeinschaft der Ausgegrenzten. Mehr Glück im Unglück hätte sie nicht haben können. Sie hatte eine Nische gefunden.

Die Bomben aber, die auf Leipzig fielen, trafen alle. Sie machten keinen Unterschied zwischen Anhängern und Verfolgten des Regimes. Wie all die anderen rannten Mutter und Tochter Glöckner mit ihren Köfferchen in der Hand in den Keller, wenn der Alarm losging. »Wenn ich daran denke, bekomme ich immer noch eine Gänsehaut.« Die Angst vor den Bomben sei größer gewesen als die vor den Nazis, sagt Susanne Glöckner. Eine kreatürliche Angst sei es gewesen, die tief im Innern sitzt. Die Überlebende dramatisiert ungern, sie nimmt nachträglich all ihrem Erlebten so viel wie möglich des Bedrohlichen. Als gehöre sich die Betonung einer Gefahr nicht, die andere verschlungen hat und der man selbst entgangen ist. »Die Angriffe hat ja jeder erlebt, egal, wie er zu den Nazis stand. Allen Leuten ging es da gleich. Man hat zusammen in den Kellerräumen gehockt und gewartet, dass Entwarnung kommt. Das Haus wackelte, und man war froh, wenn man raufkam und es waren nur ein paar Fensterscheiben kaputt.« Wenigstens dieses Glück war dem Mädchen und ihrer Mutter vergönnt: In der brennenden Stadt blieb das Haus, in dem sie wohnten, verschont. Auch in diesem Gebäude hatte ein alter Mann, der nicht mehr in den Schutzkeller ging, die Brandbomben gelöscht, die ins Haus gefallen waren. So konnten sie in einer dieser Nächte sogar eine Schulfreundin aufnehmen, die mit Mutter, Vater, Dienstmädchen und Hund vor der Tür stand. Ausgebombt und nur mit dem, was sie bei sich trugen, kamen sie bei Glöckners unter. »Wir rückten näher zusammen.« Die Mädchen schliefen in einem Bett und klammerten sich nachts vor Angst aneinander.

1945 lag Leipzig in Trümmern. In den Ruinen mühten sich die Nazis, mühten sich noch immer unermüdliche Helfer der Todesbürokratie, das für sie normale Leben in Gang zu halten: die Auslöschung ihrer Mitmenschen. Im Februar 1945 begleitete Susanne Glöckner die Schwester ihres Vaters, die nun bei ihnen lebte, und eine weitere Tante zum Sammelplatz für eine Deportation. Sie wurden nach Theresienstadt verschleppt – auch wenn es den Nazis in der verbleibenden Zeit dann nicht mehr gelingen sollte, sie noch zu ermorden. Am 14. Februar, am Tag nach der Dresdner Bombennacht, ging dann ein weiterer Transport aus Leipzig mit 165 Männern, Frauen und Kindern in die Vernichtungslager. Ein Stück weit vom Sammelplatz der zur Ermordung Vorgesehenen organisierten die Frauen der Nationalsozialistischen Volkswohlfahrt für obdachlos gewordene Leipziger Suppenküchen. Getrennte Welten, die unabhängig voneinander funktionierten. Während die einen für ein baldiges Ende des Mordens beteten, hofften die anderen darauf, schnell wieder ein Dach über dem Kopf zu haben. »Ich entdeckte das Geheimnis der Gleichzeitigkeit als etwas Unergründliches, nicht ganz Vorstellbares, verwandt mit Unendlichkeit und Ewigkeit«, hat die Autorin und Literaturwissenschaftlerin Ruth Klüger, eine Überlebende der Konzentrationslager, über diese die Sinne sprengende Gleichzeitigkeit von Geschichte angemerkt.

Im April hatte es ein Ende mit den Versuchen der Nazis, vor dem eigenen Untergang noch andere Menschen zu ermorden. Amerikanische Soldaten besetzten die Stadt. »Sie trugen weiße Gamaschen. Heute würde ich sagen, sie kamen wie Gralsritter. Es war der schönste Tag in meinem Leben. Wir wussten, dass uns nichts mehr passieren kann. Wir waren erlöst. Der Spuk war vorbei.« Susanne Glöckner ging zurück in ihre alte Schule, in die alte Klasse, aus der man sie entlassen hatte. In diesen ersten Monaten nach der Befreiung gab es tatsächlich auch das Phänomen der Belohnung des Anstands. Der Lateinlehrer, der stets versucht hatte, sie zu schützen, war nun Rektor. Zusammen mit ihren alten Mitschülern machte Susanne Abitur.

Sie hat Kunstgeschichte studiert und später an der Freien

Universität Berlin gearbeitet. Einen brutalen staatlichen Eingriff in Freiheit und Rechte seiner Bürger, ein Zerreißen der Familien, hat sie noch einmal erlebt. Sie lebte im Osten der Stadt, ihre Mutter im Westen, als am 13. August 1961 die Berliner Mauer errichtet wurde. Diesmal hatte Susanne Glöckner keinen Zweifel, dass auch sie gemeint und betroffen war, dass man auch ihr von nun an verwehren würde, ihre Mutter zu sehen. Wenige Wochen später, unter Zurücklassung all ihrer Habe, sind sie und ihr Mann mit falschen Papieren in den Westen geflohen. Die Glöckners zogen nach Stuttgart, wohin Susannes Mutter 1970 folgte. Die Urne mit der Asche des Vaters, die man ihnen nach seiner Ermordung 1940 zukommen ließ, haben sie von Leipzig hierher überführen lassen. Und als die Mutter starb, wurde sie im selben Grab beigesetzt. So waren sie wenigstens nach dem Tod vereint, ein später Triumph gegen die Geschichte und die Menschen, die ihnen diese Geschichte angetan haben. Den Ring ihrer Großmutter trägt die vierundsiebzigjährige Susanne Glöckner heute noch.

Nachwort

Verarbeitet, vergessen, verdrängt?

Mit einem Mal war dann der Krieg vorbei – das Leben musste unter neuen Vorzeichen weitergehen. Und im Schwung der Nachkriegszeit fiel keines der traumatisierten Kinder von damals mit seiner persönlichen Geschichte besonders auf oder dachte gar, etwas Besonderes erlebt zu haben. Das äußerste Entsetzen war als gemeinsame Erfahrung anstelle von Gutenachtgeschichten und Seilhüpfen Alltag gewesen. Alles hatten andere auch erlebt, dachten sich die Betroffenen, also war es in gewisser Weise Normalität, durfte einen also gar nicht aus dem Tritt bringen. Gewiss, hier hatte ein Vater ein paar Jahre länger überlebt, dort war die Brandbombe nur dicht am Wohnhaus vorbeigefallen. Bei jenen hatte die Flucht eben noch ein paar Tage länger gedauert. Aber unter dem Strich bilanzierte diese Generation: Man musste mit dem Erlebten schnell abschließen. Weil, wenn einer seinem Jammer nachgegeben hätte, alle ihrem Jammer hätten nachgeben dürfen. So wird man nicht zur Gemeinschaft, so erbringt man, um das Zauberwort der fünfziger Jahre zu gebrauchen, keine Leistung.

Die Geschichten, die sie sich damals hätten erzählen können, hatten in ihren Augen einfach keinen Seltenheitswert. Dabei waren sie so individuell wie Leben nur sein kann. Jede hat ihre ganz besondere Tragik und ihre ganz eigenen Glücksmomente. Aber wer sie vom Tisch wischen wollte, hatte leichtes Spiel, ihnen ihre Individualität zu nehmen. »Es ist ja allen so gegangen«, ist einer der Sätze, mit denen die Kriegskinder die eigene Erfahrung im Nachhinein bagatellisieren. Doch dieses kollektive Nach-vorne-Schauen war nicht gesund optimistisch. Es hatte etwas von Denk- und Fühlverbot. »Das Klima war dumpf. Die Leute haben sich beharrlich geweigert die Erlebnisse der Vergangenheit an sich heranzulassen. Sie haben sie in sich verschlossen«, erinnert sich einer an die deutsche Nachkriegsbürgerlichkeit, der in dieser Zeit erwachsen wurde. Dazu kam die langsam wachsende Erkenntnis, in einem Land zu leben, das den Holocaust geplant und durchgeführt hatte. Darüber aus Schuld- und Schamgefühl zu schweigen, bedeutete zwangsläufig auch, über die eigenen Erlebnisse kein Wort zu verlieren.

»Es musste eben irgendwie gehen«, sagen viele aus der Generation der ehemaligen Kriegskinder. Sie mussten ihre Leben wieder in Besitz nehmen. Auch wenn ein Land am Boden lag, nichts mehr so war wie zuvor und das zarte Vertrauen auf die schützende Allmacht der Eltern und die immanente Ordnung und Stabilität der Welt in Fetzen gebombt worden war. Die Uhren ließen sich nicht mehr in eine private Zeit zurückstellen, in der das Recht auf Kindheit noch gegolten hatte. »Wir durften nicht Kind sein und wir hatten keine Möglichkeit, unsere Pubertät zu leben«, stellt Marijke Reiter rückblickend fest.

Manch einer legte im Stillen ein Gelübde ab, das als Ansporn für ein ganzes Arbeitsleben reichte. »Ich will nie mehr arm sein und ich will nie mehr hungern«, sagte sich ein Heranwachsender, der mit seinen Eltern als Kleinkind zwei Jahre im Internierungslager in Dänemark gelebt hatte. Die Welt, an der er einmal partizipieren wollte, lag jenseits des Stacheldrahtes. Eine Zukunft zu haben, das war Antrieb genug, auf die Vergangenheit notfalls zu verzichten, sie wegzuschließen. Der kleine Junge aus dem Internierungslager wollte nicht zurückschauen. Stattdessen wandte er all seine Energie dafür auf, das Versprechen, das er sich gegeben hatte, zu erfüllen. Ihm gelang ein Aufstieg in der Bundesrepublik, der ihn bis in die Türme der Frankfurter Banken trug.

Auch in die Spiele ihrer Nachkriegskindheit war schnell die neue Wirklichkeit eingezogen. Sie spielten, was sie erlebten. Schwarz Schweine schlachten zum Beispiel. Immer eines der Kinder musste Schmiere stehen und aufpassen, dass niemand

Trümmerkinder: In den Ruinen der Städte fanden sie ihre Spielplätze.

kommt. »Versteck das Schwein«, musste es dann im Ernstfall rufen. In den Ruinen der Städte spielten sie auf Schutthaufen, in die niemand das Schild »Eltern haften für ihre Kinder« gerammt hatte. Sie hatten den größten und zugleich gefährlichsten Abenteuerspielplatz der Welt. Sie schichteten Backsteine übereinander und bauten sich ihre Lager, Höhlen und Verstecke, die einsturzgefährdeter nicht sein konnten. An Ostern pflückten sie für ihre Mütter Blumen, die hie und da im Schutt emporsprossen. Manche stammten aus dem Samen der unter den Trümmern begrabenen Topfpflanzen. Deren ehemalige Besitzer waren im Bunkerkeller erstickt. Das wussten auch die Kinder. Aber die in verschütteten Vorgärten wieder aufblühenden Osterglocken und Tulpen waren ein Symbol dafür, dass das Leben trotzdem immer weiterging. Die Toten unter dem Schutt waren da, aber man träumte sich von ihnen fort. Die eigenen Erlebnisse wurde man nicht los, aber man dachte an sie, als seien sie anderen zugestoßen. Als seien sie dadurch, dass sie im bösen Kern jedem widerfahren waren, auf viele Schultern verteilt. So dass sie am Ende keinem widerfahren waren. Diese Fiktion ist brüchig. Am Grind der inneren Wunden wagten die wenigsten zu kratzen. Sie hätten sich wieder öffnen können.

Ist doch alles nur aufgebauscht, sagen jene, die überlebt haben und sich von niemandem einreden lassen wollen, Schaden genommen zu haben. Und dann berichten sie von ihrer Kindheit in einem Tonfall, der schon allein wegen seiner willentlichen Distanzierung von den eigenen Erlebnissen nachdenklich macht. Denn diese Berichte klingen, als erzählten sie die Geschichte eines fremden Kindes.

Der Münchner Gesellschafts- und Psychoanalytiker Wolfgang Schmidbauer, geboren 1941, kommt in diesem Zusammenhang zu folgender Feststellung: »Insgesamt scheint es vielen Menschen besser zu gelingen, körperliche Verletzungen zu bewältigen, als psychische Traumen. Das liegt zunächst daran, dass sich das Opfer seinem beschädigten Körper mit seinen erlebnisverarbeitenden seelischen Kräften zuwenden kann wie einem Stück Außenwelt. In der Bewältigung der Außenwelt sind Geist und Sinne am besten geübt. Wer blutet oder einen Knochen gebrochen hat, schont sich zwangsläufig; wer vergleichbare seelische Verletzungen erlitt, ist dazu häufig nicht in der Lage, weil er schließlich ›nichts hat‹.«

Trauer braucht einen Ort – im Leben wie im Herzen. Diese Erkenntnis wird heute gern im Umgang mit aktuellen Krisen angewandt. Aber wir vergessen, dass sie auch schon damals galt. Was aber war wurde aus diesem Recht auf Traurigkeit, wenn in einer Bombennacht unvorstellbar viele Menschen gestorben waren? Wenn die Beerdigungsfeiern ausfielen, weil kein Pfarrer die Vielzahl an Beisetzungen abarbeiten konnte, wenn die Menschen in Massengräbern beerdigt wurden. Wo blieb das Persönliche eines Abschieds, wenn man auf mehrere Beerdigungen gleichzeitig hätte gehen können, weil beständig die Männer und Väter an der Front fielen und die Nachbarn und Verwandten im Bombenhagel? In der Formel »Wir waren regelrecht entweint worden« hat Ludger Heinz sein Lebensgefühl von damals ausgedrückt. »Ich habe mir das Weinen abgewöhnt«, sagte eine andere Frau.

Das hatte seinen guten Grund. Die selbst der Hoffnung beraubten Eltern hätten ihre Kinder oft gar nicht beruhigen können. »Sie brauchten ja selber Trost«, haben viele Zeitzeugen auf die Frage nach der Stärke ihrer Eltern im und nach dem Krieg gesagt. Wer hat wen im Keller gehalten und getragen? Die Fähigkeit aller, sich vor permanenter emotionaler Überforderung zu schützen, war damals überschritten. »Die Menschen waren in einer Form von Depression«, beschreibt ein Mann seine Erinnerungen an den Flüchtlingstreck, mit dem er unterwegs war. In solchen Situationen war Müttern und Vätern nicht nach Herzenswärme zumute. Ganz im Gegenteil: Sie verschlossen ihr Inneres, damit die Qual nicht bis dorthin vordringen konnte. Auch nicht das Weinen der Kinder. »Sei still, halt den Mund« ist keine Liedzeile, mit der man ein Kind zärtlich in den Schlaf singt. Aber wenn man das Schluchzen der Kinder nicht mehr hören muss, hält man selbst ein wenig länger durch.

»Hinter meinen Augen sind Wasser, die muss ich alle weinen«, hat die Lyrikerin Else Lasker-Schüler geschrieben. Hat sie Recht? Gibt es einen Stau von Tränen, den man lösen muss, um das Leid eines Lebens zu bändigen und zu mildern? »Mein Vater hat mich nie umarmt«, sagt die Tochter eines Kriegskindes fast erstaunt, als sie sich – nun selbst Mutter – ihre Kindheit noch einmal vor Augen führt. Aber wie soll ein mittlerweile Erwachsener Tränen trocknen und Zuversicht vermitteln können, wenn ihm das selbst nie zuteil geworden ist? Die Erziehungsideale der Eltern der Kriegskinder, gespeist noch aus der nationalsozialistischen Ideologie waren nicht Milde und Verständnis, sondern Abhärtung und Gefühlsresistenz gewesen. Die Kriegswirklichkeit hat diese den Trümmer- und Flüchtlingskindern anerzogene Härte gegen die eigenen Gefühle zementiert.

Der Psychologe Wolfgang Schmidbauer hat den Begriff der Zentralisation vom Körperlichen auf das Seelische übertragen: »Wenn der Kreislauf eines Menschen gefährdet ist, werden nur mehr die Organe durchblutet, welche für ein Fortbestehen des Lebens absolut unentbehrlich sind: Gehirn, Herz und Lunge. Der Preis dafür sind Schäden der vernachlässigten Organe, die – je nach Dauer der Zentralisation – behebbar sind oder bestehen bleiben.«

Auch wenn Schmidbauer vor übereilten Analogien warnt, nimmt er für die Seele Vergleichbares an. Die psychische Zentralisation tritt ein, wenn »über längere Zeit der normale Reizschutz überfordert wird. Die Phantasie- und Gefühlstätigkeit wird eingeschränkt auf das lebensnotwendige Minimum.« In der Verarbeitung bestehen, so Schmidbauer, Unterschiede zwischen Erwachsenen und Kindern. »Von zentraler Bedeutung ist hier, ob das traumatisierte Kind die Möglichkeit hat, sein überlastetes psychisches System einer einfühlenden Bezugsperson anzuschließen.«

Die Kriegskinder, ihre Eltern und Großeltern haben ihre Traurigkeit gut in sich vergraben. Sie haben niemanden daran teilhaben lassen. Denn das bedingt das Gespräch, das braucht einen, der zuhört, jemanden, der sein Herz öffnet. Die Kinder des Kriegs haben sich ihren Schmerz nicht von der Seele geredet. Sie freuten sich über ein Paar Schuhe zur Konfirmation. Sie glaubten wieder ein wenig an die Zukunft, wenn sie nicht mehr die furchtbaren unförmigen Trainingshosen zur Schule anziehen mussten. Und es herrschte schon fast wieder Normalität, wenn sie im Dorfgasthof ihre ersten Tanzschritte lernten. Ihr Innenleben, dachten sie streng, heiße so, weil es auch innen zu bleiben habe, weil es keinen etwas anging und für niemand von Belang war. Doch Todesangst vergeht nicht so einfach wie eine überstandene Kinderkrankheit. Die Generation der Kriegskinder war manchmal hart zu den eigenen Kindern. Aber sie wollte vielleicht nur deshalb so wenig zulassen an Freiheiten und Abweichungen, weil sie auch im späteren Leben alles für möglich hielt, jeden Zusammenbruch der Ordnung, jede Aufkündigung der Sicherheit. Ihre eigenen Kinder beginnen das oft erst jetzt zu verstehen. Aber noch ist es nicht zu spät, das Gespräch miteinander zu beginnen.

Danke.

Allen, die dieses Buch möglich gemacht haben.
Sie wissen, wer gemeint ist.

Bibliografie

Borchert, Wolfgang: Das Gesamtwerk, Hamburg 1949

Deutschland nach dem Krieg 1945 bis 1955, Geo-Epoche-Heft, Hamburg 2002

Die schönsten Märchen von Hans Christian Andersen, Gütersloh 1959

Die Vertreibung der deutschen Bevölkerung aus den Gebieten östlich der Oder-Neiße (hrsg. vom ehemaligen Bundesministerium für Vertriebene, Flüchtlinge und Kriegsgeschädigte). Eine Dokumentation in drei Bänden, Augsburg 1993, Sonderdruck der Bände, die 1954 bis 1960 herausgegeben wurden

Dörr, Margarete: Wer die Zeit nicht miterlebt hat. Frauenerfahrungen im Zweiten Weltkrieg und in den Jahren danach (drei Bände), Frankfurt/Main, New York 1998

Erdmann, Karl Dietrich, Deutschland unter der Herrschaft des Nationalsozialismus 1933 bis 1945, München 5/1985

Erdmann, Karl Dietrich: Der Zweite Weltkrieg, München 5/1987

Erdmann, Karl Dietrich: Die Weimarer Republik, München 3/1982

Friedrich, Jörg: Der Brand. Deutschland im Bombenkrieg, München 2002

Friesen, Astrid von: Der lange Abschied. Psychische Spätfolgen für die zweite Generation deutscher Vertriebener, Gießen 2000

Gießmann, Thomas/ Marciniak, Rudolf: »Fast sämtliche Kinder sind jetzt weg«. Quellen und Zeitzeugenberichte zur Kinderlandverschickung aus Rheine 1941 bis 1945, Münster 2001

Grass, Günter: Im Krebsgang, Göttingen 2002

Heinl, Peter: »Maikäfer flieg, dein Vater ist im Krieg ...«. Seelische Wunden aus der Kriegskindheit, München 2/2001

Hofer Walter (Hrsg.): Der Nationalsozialismus, Dokumente 1933 bis 1945, Frankfurt 1957
Kempowski, Walter: Der rote Hahn. Dresden im Februar 1945, München 2001
Kettenacker, Lothar (Hrsg.): Ein Volk von Opfern? Die Debatte um den Bombenkrieg 1940 bis 1945, Berlin 2003
Klüger, Ruth: weiter leben. Eine Jugend, Göttingen 1992
Kriegsbeschädigte Biografien und öffentliche Vergangenheitsbeschweigung (Hrsg. Evangelische Akademie Bad Boll), Dokumentation der Tagung »Kriegskinder gestern und heute« vom 17. bis 19. April 2000
Lasker-Schüler, Else: Gedichte 1902 bis 1943, München 2/1961
Ledig, Gert: Vergeltung, Frankfurt 1956
Lemberg, Hans/Franzen, K. Erik: Die Vertriebenen, München 2001
Mittermaier, Hans: Vermisst wird ..., Die Arbeit des deutschen Suchdienstes, Berlin 2002
Neillands, Robin: Der Krieg der Bomber. Arthur Harris und die Bomberoffensive der Alliierten 1939 bis 1945, aus dem Englischen von Kurt Baudisch, Berlin 2002
Nossack, Hans Erich: Der Untergang, Hamburg 1948
Probert, Henry: Bomber Harris, His Life and Times, London 2001
Radebold, Hartmut (Hrsg.): Kindheit in Zweiten Weltkrieg und ihre Folgen, Psychosozial, 26. Jahrgang, Heft II, 92, Gießen 2003
Radebold, Hartmut: Abwesende Väter. Folgen der Kriegskindheit in Psychoanalysen, Göttingen 2000
Robert, Ulla: Starke Frauen – ferne Väter, Töchter reflektieren ihre Kindheit im Nationalsozialismus und in der Nachkriegszeit, Frankfurt/Main 1994
Scheib, Asta: Sei froh, dass du lebst!, Berlin 2001
Schelsky, Helmut: Die skeptische Generation, Düsseldorf–Köln 1957
Schmidbauer, Wolfgang: »Ich wusste nicht, was mit Vater ist«, Das Trauma des Krieges, Hamburg 1998
Schmidt, Klaus: Die Brandnacht. Dokumente der Zerstörung Darmstadts am 11. September 1944, Darmstadt 1964
Sebald, W. G.: Luftkrieg und Literatur, Frankfurt/Main 2001

Seiffert, Rachel: Die dunkle Kammer, Berlin 2001
Sollbach, Gerhard E.: Heimat ade! Kinderlandverschickung in Hagen 1941 bis 1945, Hagener Stadtgeschichte(n), Hagen 1998
Specker, Hans Eugen (Hrsg.): Ulm im Zweiten Weltkrieg, Forschungen zur Geschichte der Stadt Ulm, Stadtarchiv Ulm, Band 6, Stuttgart 2/1996
Teegen, Frauke/Meister, Verena: Traumatische Erfahrungen deutscher Flüchtlinge am Ende des II. Weltkriegs und heutige Belastungsstörungen, in: Zeitschrift für Gerontopsychologie &-psychiatrie, 13 (3/4), 2000
Werkstattgruppe der Frauen für den Frieden/Heilbronn: Heimatfront, Stuttgart 1985
Wolf, Christa: Kindheitsmuster, Darmstadt/Neuwied 16/1987

Abbildungsnachweis

Cornelia Kurz: S.51, 113, 175
Erich Andres, Bildarchiv des LMZ, Hamburg: S. 97
privat: S. 30, 33, 37, 47, 53, 70, 73, 101, 121, 127, 131, 148, 159, 165, 186, 213, 233, 281
Süddeutscher Verlag Bilderdienst, München: S. 57, 85, 105, 107, 117, 135, 139, 157, 199, 241, 256, 293

Eltern suchen ihre V

1. Heidede Böker, geb. 29. 3. 40 Frankf. a. M., vermißt seit 13. 3. 45 beim Angriff auf Dresden.

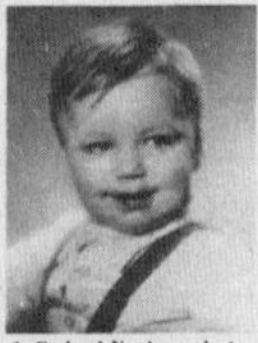

2. Gerhard Newjen, geb. 4. 6. 1942. Bei Deutsch-Brod währ. Flieg.-Angriff verlor., v. Mil.-Auto mitgenommen.

3. Ingrid Schurmann, geb. 21.2.41, m.ihr.Schwest.Helga u. Jutta vermißt seit d.Angr. a.Dresd.(Markstr.14)13.2.45.

4. Peter Schwan, geb. 19. 2. 34, auf d. Suche n. s. Mutter vermißt. Letzte Nachricht a. Seefurt,Kr.Lissa,Warthegau

5. Hildeg. Schmidt, geb. 13. 11. 42, u. Waltraud, im Hbf. Dresden verschüttet, v. d. Mutter ein. Offiz. übergeb.

6. Klaus Thater, geb. 8.7.40, a.d.Flucht v.Ostpr.im Krkhs. d.Barmhzk.Königsbg.Pr.wg. Scharl. u. Aug.-Entz. gebl.

7. Gisela Langner, geb. 25. 10. 36, zuletzt beim Bauern Pretzok, Buchelsdorf, Kreis Namslau.

8. Hans Dieter Rünger, geb. 8. 12. 35 aus Lötzen, Ostpr. Vermutl. mit Transport v. Hoyerswerda,ObLaus.,evak.

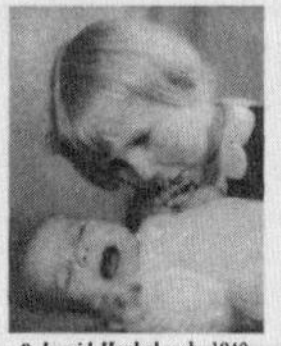

9. Ingrid Henkel, geb. 1940, a. Salzburg. Eltern: Erni u. Werner H.Vermißt s.23.6.45, angebl.i.amerik.Auto gesch.

10. Claus Hager,geb.25.1.43, u.Helge H., geb.28.9.44,beim Angriff a.Dresd. v.Rettungsmann a. d. Hauptbhf.geborg.

11. Bela Carlè, geb. Febr 41, aus Berlin, im Februar 1943 mit Eltern von der Gestapo abgeholt.

12. Peter Batawia, geb. Febr. 39, aus Berlin, Febr. 43 mit s. Brud. Jonny u. Eltern v.d.Gestapo abgeholt.

13.Brigitte Greinert,geb.10. 5.36, u.Dieter, geb.29.7.37,a. Gleiwitz. L. Nachr. Ostern 45 a.Kozojed chem.Prot.Böhm.

14. Norbert Kowollik, geb.6. 6.34.In Neiße OS.a.24.1.45 v. d.Mutt. getr., angebl. in Kinderlag.b.Linz.Bar.125,gesch.

15. Rosa Jagmann, geb. 26. 2. 40, und Helga, geb. 25. 8. 1937, aus Rundewiese, Westpreußen.

16. Dietrich Neumann, geb. 21. 6. 1939, verloren auf der Flucht in Märk. Friedland, Pommern, Januar 45

17. Roswitha Obst, geb. 19. 12. 39, mit Reinh. u. Marg. L. Nachr. a. Flü-Lag. Budin. Vat.: Benno O. gleichf. verm.

18. Eberhard Eisner, geb. 15. 4. 39, aus Dresden, Holbeinstraße. Vermißt seit d. Angriff am 13. Februar 45.

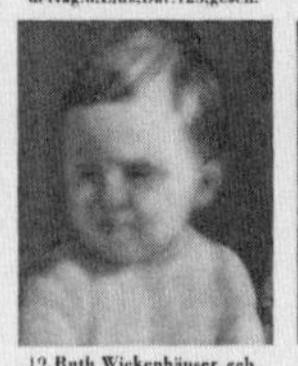

19. Ruth Wiekenhäuser, geb. 20. 2. 41. Im Febr. 45 von Frankfurt a.d.O.nach Berlin gebracht und verschollen.

20. Bodo Hassenpflug, geb. 9. 2. 1942 in Stettin. Letzte Nachricht aus Kinderheim Sorau, Lausitz.

21. Ruthi Niemann, geb. 18. 11.33. Nach Angriff auf Kassel geborg., v. Rett.Mannsch. mitgenomm., seitd. vermißt

22. Gerhard Reich, geb. 22. Februar 42, wird vermißt. Eltern: Wilhelm und Martha Reich.

23. Brigitte Koch, geb. 7. 12. 42, aus Breslau, zuletzt im NSV-Heim Wilxen, Kr. Neumarkt, Schlesien.

24. Richard Baeske, geb. 6. 3.42,Brandnarbe l.Oberarm, verloren a. 3. 3. 45 im Zug in Labes, Pommern.

25. Herta Schmidt, geb. 12. 1. 32 in Radautz, Bukowina. Zuletzt i. NSV-Heim Kochlowitz, Kreis Kattowitz.

3

PINGU
hilft

Wo
Junger

Tausende von Ki
menbruchs von
es eine schöner
unserer Zeitsch
Bilder von mehr
licht und in meh
gefunden. Mit d
Aufgabe in noch
diese unglückli
geben.
Die Gewißheit,
ten Teil in siche
Hoffnung, daß e
zuführen. Den E
missen, rufen w
auf, es ist in d
Frage der Zeit,
Kinder ermittel
Im Namen der
Väter richten w
ein verlorenes
diese Kinder d
wiedergegeben
PINGUIN setzt
suchdienst der
suche fort. El
uns Bilder zur
einsenden. Ebe
die ihre Eltern
Spenden könne
Postscheckamt

Redaktion PI

Deutsch. Caritas-Verband

SUC
zu

Aufragen und zweckdienliche Mitteilungen an den

Veröffentlicht unter Zulassung Nr US-W-501 der Nachrichtenkontrolle der Militärregierung.

rlorenen Kinder

den

iese
ädchen?

Wirren des Zusam-
ennt worden. Gibt
nen zu helfen? In
en wir bisher die
Kindern veröffent-
ütter dieser Kinder
hoffen wir unserer
erecht zu werden:
Eltern wiederzu-

Kinder zum größ-
echtigt uns zu der
eines Tages heim-
er heute noch ver-
e Hoffnung nicht
n Fällen nur eine
fenthaltsort Eurer

enden Mütter und
Appell an alle, die
sen haben: meldet
t sie ihren Eltern

mit dem Kinder-
hen seine Plakat-
suchen, können
unseren Plakaten
der von Kindern,

erlorene Kinder",
ngezahlt werden.

erlag, Stuttgart

Hilfsw. der
Ev. Kirche
i. Deutschl.

NST

ALE

26. Dieter Scholz, geb. 25. 2. 42. B. Angr. Dresd. angebl. ger. v. Württ. RK-Schwest. L. Meld. v. Flieg.H-Klötzsche.

27. Marlie Mertins, geb. 18. 4.39, mit d. Brüd. Ulrich, Peter u. Günther vermißt b. Angriff auf Dresden (Hbf.).

28. Karlheinz Stanger, geb. 7. 9. 41, dkblond, br. Aug., seit Angr. a. Pforzh. 23. 2. 45 verm., vermutl. gerettet.

29. Gudrun Hein, geb. 24. 4. 37, b. Fl.-Angr. a. Postauto i. Jungbunzlau 9. 5. 45 verl., Mutt. u. 2 Schw. angebl. tot.

30. Ernst W. v. Troschke, geb. 16. 7. 40, vermißt seit Angr. Dresd., angebl. m. Laz.-Z. 681 n. Bayern gebr.

31. Doris Gottschlich, geb. 1. 6. 39, m. ihren Schwest. Ellen u. Sigrid b. Angr. a. Dresden verloren.

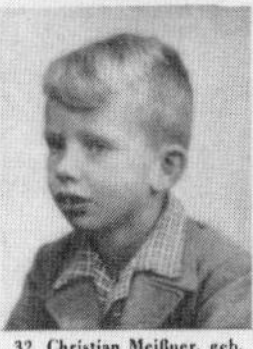

32. Christian Meißner, geb. 24. 7. 36, u. Jürgen aus Hohensalza, sind angebl. in ein Lager n. Stettin gekommen

33. Karin Förtsch, geb. 29. 7. 40. L. Nachr. a. Böhm.-Leipa, Sud., b. Fam. Krammer, seitdem vermißt.

34. Karl-Heinz Schneider, geb. 2. 1. 36. L. Adr. Oppeln, b. Fam. Schukolla. A. Marsch n. Löwen o. Neiße vermißt.

35. Ingeborg Piesch, geb. 25. 11. 43. Blond, blauäug., verloren beim Angriff auf Dresden, 13. Februar 1945.

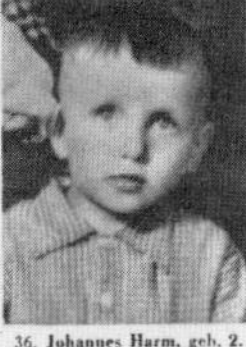

36. Johannes Harm, geb. 2. 9. 1940, zuletzt mit Nierenleiden im Landes-Kinderkrankenhaus Brünn.

37. Rosemarie I. v. d. Bergh, geb. 25. 7. 36 Nijmegen Holl., u. Frieda v. d. B., a. Transp. n. Auschwitz a. d. Zug geholt.

38. Gerhard Altmann, geb. 29. 7. 38, zuletzt bei Großeltern Karl und Maria Altmann in Oppeln, Oberschl.

39. Hermine Schwarz, geb. 24. 11. 36. Letzte Nachricht aus der Gaugehörlosenschule Leitmeritz, Sudetenland.

40. Hans Hebensberger, geb. 2.12.38. Wurde a. 23. 6. 45 in Regensbg. v. amer. Truck angefahr. u. mitgen., seitd. verm.

41. Marlies Lockstädt, geb. 5.3.43. Rosa Muttermal a. d. r. Brust, zuletzt im Heim Henriettenhof b. Osterode, Ostpr.

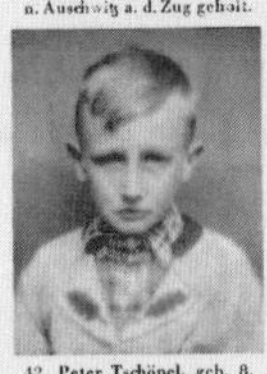

42. Peter Tschöpel, geb. 8. 8. 35, aus Michelsdorf, Kr. Lüben, Niederschlesien. Seit der Besetzung vermißt.

43. Maria Keßler, geb. 3.1.34, m. d. Geschw. Eberh., Joach., Loth., Hans-Mich. u. d. Mutt. vermißt. Zul. Roßbach, Sud.

44. Wolfgang Hansch, geb. 6. 7. 43 in Nd.-Thiemendorf Schles. War bis 2. 5. 45 im Heim in Schwarzbach, Isergb.

45. Ursula Dehn, geb. 17. 3. 41, u. Barbara, geb. 12.11.38, zul. in Sternberg, CSR, b. Fam. Seidel bzw. Joh. Kucharska

46. Roderich Walter, geb. 1. 8. 1937. Seit dem 24. Juni 1945 in Regensburg vermißt.

47. Isa (Ilse) Hermann, geb. 22. 2.41, Görlitz, zul. Krhs. Glatz-Scheibe, Arvid H., gb. 1.11.43, b. RK-Schw. Hansi a. Brünn.

48. Peter Pusch, geb. 20. 6. 41, zuletzt bei Ed. Löster, Obergeorgental, Sudetengau.

49. Gisela Weiß, geb. 24. 9. 43. Blond, blauäugig, letzte Nachr. v. August 45 a. Breslau-Hundsfeld, NSV-Heim.

50. Harald Hachen, geb. 30. 7. 39 in Sorau, Niederlausitz, zuletzt in Halbau oder Priebus, Schlesien.

Suchdienst der Zonenzentrale München, Infanteriestr. 7a

Belserdruck Stuttgart